POPPENHUIS

David Hewson bij Boekerij:

De Killing
De Killing 2
De Killing 3

Poppenhuis

www.boekerij.nl

David Hewson

POPPENHUIS

ISBN 978-90-225-6800-2
ISBN 978-94-0230-005-5 (e-boek)
NUR 305

Oorspronkelijke titel: *The House of Dolls*
Vertaling: Henny van Gulik
Omslagontwerp: Wil Immink Design
Omslagbeeld: Wil Immink Design / Thinkstock
Zetwerk: Mat-Zet bv, Soest

Voor Eddie

DEEL 1

Maandag 17 april

1

'Vos?'

Laura Bakker liep door alle zalen van het Rijksmuseum naar hem te zoeken.

'Pieter Vos?'

Een tengere man van gemiddelde lengte, in een lichtgroene winterjas die betere tijden had gekend, zat met opgetrokken schouders op een bank voor het grootste poppenhuis dat ze ooit had gezien. Vos leek zowel jong als oud. Zijn postuur, zijn lange bruine haar en zijn gekreukte, versleten kleding deden vermoeden dat hij van middelbare leeftijd was, maar zijn gezicht was rimpelloos en stond geïnteresseerd en alert. Het gezicht van een favoriete leraar of een meelevende, geduldige priester. En in zijn blauwe ogen, die met een starende blik op het poppenhuis gericht waren, lag de glans van het aardewerk op de schoorsteenmantel in haar geboortestad Dokkum. Een vaste blik. Intelligent.

Ze had het dossier gelezen voordat De Groot haar op pad had gestuurd vanaf het politiebureau in de Marnixstraat, dat op korte fietsafstand van het museum lag. Pieter Vos, negenendertig. Hij had twee jaar eerder ontslag genomen als rechercheur bij datzelfde bureau, nadat het onderzoek naar de verdwijning van zijn dochter Anneliese op niets was uitgelopen. Hij leidde nu een sober, bohemienachtig bestaan op een woonboot in de Jordaan en leverde een moeizame strijd om het hoofd boven water te houden met zijn schamele uitkering.

Ze haalde de map tevoorschijn die ze had meegebracht. De inhoud viel eruit en de vloer werd bezaaid met papieren en foto's. Ze vloekte. Hoofden draaiden zich om. Ze raapte de documenten en foto's bij elkaar en propte ze weer in de map.

Inmiddels zat hij naar haar te staren met een blik die ze kende, die zei... *wat een stuntel.*

'Vos?' vroeg ze, terwijl ze een vluchtige blik op de foto in zijn personeelsdossier wierp om er zeker van te zijn dat dit de juiste man was. Op de foto zag

Vos er nog jongensachtiger uit dan nu. De gebeurtenissen hadden hem ouder gemaakt.

De Groot was zijn baas geweest. Ook een goede vriend, had ze begrepen. Hij was zwaar aangeslagen door het vertrek van Vos en het verlies van een vermaard lid van het Amsterdamse korps aan – ja, waaraan eigenlijk?

Een poging zijn bouwvallige woonboot in de Prinsengracht op te knappen, op hoogstens vijf minuten loopafstand van het bureau waar hij had gewerkt. In krantenknipsels van enkele jaren eerder werd Vos geprezen als een kwelgeest van de Amsterdamse onderwereld, een rustige, bescheiden rechercheur die met een schouderophalen en een glimlach de bendes in de stad in de pan had gehakt. Niet dat er veel over hem geschreven was. Hij had tijdens zijn werk de schijnwerpers gemeden en was ze ontvlucht toen zijn eigen dochter vermist raakte. Volgens de kranten was hij ontredderd bij de gedachte dat zijn toewijding als politieagent mogelijk tot haar ontvoering had geleid. Toen het onderzoek niets had opgeleverd, had Vos ontslag genomen. Anneliese was de zoveelste naam in de dossiers van vermiste personen. Een dossier in het archief dat digitaal stof vergaarde.

Er kwam een snoer uit zijn zak, hij had oortelefoontjes in. Ze boog zich naar hem toe, trok ze voorzichtig uit zijn oren en hoorde tot haar verbazing de harde bluesrock van 'Willie the Pimp' eruit komen.

'Pieter Vos?' vroeg ze nog eens. Toen raakte ze zijn arm aan, zonder precies te weten waarom. Het lange ongekamde haar en de sjofele kleren gaven de man iets kwetsbaars. Het was moeilijk deze rustige, in gedachten verzonken man te associëren met de rechercheur die zo veel criminelen in de gevangenis had doen belanden. 'Je hebt geen tijd om naar Zappa te luisteren. Commissaris De Groot wil je spreken. Pak je spullen. We moeten gaan.'

'Wat weet jij van Zappa?' vroeg hij op vriendelijke, geamuseerde toon.

'Mijn vader vond hem goed. Hij draaide die nummers de hele avond als hij de kans kreeg. Schiet nou maar op, we moeten gaan.'

'Waarom stuurt Frank kinderen op me af?' vroeg hij, en toen stopte hij de oortelefoontjes weer in zijn oren.

Ze ging naast hem op de bank zitten, sloeg haar armen over elkaar, dacht even na, stak haar hand in zijn zak en trok het snoertje van de oortelefoontjes los.

De uitdrukking op zijn gezicht was een mengeling van verbazing en verontwaardiging.

'Een mooi ding,' zei Bakker, wijzend naar de pronkkast voor hen.

Het poppenhuis van Petronella Oortman was zeer gedetailleerd vormgegeven, en een flinke kop groter dan Pieter Vos. Een Amsterdams grachtenpand in miniatuur. Drie verdiepingen, elk met drie kamers en een aangrenzend trappenhuis. Een keuken, een ontvangkamer, een kinderkamer, meubels en schilderijen, serviesgoed en fijne miniatuurgordijntjes. Hij kon zijn ogen er niet van afhouden, en ze wist waarom.

'Ik ben Laura Bakker, vierentwintig jaar en geen kind meer.'

Toen hij haar met zijn helderblauwe ogen aankeek, had ze niets meer te zeggen.

'Mis je de groene akkers van Friesland, Laura?'

Hij hoorde het aan haar accent. Amsterdammers keken neer op alles wat niet uit de hoofdstad kwam. Ze kwam van buiten. De mensen daar waren simpel, dom zelfs.

'Friesland heeft meer dan groene akkers,' zei ze.

'Wat doet je vader als hij niet naar Zappa luistert?'

'Hij was boer.'

Ze was lang, slungelig zelfs. Haar fijne rode was lang, zo te zien, maar ze droeg het in een paardenstaart, praktisch tijdens het werk. Laura Bakker schonk niet veel aandacht aan haar uiterlijk. Haar langwerpige gezicht was bleek en oninteressant, vond ze zelf. Niet veel anders dan toen ze zeventien was.

'Mis je hem?' vroeg hij.

'Ja, maar hij is dood,' zei ze. 'Mijn moeder ook. Niet dat dat er iets toe doet. Pak je spullen nou maar, oké?'

Hij verroerde zich niet.

Ze haalde een andere map uit haar tas en liet ook de inhoud daarvan bijna op de vloer vallen. Hij keek haar met een opgetrokken donkere wenkbrauw aan. Toen legde ze een foto op zijn schoot. Vos wierp er een vluchtige blik op en keek toen weer naar het poppenhuis.

'Het heeft Petronella twintig- of dertigduizend gulden gekost. Net zo veel als haar herenhuis in de Warmoesstraat, schat ik. Dat tegenwoordig waarschijnlijk een coffeeshop is, waar slechte marihuana wordt verkocht aan dronken Britten.'

'Hoe wist je mijn naam?'

De blauwe ogen keken haar weer aan. Nieuwsgierig en ondeugend.

'Ik kan toveren. Heb je de dossiers niet gelezen?'

'Daarin stond niks over tovenarij. Genoeg andere dingen...'

'Oortman was een rijke weduwe. Haar geld was afkomstig uit de zijdehandel. In dezelfde tijd dat de handel in slaven en specerijen tot grote bloei kwam. Dus misschien...' Hij streek over zijn kin en zocht naar het juiste woord. 'Misschien is het tegenwoordig niet veel anders dan toen.'

'De Warmoesstraat? Koop je daar je drugs?'

'Ik zei dat de drugs daar slecht zijn.'

'Die zijn overal slecht, Vos.'

'Jij bent nog jong, Laura. Wat weet je nou helemaal?'

'Ik weet dat de dochter van de locoburgemeester wordt vermist. Katja Prins. Blijkbaar niet voor het eerst. Maar...'

'Frank heeft me gebeld. Hij zei dat hij hun nieuwe aspirant naar me toe zou sturen. Een simpel meisje van het platteland dat het idee had dat ze in Dokkum dronken automobilisten kon betrappen. Toen dat niet gebeurde, dacht ze dat ze verschil kon maken in Amsterdam. Hij gaf me je naam.'

Het bloed steeg naar haar gezicht. Haar vingers omklemden werktuiglijk het eenvoudige zilveren kruisje aan het halskettinkje dat over haar effen zwarte trui hing.

'Met "simpel" bedoelde hij vast en zeker... onbedorven,' voegde Vos er met zijn zachte, bedeesde stem aan toe. 'Niets onbetamelijks. Hij zei dat je een patrouilleauto in de prak hebt gereden...'

Daar wilde ze het niet over hebben.

'Jouw dochter is ontvoerd door een man met een obsessie voor poppen. Er is iets vergelijkbaars aan de hand met de dochter van Prins...'

Ze keek naar de foto die op zijn schoot lag. Een antieke porseleinen meisjespop in een wit schortjurkje met daarnaast een politielabel dat aangaf dat het bewijsmateriaal was. De pop had een pluk blond haar in haar rechterhand. Op de voorkant van het schortjurkje zat een grote bloedvlek.

Haar lange wijsvinger wees naar het grote poppenhuis.

'Lijkt precies op de pop in het Oortman-huis, nietwaar? En op de pop die hij jou heeft gestuurd? Op het bloed en het haar na.'

Vos slaakte een zucht.

'In mijn geval zat het haar in de linkerhand. De bloedvlek was kleiner.'

'Katja woonde op een etage op de Wallen...'

'De dochter van de man die de gemeenteraad leidt woonde dus in de rosse buurt? Zegt je dat niks?'

'Ze is een week geleden voor het laatst gezien. We onderzoeken of het bloed en de haren van haar zijn. De pop is vannacht voor het huis van haar vader neergelegd. In een kartonnen lijkkistje. Net als bij jou in de Marnixstraat...'

Geen verbazing. Alleen een trieste, gelaten glimlach. Het leek zijn natuurlijke gezichtsuitdrukking.

'Heeft Frank je verteld dat de vrouw van Wim Prins zeventien jaar lang mijn vrouw is geweest? De moeder van Anneliese?'

Ze trok wit weg.

'Nee.'

'Amsterdam is een kleine stad. Niet zo klein als Dokkum...'

Vos keek weer naar de kamertjes, de meubeltjes, het poppetje dat vier eeuwen eerder in een kinderkamertje was geplaatst.

'Katja is een geschifte junkie,' zei hij, bijna tegen zichzelf. 'Net als haar moeder. Die heeft zelfmoord gepleegd. Het meisje heeft de pest aan haar stiefmoeder. Dat is oude koek.'

'Vos...'

'Ze heeft al eerder geprobeerd haar vader geld af te persen. Hij weigert altijd aangifte te doen. Ze schijnt een wrede fantasie te hebben...'

'En als je je vergist? Als dit de man is die ook je dochter heeft ontvoerd?'

Hij haalde zijn schouders op.

'Dan verwacht ik dat je beter werk levert dan ik destijds. Neem me niet kwalijk.' Hij stond op van de bank, maakte een verontschuldigend gebaar en haalde een sleutelbos tevoorschijn. 'Ik moet ervandoor...'

'Denk je dat je hem hier zult zien? Dat het zo makkelijk zal gaan? Dat hij aan komt lopen en jij weet dat hij het is?'

Haar woorden leken hem teleur te stellen.

'Nee,' antwoordde Vos. 'Maar ik wil dat hij mij ziet. Dag, aspirant Bakker. Ik wens je succes in je loopbaan.'

Toen stak hij het snoer weer in de telefoon in zijn zak, deed de oortjes in en vertrok.

2

Jimmy Menzo zat in een koude kelder vlak bij het grijsbruine bakbeest van de Oude Kerk. Het gedempte gedreun van een pijporgel zweefde door het hoge raam naar binnen. Buiten, in de schaduw van de logge kerk, namen de eerste ochtendhoeren verleidelijke houdingen aan achter het raam van hun peeskamer en wuifden ze uitnodigend naar de toeristen, die met grote ogen door de straat slenterden.

Sommigen bleven staan. Anderen liepen door naar de coffeeshops. Of het nu via drugs of via seks was, in beide gevallen vond het geld uit hun portefeuilles zijn weg naar hem. De stad was een geldautomaat. Dat zou nooit veranderen.

Menzo was op zijn negentiende de achterbuurten van Suriname ontvlucht en had de ellende van Zuid-Amerika verruild voor Nederland, een harde, nieuwe wereld die hij binnentrad met niets meer dan een handvol guldens op zak, twee krachtige vuisten vol littekens en een hoofd vol afgunst en eerzucht.

Twee jaar later woonde hij in een herenhuis aan het water, niet ver van de rosse buurt met zijn coffeeshops en bordelen, de peeskamers die werden verhuurd aan de freelancehoeren en, het winstgevendst van alles, een vaste greep op de drugsdistributie in de wijk die in de volksmond 'de Wallen' werd genoemd.

Het hart van Amsterdam, van het Centraal Station in het noorden tot aan het Spui, van de Nieuwmarkt tot aan het Damrak, behoorde toe aan de man die de krotten van Paramaribo had verlaten met niets dan wat haveloze kleren en een paar honderd Amerikaanse dollars die hij had ingepikt na een mislukt cocaïnetransport.

Hij had deze beloning verdiend. En door puur geluk was zijn laatste concurrent, Theo Jansen, in de gevangenis beland.

Dat was inmiddels twee jaar geleden. Er waren vierentwintig maanden voorbijgegaan waarin Menzo dag en nacht strijd had geleverd om Jansens imperium geheel en al in handen te krijgen. Hij had loyaliteiten doen omslaan door middel van geld, overreding, harde vuisten of zo nodig de loop van een pistool.

Het was een soort oorlog, en zoals de meeste hedendaagse conflicten zou deze nooit eindigen.

Tegenover hem aan tafel zaten nu twee jongens zenuwachtig te draaien. Ze waren ongeveer zo oud als Menzo was toen hij in Nederland aankwam met een vals paspoort en een vervalste werkvergunning. Net zo gewetenloos, hardvochtig, op zoek naar een grote kans. Uit Suriname, vroeger een klein stukje Nederland aan de rand van Zuid-Amerika. Kleine, gedrongen schurken in de dop, die pas in de stad waren aangekomen. De ene droeg een glimmend blauw trainingspak, de andere zo'n zelfde pak in het rood.

Er lagen vier wapens op de gebutste houten tafel. Twee machinepistolen en twee halfautomatische Walther P5's, die ook door de politie werden gebruikt. Wat geen toeval was, al zei hij dat niet.

De twee in elkaar gedoken, angstige jongens die tegenover hem zaten, konden hun ogen er niet van afhouden.

'We waren eigenlijk van plan om langer te blijven,' zei Blauwe Jongen. De dapperste.

Menzo gooide een diplomatenkoffertje op de tafel en maakte het open. Ze werden stil en staarden naar de bundeltjes groen geld.

'Vijftigduizend Amerikaanse dollars. Twee Antilliaanse paspoorten. Twee tickets naar Kaapstad. Businessclass.'

'Businessclass,' echode Rode Jongen, terwijl hij zijn hand uitstak naar het koffertje.

Een hees rokershoestje. Menzo was ongeveer even groot, gedrongen en sterk, niet een man die een gevecht uit de weg ging. Hij had een pokdalig, nors gezicht, kleine ogen en een donkere huid.

Hij gaf de jongens een vel papier waarop in Miriams keurige, vrouwelijke handschrift een adres op de Prinsengracht was geschreven.

'Miriam zal jullie de details geven. Als de klus is geklaard ga je daarnaartoe. Het is een winkel. Daar krijgen jullie het geld en de tickets.'

Ze keken naar het vel papier als domme schooljongens die onbegrijpelijk huiswerk meekregen.

'Wanneer kunnen we terugkomen?' vroeg Blauwe Jongen.

'Jullie komen niet terug. Jullie pakken het geld en doen wat ik heb gedaan. Jullie gaan je eigen weg. Ik heb daar vrienden. Die kunnen jullie op weg helpen.'

De twee jongens keken elkaar aan.

'Wat voor winkel is het?' vroeg Rode Jongen.

Menzo vond hun domme vragen grappig. Hij doorzocht de zakken van het jasje van zijn zwartzijden, trendy, getailleerde, nauwsluitende pak. Het was op maat gemaakt door een kleermaker in Bangkok, waar hij naartoe ging voor zaken en ook een beetje voor zijn plezier.

Twee visitekaartjes met hetzelfde mooie plaatje op de voorkant. Een miniatuur Amsterdams grachtenpand van hout. Piepkleine roze stoeltjes met nog kleinere poppetjes erop.

Poppenhuis aan de Prinsengracht.

Het Poppenhuis aan de Prinsengracht. Hij gaf de jongens ieder een kaartje.

'Poppen?' vroeg Rode Jongen.

'Wees maar niet bang,' zei Menzo. 'Die zijn er niet meer. Iemand heeft een tijdje geleden alle mooie spullen weggedaan.'

'Er woont hier een zus van me,' zei Blauwe Jongen. 'Ze is pas aangekomen. Ze werkt in een van je restaurantjes. Ze heeft me nodig. Als ik wegga...'

'Ik zorg wel voor je zus. Ik promoveer haar tot bedrijfsleider. Geef haar een eigen bar. Of zoiets.'

Een brede, vriendelijke glimlach.

'Jullie kunnen het iedereen vragen. Als je doet wat Jimmy Menzo van je vraagt, raakt niemand je met een vinger aan. Ik zorg goed voor mijn mensen. Zelfs als ze ergens anders zijn.'

'Hebben we iets te kiezen?' vroeg Blauwe Jongen, en Menzo kreeg het idee dat hij deze Surinaamse snotaap, net geland, twee moorden op zijn naam, achternagezeten door de politie op het vasteland en in het Caribisch gebied, misschien had onderschat.

'Tuurlijk heb je iets te kiezen.'

Hij stak een sigaret op en luisterde naar de astmatische tonen van het kerkorgel in de verte. Buiten was het voorjaar. Nog steeds koud, met regenbuien tussen korte zonnige periodes door.

Hij haalde het koffertje van tafel en zette het op de vloer. Ze keken naar de wapens.

Menzo stond op en glimlachte naar hen. Hij griste met zijn rechterhand het dichtstbijzijnde machinepistool van de tafel en zwaaide met de loop voor het gezicht van Rode Jongen en toen voor dat van Blauwe. De hele tijd lachend.

'Miriam?' riep hij.

De deur ging open. Ze was langer dan Menzo en had de lichaamsbouw van een basketbalspeler. Ze liep tegen de dertig. Ze had een langwerpig gezicht, kwart Chinees, zei ze, en hij geloofde haar. Ze kwam uit Trinidad en sprak amper Nederlands. Alleen maar Engels.

'Wat is er?' vroeg ze.

Ze droeg een bruine bontjas. Wat voor bont het was wist hij niet en het kon hem ook niets schelen. Ze kreeg zo veel geld als ze wilde, ze gaf er genoeg voor terug.

'Deze jongens kunnen de klus niet aan,' zei Menzo. 'Breng ze naar het station. Zet ze op een trein, maakt niet uit waarheen. Ze maken me pisnijdig.'

De Surinaamse snotapen schoven heen en weer op hun stoel en keken elkaar met hun domme jonge ogen aan.

De vrouw kwam de kamer in, slingerde de jongens een paar grove Engelse verwensingen naar het hoofd en keek hen met haar grote, witte, starende ogen woedend aan.

'Vijftigduizend dollar? Hoeveel verdienden jullie nou helemaal in Paramaribo?'

Stilte.

Ze boog zich over hen heen. Haar aanwezigheid had zowel iets verleidelijks als iets dreigends. Menzo genoot elke keer weer van haar vermogen een man bang te maken en tegelijkertijd verlangen bij hem op te wekken.

De jongens huiverden van angst. Voor haar meer dan voor hem.

'Hoeveel...?' vroeg Miriam nog eens.

'Je hebt niks aan geld als je niet blijft leven,' mompelde Blauwe Jongen.

Haar lange vingers verstrengelden zich in zijn sluike, vette haar en schudden zijn hoofd heen en weer. Hard. Menzo keek grinnikend toe.

'Jullie blijven leven, jongen!' schreeuwde ze tegen hen. 'Jullie krijgen een beter leven dan wij hadden toen we pas hier waren. Jullie krijgen de kans om ergens te wonen waar het warm, goedkoop en zonnig is. Waar niemand jullie kent. Hoe moeilijk kan dat zijn?'

De jongens keken naar de vloer. Menzo legde het lange, zwarte wapen weer naast de andere op de tafel.

'Helemaal niet moeilijk,' zei hij. Hij maakte het koffertje weer open, haalde er een bundeltje dollarbiljetten uit en wapperde ermee voor hun gezicht.

'Wat moeten we doen?' vroeg Rode Jongen.

De strijd was gewonnen.

'Alles wat Miriam jullie zegt. Jullie vlucht naar Londen vertrekt om zes uur. Met het ontbijt zijn jullie in Kaapstad, met een nieuw leven voor je.'

Hij klopte zachtjes op het zwarte pistool.

'Horen jullie dat? Een nieuw leven. Een beetje dankbaarheid zou niet misstaan.'

Menzo wachtte af. Miriam Smith wachtte af, leunde achterover op haar hakken en sloeg haar armen over elkaar.

'Bedankt,' zei Rode Jongen gehoorzaam.

'Ja,' zei Blauwe Jongen, en hij staarde naar de koude stenen vloer.

3

Zoals gewoonlijk had de vrouw in het bewakerskantoor met wie Vos bevriend was geraakt op Sam gepast. Hij haalde het hondje op, bedankte haar en ging met hem naar buiten. Het was droog. Hij zette de wit-met-beige foxterriër in de mand aan het stuur van zijn roestige zwarte fiets, stelde het plastic windscherm bij, haalde twee elastiekjes uit zijn jaszak en deed ze om de onderkant van de wijde pijpen van zijn allesbehalve modieuze, gekreukte, versleten spijkerbroek om te voorkomen dat ze tussen de ketting kwamen.

Zappa had plaatsgemaakt voor Van Halen. Hij trok de oortelefoontjes uit zijn oren en stopte ze in zijn zak. Hij wierp een blik op zijn spijkerbroek, de oude zwarte fiets en de hond voor in de mand en voegde zich in het ochtendverkeer voor de rit van tien minuten naar zijn woonboot in de Prinsengracht.

Fietsers en trams. Auto's en bromfietsers. Daartussen verbouwereerde toeristen die ogen te kort kwamen.

Hij had Frank de Groot ronduit gevraagd of er nieuws was over Anneliese. Het kleinste stukje bewijs dat haar in verband bracht met de dochter van Prins, de pop buiten beschouwing gelaten. De stilte die op zijn vraag volgde was veelzeggend geweest.

Het pas anderhalf jaar oude hondje draaide drie keer in het rond en ging toen rustig liggen in de mand, maar verveelde zich al snel, en toen de fiets vaart meerderde langs het Leidseplein richtte hij zich op en stak zijn lange neus en baard in de wind. Verrukt draaide hij zijn kop heen en weer, zijn bek open, zijn witte tanden ontbloot in een grijns.

Bij de eerste regendruppel zou hij zich weer achter het windscherm terugtrekken. Maar het voorjaar kwam tevoorschijn van achter de grijze sluier van de winter. De linden bestrooiden de straten met hun gevleugelde zaadjes, als hoge standbeelden die lichtgroene confetti uitstrooien over een bruidsstoet. De hond zou zich koesteren in de zon tussen de oude groente- en bloempotten op het dek en genieten van zijn tweede lome zomer op het water en van de aandacht van de alles fotograferende toeristen. Vos ook, alleen minder opvallend. En voor het eind van het jaar zou het werk aan de boot eindelijk klaar zijn. Hij zou alvast kunnen nadenken over wat hij daarna ging doen.

Achter hem klonk luid belgerinkel en een woedende woordenwisseling in het Engels. Toen hij het lange, rechte fietspad langs de gracht op reed, verscheen Laura Bakker opeens naast hem, hard trappend, mopperend over de toeristen.

Ze reed op een roestige olijfgroene opoefiets met een hoog stuur, met kaarsrechte rug. Een pluk rood haar was losgeraakt uit haar paardenstaart en wapperde achter haar aan in de voorjaarswind. Het grijze broekpak leek thuis te horen in de jaren zeventig. In zekere zin gold dat ook voor Laura Bakker.

Hij zag dat ze in haar ene hand haar telefoon vasthad. Ze telefoneerde tijdens het fietsen en lette niet op waar ze reed. Erger nog, ze was aan het sms'en. Terwijl hij naar haar keek liet ze het toestel bijna vallen. Ze kon het nog net voorkomen met de snelle reactie van iemand die zelf wist hoe onhandig ze was.

'Vos! Vos!' riep Bakker toen ze de telefoon weer stevig vasthad. 'Luister nou! Wacht even! Commissaris De Groot wil dit persoonlijk met je bespreken.'

Een rondvaartboot in de gracht minderde vaart. Een groep mensen voor in maakte foto's van hen. Sam, met zijn pootjes op de rand van de mand, zijn kopje in de wind, schudde zijn vacht als een model dat voor de camera poseert.

'Waarom heeft De Groot in godsnaam jou gestuurd? Uitgerekend jou?' vroeg Vos, terwijl hij strak voor zich uit bleef kijken.

'Wat is er mis met mij?' Ze leek beledigd te zijn. 'Dat ik uit Dokkum kom betekent niet dat ik een debiel ben.' Ze wierp een blik in de richting van de Marnixstraat. 'Wat de mensen ook mogen denken.'

'Dat bedoelde ik niet,' mompelde Vos. Hij zigzagde door een meute slenterende toeristen op het fietspad en reed toen snel door.

'Je hondje is een schatje,' merkte Bakker op toen ze hem had ingehaald. Hij glimlachte. Heel even leek ze een naïef meisje dat net was afgestudeerd en de wereld in het algemeen probeerde voor zich te winnen en serieus te nemen.

'Je kent hem niet,' zei Vos.

'Ik heb altijd een schoothondje willen hebben. Wij hadden alleen waakhonden.'

Hij verstijfde van verontwaardiging.

'Een schoothondje? Sam is geen schoothondje.'

Nu leek Laura Bakker juist bang te zijn dat ze hém had beledigd.

'Wat is hij dan wel?'

Ze naderden de lichte helling van een brug. Vos trapte harder en liet haar weer achter zich. Hij liet zijn stuur los en wierp wanhopig beide armen in de lucht.

De toeristen op de rondvaartboot die hen met hun blik volgden, genoten volop. Een ruzie tussen Amsterdammers. Misschien zelfs tussen minnaars.

Ze had hem snel weer ingehaald. Er waren meer plukken haar uit haar paardenstaart losgeraakt, die achter haar aan wapperden.

'Dit is kinderachtig,' zei Laura Bakker.

'Achtervolgd worden langs de gracht door een groentje dat nog niet droog is achter de oren, dat is kinderachtig,' klaagde hij, en toen besefte hij hoe nukkig het klonk. 'Arresteer me en hou hiermee op.'

'Ik kan geen arrestaties verrichten. Dat mag ik niet. Commissaris De Groot gelooft niet dat Katja probeert iemand af te persen. Hij denkt dat dit te maken heeft met de verdwijning van je dochter...'

Genoeg. Hij stak zijn hand uit om de hond tegen te houden en bracht de fiets abrupt tot stilstand. Het diertje blafte vrolijk, alsof het een spelletje was.

'Zoals ik al zei: Frank heeft me vanochtend gebeld,' zei hij toen Laura Bakker naast hem stilstond. 'Niemand heeft losgeld geëist voor mijn dochter. Niemand heeft me de kans gegeven haar te redden. Als...'

'Had je veel geld?'

'Ik zou het bij elkaar geschraapt hebben. Als hij erom had gevraagd. Maar dat deed hij niet. Geen geld en ook niets anders. De ene dag was Anneliese er nog en toen...'

Komende juli drie jaar geleden. Het leek wel gisteren. Of een totaal ander leven. Tragedies gebeurden buiten de normale tijd en alledaagse conventies. Ze hadden het verbijsterende vermogen om tegelijkertijd te vervagen en scherper te worden. Het een plekje geven en doorgaan met je leven was onmogelijk. Dat waren holle frasen van therapeuten. De pijn was zo hardnekkig dat die op den duur gewoon werd, zoals kiespijn of fantoompijn in een geamputeerd been.

'Ik heb genoeg van dit gehakketak,' zei ze kortaf. 'Commissaris De Groot zegt dat hij je hulp nodig heeft. Ik had begrepen dat jullie vrienden zijn. Dit is echt niet het enige wat hij aan zijn hoofd heeft.'

Vos gromde, een gewoonte die hij van de hond had opgepikt, en zette de pedalen weer in beweging. Ze hield hem bij, ze trapte gestaag, ongehaast, haar lompe schoenen sloegen af en toe tegen het frame. Een klungelige jonge vrouw. Zo'n struikelende, stuntelende ingénue uit de provincie die de door de wol geverfde agenten van bureau Marnixstraat rauw lustten.

'Natuurlijk niet,' zei hij. Hij deed zijn best om een redelijke toon aan te slaan. 'Dit is Amsterdam. Hoe zou dit het enige kunnen zijn?'

De woonboot, een lelijk, zwart bakbeest in de Prinsengracht, onder straatniveau, was vanaf de weg bijna niet te zien. Het was de goedkoopste boot op de markt geweest toen Liesbeth en hij hun etagewoning hadden verkocht, het geld hadden verdeeld en ieder hun eigen weg waren gegaan. Er moest erg veel aan gedaan worden en hij kon zich met zijn karige uitkering niet eens de helft veroorloven.

'Een crimineel, ene Theo Jansen, moet vandaag voor de beroepsrechter verschijnen,' voegde ze eraan toe. 'Men schijnt te verwachten dat hij vrijuit zal gaan.'

Hij hield weer abrupt halt. Deze keer vergat hij de hond tegen te houden. Sam blafte nijdig toen hij tegen de voorkant van de rieten mand werd geslingerd.

'Sorry, Sam,' mompelde Vos, en hij gaf hem een aai over zijn stugge vacht. 'Wat zei je?'

'Die Jansen staat vanmiddag voor de rechter. Naar alle waarschijnlijkheid wandelt hij daarna direct de deur uit...'

Ze waren er bijna langs gefietst. Het gerechtsgebouw lag ook aan de Prinsengracht, vlak bij het Leidseplein. Het grootste deel van Pieter Vos' arbeidzame leven – het politiebureau, het gerechtsgebouw, de cafés en bruine kroegen in de Jordaan, waar hij zich terugtrok om te praten en na te denken – lag binnen loopafstand van zijn bouwvallige woonboot.

'Als die idioten Theo vrijlaten, is het eerste wat hij gaat doen een oorlog beginnen,' zei hij. 'Frank weet dat heel goed. Ik hoop dat hij daarop voorbereid is. Hoe halen ze het in godsnaam in hun hoofd?'

'Ze hebben niet veel keus. Jij bent niet gebleven om de zaak af te ronden, hè?' In haar noordelijke accent lag nu iets scherps en veroordelends. Het maakte haar ouder dan ze was. 'Zo wordt er in de Marnixstraat over gedacht. Jij bent ermee gekapt en je opvolger heeft de zaak verknald.'

De dochter van de locoburgemeester was óf ontvoerd óf ze eiste losgeld voor zichzelf. De voormalige bendebaas van de stad stond op het punt uit de gevangenis te worden vrijgelaten, belust op wraak op de Surinaamse crimineel die zich zijn territorium, de coffeeshops, de bordelen, de drugsroutes, had toegeëigend terwijl Jansen in de gevangenis zat.

Pieter Vos begreep waarom zijn oude vriend zich zorgen maakte.

'Je neemt geen blad voor de mond, aspirant Bakker. Je hebt weinig tact.'

Ze boog zich dichter naar hem toe en zwaaide met een lange vinger voor zijn gezicht. Afgekloven nagels, zag hij. Geen nagellak. Geen make-up op haar gezicht.

'Ik ben niet bij de politie gegaan om te leren tactvol te zijn. De Groot heeft me opgedragen je te gaan halen.' Ze had groene ogen, rond, een tikje groot, die nu fonkelden van vastberadenheid en woede. 'En dat ga ik doen ook, al moet ik je de hele dag volgen.'

Hij onderdrukte een glimlach en fietste langzaam door.

'Op het gevaar af in herhaling te vallen: ik ben niet langer politieagent.'

De woonboot zag er niet uit in de krachtige voorjaarszon. Bladderende zwarte verf. Een verdorde, troosteloze tuin rondom het dek. Roestige relingen. Op sommige plaatsen was het hout verrot. Voor de boeg, op de volgende aanlegplaats, lag een kleine sloep, half gezonken in het water van de gracht, net als die dag bijna twee jaar eerder dat Vos er was komen wonen.

Deze verwaarlozing, het gebrek aan interesse en zorg, hielpen hem zich op zijn gemak te voelen in dit rustige deel van de stad. De kroeg De Drie Vaten bij de brug van de Elandsgracht. De winkeltjes en restaurantjes. Maar vooral de mensen. De Jordaan was zijn thuis. Hij kon zich niet voorstellen dat hij ergens anders zou wonen.

Een gezette man kwam aanlopen vanaf de hoek vlak bij de standbeelden van Johnny Jordaan en zijn vrienden. Vos zag zichzelf in zijn sjofele spijkerbroek niet als oud. Voor zover hij kon beoordelen vonden de meeste mensen die hij tegenkwam hem ook niet oud. Naar zijn idee behandelden ze hem als een zonderlinge puber, een excentriekeling die op zijn woonboot naar oude rock luisterde, zo nu en dan naar de coffeeshop ging voor een joint en in De Drie Vaten een biertje dronk.

De aanblik van Frank de Groot zette hem aan het denken. De baas van bureau Marnixstraat was negenenveertig, slechts tien jaar ouder dan hij, maar hij had het uiterlijk van een man van gevorderde middelbare leeftijd, met zijn door rimpels getekende gezicht, korte zwarte haar en keurige snor, allebei te zwart om natuurlijk te zijn. Zijn fletse, waterige ogen stonden vermoeid en zorgelijk. Tussen hen was een kloof ontstaan. Vos had pas op de plaats gemaakt, was misschien zelfs in jaren achteruit gegaan, sinds hij zich in de woonboot in de Prinsengracht had opgesloten. De Groot was op zijn post gebleven, en dat had hem getekend.

'Pieter! Pieter!' De Groot kwam snel op hem af en duwde een klein pakje in Vos' handen. 'Ik hoopte al dat ik je hier zou aantreffen.'

'Ik woon hier, Frank. Waar zou ik anders moeten zijn?'

'In het Rijksmuseum,' antwoordde De Groot met een fonkeling in zijn ogen. 'In De Drie Vaten, lonkend naar die mooie vrouw achter de bar. Zeker niet aan het werk aan je boot. Die sloep...'

De Groot mopperde elke keer dat ze elkaar zagen over die halfgezonken boot.

Laura Bakkers fiets rammelde toen ze naast hen verscheen. Ze strekte haar lange benen en plantte haar zware schoenen op de grond.

'Ik was op weg naar de Marnixstraat,' zei Vos. 'Aspirant Bakker heeft me overgehaald.' De groene ogen keken hem verbaasd aan. 'Dat heeft ze goed gedaan. Desondanks kan ik je niet helpen.'

'Kaas!' De Groot gaf een klopje op het pakje. 'Uit die winkel waar je altijd komt. Het Kaashuis. Vers van de boerderij, zeiden ze. Het is Limburgse...'

De hond haalde zijn neus op voor het pakje.

'Probeer je me om te kopen met kaas? Wat een zielige vertoning.'

De Groot knikte.

'Je hebt gelijk. Kunnen we alsjeblieft even praten? We hebben vijftien jaar samengewerkt. Dat is toch niet zo veel gevraagd?'

De commissaris glimlachte geforceerd.

'Je ziet eruit als een... hippie, Pieter. Meer dan ooit, zou ik zeggen.'

Vos stapte van zijn fiets, tilde Sam uit de mand en haalde de riem uit zijn zak, samen met een plastic tasje van de supermarkt.

Hij stak Bakker de lus van de riem en het plastic tasje toe.

'Je wilde een huisdier. Het is tijd om te ontdekken hoe dat is. Ruim zijn drollen achter hem op. Dat kan hij zelf niet, en je krijgt een boete als je die laat liggen.'

'Ik ben niet bij de politie gegaan om honden uit te laten,' klaagde ze.

'Doe ons dat plezier,' snauwde De Groot.

Zijn toon kon in een oogwenk van vriendelijk in dreigend veranderen. Ze griste de riem en het tasje uit Vos' hand, bukte zich en kirde tegen de hond.

'Laat hem niet om eten bedelen,' beval Vos. 'En hou hem uit de buurt van andere honden. Hij beseft niet dat hij klein is.'

De twee mannen keken toe terwijl Bakker haar fiets op slot zette en achter de kwispelende staart van de trots paraderende terriër wegliep.

'Dat was een smerige streek,' zei Vos.

'Wat bedoel je?' vroeg De Groot, de onschuld zelve.

'De grootste stuntel van het bureau op me af sturen in de hoop dat ik medelijden met haar zou hebben.' Vos staarde naar het in vetvrij papier verpakte pakje in zijn hand. 'Ik heb de pest aan Limburgse kaas.'

'Ik ben nou eenmaal geen kaaskenner. Ze is geen stuntel, Pieter. Ze heeft er niet voor gekozen om in Dokkum geboren te worden. Ze past gewoon niet in het plaatje.' Hij dacht even na en voegde er toen aan toe: 'Bovendien heb ik het idee dat ze in God gelooft.' De Groot schudde zijn hoofd. 'Wat ze in vredesnaam hier komt doen... Neem me niet kwalijk. Ik was bang dat ze hier ook een puinhoop van zou maken. Waarom denk je dat ik hiernaartoe ben gekomen?'

Vos tilde zijn fiets op het dek van de woonboot.

'Moet ik smeken?' vroeg De Groot. Toen wees hij naar de halfgezonken sloep die voor Vos' woonboot lag, de lege romp bedekt door een smerig dekzeil. 'Ik heb je al duizend keer gezegd dat je daar iets aan moet doen. Het is tegen de wet.'

Vos bracht zijn handen naar zijn hoofd en slaakte een zucht.

'Die... boot... is... niet... van... mij. Weet je nog?'

De Groot wipte licht verontschuldigend van de ene voet op de andere.

'Dat ding ligt zo pal voor jouw boot dat je zou denken dat hij wel van jou is.'

'Naar binnen,' zei Vos, en hij liep over de loopplank en opende de kleine houten deur van zijn thuis.

4

'De Groot wil dat we naar de Marnixstraat komen,' zei Liesbeth Prins. 'Wim? Luister je wel?'

Zijn kantoor was een van de fraaiste in het stadhuis aan het Waterlooplein. Het had grote ramen met uitzicht. Er hing een zwak voorjaarszonnetje boven de stad achter het raam: de gracht, de herenhuizen en de kantoren en daarachter de Wallen. Deze ingesloten wijk in hartje Amsterdam telde ruim tachtigduizend mensen. Een halfjaar eerder had zijn partij De Progressieven bij de verkiezingen een verrassend groot aantal zetels veroverd en vervolgens een broos bondgenootschap gevormd met de kleine anti-EU Onafhankelijkheidspartij. Tijdens de daaropvolgende onderhandelingen over de zetelverdeling had Prins precies dat wat hij wilde in de wacht gesleept: de rol van locoburgemeester, met een specifiek pakket van bevoegdheden.

Hij was achtenveertig, en een lange, ontzagwekkende, ernstige man. Liesbeth kende hem al sinds haar tienertijd, maar ze had het grootste deel van haar leven met Pieter Vos doorgebracht. Nu was hij van rijke stadsadvocaat opgeklommen tot fulltimepoliticus in de gemeenteraad, en ze was zich gaan afvragen: had hij haar daarvoor nodig? Om het plaatje compleet te maken?

'Ik kan niet nog meer tijd verspillen aan haar spelletjes,' zei Prins, terwijl hij een van de vele rapporten op zijn bureau doorbladerde. 'De Groot zou belangrijkere zaken aan zijn hoofd moeten hebben. Het is overduidelijk...'

'Geloof je echt dat ze zo wreed is?'

Hij pakte haar handen vast, dwong haar te gaan zitten en keek haar in de ogen. Hij was een forse man. In sommige opzichten ook een treurige man. Er was nooit sprake van de vertrouwdheid, de humor, de speelse intimiteit die ze met Vos had gehad.

'Ik ken haar beter dan jij. Zo is ze al sinds Bea's dood.'

'Katja is de weg kwijt.' Haar stem trilde. Ze had het koud. Misschien werd ze ziek. De zwarte jurk die ze die ochtend had uitgekozen slobberde om haar magere lijf. 'Jezus, Wim. Ik weet dat je het nooit leuk vond dat ze niet zo intelligent was. Geen geniale leerling die jou op een dag zou opvolgen in de zaak. Maar ze is nog altijd je dochter...'

Prins legde het rapport op het bureau. Ze keek naar de titel in vet gedrukte zwarte letters op het voorblad: *De Nachtwacht.*

De Nachtwacht, het grote meesterwerk van Rembrandt in het Rijksmuseum. Een gewapende burgermilitie, klaar om op patrouille te gaan in de straten van Amsterdam om de veiligheid van de stad te bewaken. Prins had afgelopen herfst dezelfde naam gegeven aan het hoofdelement in zijn verkiezingscampagne. Een belofte om voor eens en altijd de bezem door de Wallen te halen. Geen halfslachtige maatregelen meer. Geen compromissen. Van meet af aan had hij plechtig beloofd dat hij de drugsdealers, de coffeeshops, de bordelen, de pooiers en hoeren die daar al een eeuwigheid zaken deden, het leven zuur zou maken.

Niemand had verwacht dat hij zou winnen, maar door de aanhoudende economische recessie en de bezuinigingen was de gemoedstoestand van de bevolking koortsig en onvoorspelbaar geworden. De mensen wilden verandering, om het even welke. Toen begon de Onafhankelijkheidspartij stemmen aan te trekken dankzij achterdocht jegens Brussel en de EU. De partij zag haar kans schoon en mengde zich in de protesten. De Nachtwacht veranderde van het luchtkasteel van een kleine politicus in een schimmige belofte, die hem als tweede man in de gemeenteraad had geplaatst, terwijl de enige die boven hem stond, de burgemeester, lid van de arbeiderspartij, zich wat het Nachtwachtproject betrof op de achtergrond hield en maar al te graag de toenemende opwinding over de uitvoering van een afstand volgde.

'Dit,' zei Prins, terwijl hij met zijn vinger op het rapport tikte, 'is momenteel belangrijker dan Katja. Ik kan haar niet meer helpen. Ik heb het geprobeerd. Maar misschien kan ik het kind van een ander...'

'De politie wil met ons praten.'

'Je had met mij moeten overleggen voordat je de Marnixstraat belde.'

Ze schudde haar hoofd en streek met drie knokige vingers door haar dunne, korte blonde haar. 'Iemand zet een kartonnen lijkkist voor de deur. Er zit een pop in. Een pluk haar. Een bloedvlek...'

'Gewoon een van haar spelletjes...'

'Een pop! Een pluk haar. Bloed.'

Prins deed zijn ogen even dicht. 'Ze deinst nergens voor terug als ze geld voor drugs nodig heeft.' Hij keek naar het bureau en de stapel rapporten. 'Zo zijn ze.'

'Katja is niet wreed. Ze zou me nooit met zoiets... kwellen.'

'Jij ziet altijd het goede in mensen. Vooral als het er niet is. Laat het los.'

'Dat kan ik niet.'

Hij luisterde niet meer. Wim Prins glimlachte, zoals hij tegenwoordig altijd in het openbaar deed.

Margriet Willemsen, de vrijpostige leidster van de Onafhankelijkheidspartij, stond in de deuropening. Achter haar stond Alex Hendriks, algemeen directeur van de gemeente Amsterdam, een kleine, rustige man die leek te wonen in de kantoren naast het muziektheater dat op het grote plein in het publieke hart van Amsterdam stond.

'We hebben een bespreking over De Nachtwacht,' zei Prins tegen zijn vrouw. 'Bel me straks even...'

'Je kunt er best tijd voor vrijmaken als je dat zou willen,' drong ze aan. 'Voor Katja...'

Nog steeds glimlachend sloeg hij een arm om haar heen en fluisterde: 'Zeg tegen De Groot dat ik dit uit de kranten wil houden. Ik wil haar ook niet zien als ze haar uit de goot hebben gevist en voor de rechter brengen. Dat kunnen we echt niet gebruiken, en hij ook niet.'

Toen zei hij opgewekt: 'Margriet. Alex.'

'Is er iets?' vroeg de vrouw. 'We willen jullie niet storen...'

'Jullie storen niet. Neem plaats, alsjeblieft.' Weer die glimlach. 'Liesbeth wilde net weggaan.'

5

De cellen in het gerechtsgebouw aan de Prinsengracht. In de kelder. Geen ramen. Geen licht. Bedompte koude lucht.

Theo Jansen zat aan een eenvoudige grijze tafel te wachten op zijn dochter Rosie en zijn vrijheid. Hij was negenenvijftig, een reus van een man met de volle, witte baard van een aan lagerwal geraakte Kerstman. Op zijn negentiende was hij aan het werk gegaan als uitsmijter, bij een bordeel dat werd bezocht door rijke buitenlanders, corrupte Amsterdammers en zo nu en dan een Hollywoodster op doorreis. De jaren zeventig waren een periode van verandering. Door de drugsliberalisering en het daaruit voortvloeiende drugstoerisme en de uitbreiding van de prostitutie werden de opbrengsten van bordelen oninteressant.

Jansen was een vlugge leerling, sterk, in goede conditie en op het juiste moment op de juiste plaats. Hij werkte zich snel op in de bendewereld dankzij zijn rappe vuisten, kalme aard, scherpe intelligentie en onwrikbare trouw. Toen werd zijn baas tijdens een van de regelmatig terugkerende vendetta's in de Amsterdamse onderwereld op straat koud gemaakt. Aangezien er geen aangewezen opvolger was, deed Theo Jansen, de zoon van een laagbetaalde arbeider bij de Heineken-brouwerij, een greep naar de macht.

Drie executies, een reeks flinke omkoopsommen aan zowel plaatselijke als landelijke politici en wat hardhandige overreding op straat later, was het netwerk van hem. Tot Pieter Vos zich ermee ging bemoeien.

Jansen had geen hekel aan de politie. Ze deden gewoon hun werk. Sommige agenten waren omkoopbaar. Andere lieten zich afschrikken. Weer andere knepen een oogje toe onder subtiele dwang uit een andere hoek. Vos, een meedogenloos man die soms onzichtbaar leek, was niet gevoelig voor druk. Rustig en hardnekkig zwoegde hij voort, brokkelde stukje bij beetje de randen af van de criminele imperia van de stad, greep de onbeduidende criminelen in hun kraag en gaf hun de keus tussen de gevangenis en informant worden.

De meesten kozen voor de gevangenis, wat een verstandige beslissing was. Maar niet allemaal.

De twee mannen waren elkaar zo nu en dan tegengekomen. Jansen mocht Vos wel. Hij was een onconventionele, bescheiden man, integer, onverschrokken en vasthoudend, hoe onverstandig hij soms ook was. De stad zou altijd politie hebben en in zekere mate altijd door criminelen worden bestuurd. Dan kon er net zo goed een agent rondlopen wiens eerlijkheid niet aan twijfel onderhevig was.

Toen werd de wereld van de rustige rechercheur verscheurd, en zijn eigen wereld ook, op een manier die Jansen nog steeds niet begreep. Drie jaar eerder was de agent het slachtoffer geworden van een persoonlijk drama dat ertoe leidde dat hij wegging bij de politie. Hij was veranderd in een beschadigd, gebroken man. Kort daarna had een klein crimineeltje, ene Jaap Zeeger, een vent die Jansen nauwelijks kende en die onder druk gezet was door Klaas Mulder, de opvolger van Vos, voor de rechter zijn mond opengedaan.

'Leugenaar,' zei Jansen nijdig, terwijl hij dacht aan die weken dat hij in de beklaagdenbank had gezeten, luisterend naar het ene na het andere verzinsel. Door de verklaring van Zeeger was hij in de gevangenis beland, en Jansen begreep nog steeds niet waarom.

'Leugenaar,' zei hij nog eens, zachter nu, en toen ging de deur open. Rosie en Michiel Lindeman, de advocaat die Jansen al ruim tien jaar bijstond, kwamen binnen.

Hij glimlachte naar zijn dochter. Ze was tweeëndertig. Haar moeder was lang geleden uit zijn leven verdwenen, uit Nederland verdwenen voor zover bekend. Rosie zou hem nooit in de steek laten. Ze had haar vader door dik en dun gesteund, al sinds ze een tiener was. Ze deed haar best om de overblijfselen van zijn imperium in stand te houden, door middel van een combinatie van kracht en overreding, zoals ze in de loop der jaren van hem had geleerd. Ze had zijn zware bouw en zijn zienswijze geërfd. Ze was een forse, glimlachende, luidruchtige vrouw die nooit een blad voor de mond nam. Michiel Lindeman daarentegen was een magere, doodernstige Amsterdamse strafpleiter van middelbare leeftijd, die naam en fortuin had gemaakt met het bijstaan van criminelen van het slag waar anderen voor terugschrokken.

'Kom ik vandaag vrij, Michiel?' vroeg Jansen, terwijl Rosie en de advocaat gingen zitten.

'Het heeft ons een hele smak geld gekost,' zei Rosie met een vluchtige blik op de advocaat. 'Als papa niet met het avondeten thuis is, eis ik een verklaring.'

Lindeman ging zo voorzichtig op de harde stoel zitten dat het leek alsof hij bang was dat de zitting zijn magere lijf zou breken. Het was een act. Deze harde, meedogenloze man was onverwoestbaar. Menigeen had geprobeerd hem onderuit te halen, maar zonder succes.

'Nou?' zei Jansen toen de advocaat geen antwoord gaf.

'Dat bepaalt de rechter. Niet ik.'

Lindeman klonk altijd verveeld. Heel vreemd, gezien het bedrag dat hij voor elke minuut van zijn tijd kreeg.

'We hebben de beëdigde verklaring van Jaap Zeeger,' zei Rosie. 'Klaas Mulder heeft met geweld al die onzin uit hem losgekregen. Dreigementen. Slaag.'

'Als Vos er nog was geweest, zou het nooit zijn gebeurd,' mopperde Jansen.

Lindeman lachte.

'Vos zou je zonder achterbaks gemanipuleer hebben opgepakt. Wees blij dat hij doordraaide voordat hij daartoe de kans kreeg.'

Theo Jansen knikte. Voordat Michiel Lindeman voor zichzelf begon, was hij vennoot geweest bij een van de grootste advocatenkantoren in de stad. Net als Wim Prins, de nieuwe locoburgemeester. De man die zijn positie dankte aan zijn belofte Amsterdam van misdaad te zuiveren. Dat maakte Lindeman waardevoller dan ooit.

'Zorg dat ik vrijkom,' zei Jansen. 'Maak een afspraak voor me met je oude vriend Prins. We kunnen wel iets regelen. Een schikking treffen. Hij weet heel goed dat hij ons nooit wegkrijgt. Zeg tegen hem dat hij een Nederlander kan vertrouwen. Samen kunnen we die smeerlap van een Surinamer de stad uit jagen. Dan keert de rust terug.'

Lindeman schudde zijn hoofd en zuchtte diep.

'Je bent een crimineel, Theo. Wim Prins kan niet even met zijn vingers knippen om jou de gevangenis uit te krijgen. En al zou hij dat kunnen...'

Hij zweeg.

'Wat dan?'

Lindeman keek Rosie Jansen aan en zei: 'Vertel het hem.'

Ze leek zich om de een of andere reden slecht op haar gemak te voelen.

'Er is veel veranderd, pap. Wat van ons was... is dat misschien niet meer. Ik heb mijn best gedaan. Ik ben jou niet. De helft van onze mannen is nu van Menzo. Degenen die niet overgelopen zijn, zijn óf dood óf weg.'

'Niet allemaal. Ik praat met mensen in de lik. Ik ben daar niet alleen.'

'Die mensen in de lik zijn vuile leugenaars,' zei ze nijdig. 'Menzo legt ze woorden in de mond.'

Jansen voelde woede oplaaien.

'Wat ik kwijt ben, pak ik terug. Dat heb ik al eerder gedaan.'

De advocaat keek om zich heen en wees naar de in schaduwen gehulde hoeken van de cel.

'Daar ga je weer, Theo. Eerst praten, daarna pas nadenken. Stel dat we worden afgeluisterd?'

Jansen ging verzitten, hij voelde spanning opbouwen in zijn brede schouders, zoals altijd als er een gevecht naderde.

'Als ze een privégesprek tussen een man en zijn advocaat afluisteren, zouden ze dat nooit kunnen gebruiken. Ik betaal je niet om me te laten beledigen.'

Bovendien was er geen afluisterapparatuur in de cel. Dit was Amsterdam. Het gerechtsgebouw. Hier ging alles zoals het hoorde. Voorzichtig. Volgens de wet. Op de Nederlandse manier.

'Je betaalt me om je vrij te krijgen,' antwoordde de advocaat. 'Om te zorgen dat je uit de gevangenis blijft. Als ze ook maar het vermoeden krijgen dat er oorlog gaat uitbreken, dan laten ze je niet gaan.'

'Ik ben onschuldig!' Jansen sloeg met zijn zware vuist op de tafel. Toen zei hij rustiger: 'Ik ben niet schuldig aan die shit die Mulder me in de schoenen schuift.'

Rosie Jansen stak haar hand uit over de tafel en pakte voorzichtig zijn gebalde vuist vast.

'Dat weten we. Zij weten het ook. Ik wil dat je thuiskomt. Ik wil dat je daar blijft. Je hebt je tijd gehad...'

'Mijn tijd gehad?'

Ze hadden dit al besproken. Ze hadden een deal gesloten. Dat begreep hij nu.

'Je hebt genoeg legitieme zaken om er de rest van je leven goed van rond te komen,' zei Lindeman op droge, vermoeide toon. 'Rijk en veilig. Zeegers beëdigde verklaring maakt je niet onschuldig. In het gunstigste geval kunnen we hopen op vrijlating op borgtocht, op grond van een twijfelachtige veroordeling. Je moet ze iets geven wat ons beroep bekrachtigt. Ik wil kunnen zeggen dat je je hebt teruggetrokken van de Wallen. Menzo heeft toch al de meeste zaken die je daar runde overgenomen...'

'Gestolen!' brulde Jansen. 'Achter mijn rug gejat terwijl ik wegrotte in de lik dankzij leugens van...'

'Dat doet er niet toe,' onderbrak zijn dochter hem. 'Het is gebeurd. Je kunt de klok niet terugdraaien. Dat kan niemand.'

'Ik ben je vader, Rosie. Je kent me toch?'

Haar warme hand omklemde zijn vuist steviger. Haar donkere ogen keken hem smekend aan. 'Dat kun je niet. Als je het probeert, dan gooien ze je weer in de gevangenis. Mij ook misschien. Het is niet alleen Wim Prins die het ons moeilijk maakt. De overheid heeft het op ons voorzien. De tijden veranderen. Ze zien niks meer door de vingers zoals vroeger.'

'Schuif een som geld hun kant op. Dat werkt meestal wel.'

Lindeman schudde zijn hoofd.

'Er is de afgelopen twee jaar veel gebeurd. Een andere politiek sinds je werd vastgezet. Een andere stemming. Niet alleen in de gemeenteraad. Alles waarmee we zijn opgegroeid valt in duigen. Jij bent een dinosaurus, Theo. Het is tijd om te maken dat je wegkomt voordat de komeet inslaat.'

Jansen knipperde met zijn ogen.

'Verwacht je nou echt dat ik het over mijn kant laat gaan en Jimmy Menzo alles laat houden?'

Lindeman haalde zijn schouders op.

'Als je naar huis wilt en bij je dochter wilt wonen wel, ja. Geniet van je geld. Vergeet hoe het vroeger was. Die tijd is voorgoed voorbij.'

Rosie glimlachte naar hem en keek hem aan met dezelfde blik als toen ze nog een klein meisje was. Zijn dochter kon hem altijd om haar vinger winden en dat wist ze.

'Kwamen jullie me dat vertellen? Dat ik een oude man ben en dat ik heb afgedaan?'

'Daar komt het wel op neer,' zei Lindeman. 'Ik ben advocaat, geen tovenaar.'

Ze wachtten tot hij iets zou zeggen.

'Ik zal erover nadenken.'

Rosie glimlachte niet meer.

'Ik zei dat ik erover na zou denken,' zei Jansen nog eens.

'Pap, we hebben straks, voor de hoorzitting, een bespreking. Ze willen antwoord voordat je voor de rechter moet verschijnen.'

'Ze moeten het nu weten,' voegde Lindeman eraan toe. 'Ze willen een toezegging. Een...'

'Een stuk papier?' snauwde Jansen. 'Moet ik iets ondertekenen? Ik, Theo Jansen, doe afstand van al mijn rechten...'

'We hebben helemaal geen rechten,' zei Rosie scherp en met harde stem. 'We hebben helemaal niks. We staan met onze rug tegen de muur. Laten we proberen om op z'n minst een beetje waardig uit deze narigheid te komen.'

Ze kreeg tranen in haar ernstige, donkere ogen; daar had hij nooit tegen gekund.

'Ik wil dat je thuiskomt,' zei ze, zo zacht en lief dat het haar uiterlijk tegensprak. 'Ik wil samen met jou van het leven genieten. Dat huis in Spanje dat je hebt gekocht. Daar zijn we nooit naartoe geweest. Niet één keer. Al die dingen waar we nooit tijd voor hadden...'

Jansen leunde achterover op zijn stoel en keek naar het plafond, naar de kille, raamloze muren. Hij stelde zich de stad daarbuiten voor. April. Binnenkort kwam de nieuwe haring weer aan. Hij kon een biertje pakken in een bruine kroeg, naar een haringstal aan de gracht lopen, een mootje rauwe vis boven zijn mond laten bungelen en het dan als een pelikaan opslokken, zoals hij vroeger altijd had gedaan toen Rosie nog klein was en hij haar aan het lachen wilde maken. Zo hoorde je geen haring te eten in Amsterdam. Het was ordinair. Maar dat was hij ook. En ze moest altijd giechelen als hij het deed. Dat was voor hem genoeg.

Vrijheid was niet iets ontastbaars. Vrijheid had een smaak. Je kon haar aanraken, ruiken. Een vonnis van vijftien jaar, tien jaar zitten als hij geluk had, was geen straf. Het was een soort executie, wreed en welbewust.

'Je moet het nú zeggen,' drong Rosie aan. 'Michiel moet het doorgeven. Als hij dat niet doet, komt er geen hoorzitting. Dan ga je terug naar de gevangenis. En ik ga in mijn eentje naar huis. Pap, als je het niet voor jezelf wilt doen, doe het dan alsjeblieft voor mij.'

6

De dertig jaar oude woonboot lag op een vaste ligplaats met aansluitingen voor elektra, telefoon, water en riool. Een rottende houten romp in de Prinsengracht, vlak bij de Berenstraat-brug.

'Ik zou nooit in zo'n hol kunnen wonen,' zei De Groot toen hij zijn hoofd introk en door de lage deuropening de hut binnenging. Achter de ramen waren potten en bakken met rozen, chrysanten en wat groenteplantjes te zien. Niets stond er florissant bij.

'Hoe gaat het met Maria?' vroeg Vos. Maria was de stille, verlegen echtgenote van De Groot.

'Prima. Ze vraagt zich af waarom je nooit meer langskomt.'

Hij mompelde iets over het druk hebben. De Groot keek naar het chaotische interieur van de woonboot, de gereedschapskisten op de vloer, de rockposters die de bladderende verf op de houten muren bedekten, en trok een zware wenkbrauw op. Toen liep hij achter Vos aan naar de oude grenen eettafel en nam plaats.

'Druk? Waarmee? Laat maar. Ik wil dat je terugkomt. In dezelfde functie. Die wordt tegenwoordig iets beter betaald. Niet veel...'

'Wat is er gebeurd?'

Karige details. De nacht daarvoor had iemand een kartonnen miniatuurlijkkist voor het huis van Wim Prins gezet aan een hofje vlak bij de Willemsstraat, een kilometer noordwaarts. Een antieke porseleinen pop. Een pluk haar. Een bloedvlek.

'Eisten ze geld?' vroeg Vos. Zijn interesse was gewekt, of hij dat nu wilde of niet.

De Groot haalde een foto uit zijn jaszak. 'Dat niet. Er zat een briefje in de hand van de pop. Computerprintje. Geen vingerafdrukken.' Eén regel, grote vetgeprinte letters.

Liefde is duur, Wim. Bereid je voor op de rekening.

'Wat nog meer? Hebben ze gebeld?'

De Groot schudde zijn hoofd. 'Dat was het.'

'Wim Prins houdt niet van zijn dochter. Ze is een junkie. Als ze op geld uit waren, hadden ze wel een kind ontvoerd van iemand die dat iets kon schelen.'

'Ik weet dat je hem haat. Wat hij met Liesbeth heeft gedaan...'

'Dat is het niet. Katja is gewoon een jongere versie van haar moeder en het is overduidelijk dat zij hem genoeg ellende heeft bezorgd.' Het was een afschuwelijke opmerking. Zelfs te erg om te dénken. Maar het was waar. 'Bea Prins heeft toch zelfmoord gepleegd? Ze vormde een probleem en dat geldt ook voor de dochter. Prins is een man met ideeën. Een missie: vandaag Amsterdam schoonvegen, morgen het land. Een dode echtgenote en een ontvoerd kind zouden bijdragen aan zijn geloofwaardigheid.'

De Groot stopte de foto weg.

'Dat is onaardig en bovendien onjuist. Het schijnt met De Nachtwacht niet al te best te gaan. Het is makkelijk om een zeiksnor te zijn als je geen macht hebt. In de praktijk is dat veel moeilijker. Zijn coalitie is zwak. Zijn eigen partij heeft ernstige twijfels. Als je het mij vraagt is dat hele project nog voor het eind van de zomer doodgebloed.'

'Politiek interesseert me geen ruk. Waarom zit hij nu niet op het bureau tegen jou te schreeuwen dat je iets moet doen?'

'Wie zegt dat dat niet zo is?'

Vos lachte.

'Wim Prins zou niet willen dat ik terugkwam. Je zit hier niet omdat hij dat wil.'

Hierop kwam geen reactie, en dat zei iets.

'Je kunt niet om de overeenkomsten heen.'

Vos schudde zijn hoofd. 'Welke overeenkomsten?'

'De pop! Prins heeft een pop ontvangen!'

'Kreeg hij er ook een foto van het Oortman-poppenhuis bij?'

De Groot wierp wanhopig zijn handen in de lucht.

'Jezus, man, blijf je daarover doorzaniken? Dat was gewoon een tekening die die smeerlap je voor de grap heeft gestuurd of zoiets. Waarom verspil je al die tijd met in een museum naar iets staren? Dit is echt. De dochter van Prins wordt vermist. Geen glazen vitrines. Vlees en bloed.'

Vos was begonnen met rondhangen in het Rijksmuseum nadat hij zijn baan eraan had gegeven. Het was een gewoonte geworden. Routine. Iets om de dag door te komen. De Groot had gelijk. Het was gewoon een tekening die hem samen met de pop was toegestuurd, met het bloed van Anneliese, een pluk van haar haar. Niet meer dan iets bizars tussen al dat andere. Om de een of andere reden – naar alle waarschijnlijkheid zijn tijdelijke inzinking – kon hij het beeld van dat poppenhuis, met zijn kleine kamertjes en de broze poppetjes die erin gevangenzaten, niet uit zijn hoofd zetten.

Hij had het dossier van de verdwijning van zijn dochter wel duizend keer bestudeerd. Eerst in de korte tijd dat hij er als rechercheur aan had gewerkt, en later in de stilte van de woonboot in de Jordaan, tot iets – slaap, drank of een joint – een eind maakte aan de vicieuze cirkel van mogelijkheden en raadsels. Er stond een foto van haar op een plank bij het hoge raam aan de straatkant van de boot, naast de poster van een paar concerten in de Melkweg die hij had bijgewoond.

Hij liep ernaartoe en pakte de foto op.

Anneliese zat in het park een ijsje te eten. Het ijsje had gelekt op haar blauwe jurk. Ze was mooi op een kinderlijke manier. Ze leek zelf bijna een pop. Maar haar ogen kwamen hem nu leeg voor. Haar glimlach een beetje geforceerd. Dat deed de tijd met je. Deze gedachten waren nooit bij hem opgekomen toen de foto werd gemaakt, op die warme dag in juni, niet lang voordat ze verdween.

Vos zette de foto terug op de plank. De Groot leek erdoor van zijn stuk te worden gebracht.

'We weten niet wat er is gebeurd. We zijn nooit...'

'Hij heeft jou dezelfde pop gestuurd!'

Een herinnering flitste Vos door het hoofd: hij zat aan zijn bureau in de Marnixstraat na een week van zestienurige werkdagen. Paniekerige telefoontjes van Liesbeth, die vroeg waar Anneliese zou kunnen zijn. Ze was net zestien geworden. Ze kwam nooit te laat thuis uit school, niet zonder het te laten weten.

Een van de aspiranten van die tijd, Oscar, een verlegen knaap, kwam aanlopen met een kartonnen doos waarop in zwarte viltstift de omtrek van een lijkkist was getekend. Op het deksel zat een geprinte pentekening van wat het Oortman-poppenhuis leek, verder niets. Vos zag weer voor zich hoe hij de doos openmaakte. Er lag een pop in. Een pluk haar. Een bloedvlek. Tussen het schortjurkje was een foto van zijn dochter geschoven, doodsbang tegen een neutrale achtergrond, met plakband over haar mond.

'Ik had toen geen idee wat er aan de hand was,' zei Vos. 'Ik wist niet of het een gek was. Een crimineel zoals Theo Jansen die me een waarschuwing stuurde...'

'Jansen vermoordde geen kinderen,' zei De Groot hoofdschuddend.

'Ik heb nooit een lichaam gevonden, Frank. Ik heb helemaal niks gevonden.'

De Groot deed zijn ogen dicht en mompelde: 'Dat is waar. Sorry.'

Het was een fragiele hoop geweest, een lege droom. Drie maanden lang hadden ze de stad ondersteboven gekeerd, invallen gedaan bij Menzo en Jansen, iedereen in de seksindustrie lastiggevallen, iedereen die hij kon bedenken. Anneliese was spoorloos verdwenen. Vos had het idee dat een aangeboren biologisch gevoel hem zou moeten vertellen of ze nog leefde of niet, maar dat gevoel was er niet. Ze was gewoon... weg.

'Menzo zou ertoe in staat zijn geweest,' opperde Vos met weinig overtuiging.

'Jimmy Menzo was toentertijd nog te klein om in het vizier te komen,' antwoordde De Groot. 'Het moet haast wel een... gek zijn geweest. Het is niet jouw schuld dat je hem niet hebt kunnen pakken. Dat kon niemand.'

Vos sloeg zijn armen over elkaar en zei niets.

'Oké,' gaf De Groot toe. 'Dat weet ik ook niet zeker. Het ging ons gewoon allemaal boven de pet.'

Het beklemmende gevoel van die tijd zou hij nooit kwijtraken. Liesbeth was met de dag radelozer geworden. Ze had hem ervan beschuldigd dat hij dit had aangericht met zijn jacht op de bendes in de stad en had er geheimen uitgegooid die hij niet had willen horen.

Vos had haar dikwijls gevraagd om met hem te trouwen. Ze zei altijd: Waarom? We zijn toch al gelukkig?

Na Annelieses verdwijning kreeg hij het antwoord. Liesbeth was nooit echt de zijne geweest. Erger nog, hij was nooit de hare geweest, en dat deed nog steeds pijn.

Niemand wist wat er precies was gebeurd. Ze waren ieder hun eigen weg gegaan, gedreven door hun waanzin. Zij had zich overhaast in een huwelijk gestort met Wim Prins. Vos stortte zich in een kleurloze, armoedige eenzaamheid in een bouwvallige boot in de Jordaan, onderbroken door bezoekjes aan het Rijksmuseum, waar hij urenlang doelloos zat te staren naar het poppenhuis van Petronella Oortman, en zo nu en dan een oorverdovend concert in de Melkweg of een avond in De Drie Vaten, meestal in zijn eentje.

En naargeestige avonden apestoned in de woonboot, terwijl hij de dichte, donkere rook inhaleerde van de sterkste wiet die hij kon vinden, in een poging iets uit te wissen wat hij niet kon benoemen.

'Katja haat Liesbeth om het feit dat ze met haar vader is getrouwd,' zei hij, in een poging zichzelf te overtuigen. 'Dat ze de plaats van haar moeder heeft ingenomen. Als ik me niet vergis is ze verslaafd aan heroïne. Dit is haar zoveelste truc om hem geld af te troggelen.'

'Drugs,' zei De Groot op droge toon terwijl hij om zich heen keek. 'Afschuwelijk spul. Maar stel nou eens dat dat het niet is?'

Vos fronste zijn voorhoofd.

'Dat doet er niet toe. Ik sta niet meer op de loonlijst, weet je nog? Het is niet mijn zaak.'

'Maak het dan jouw zaak. Kom naar het bureau om erover te praten. Het is puur een administratieve kwestie. Je zou morgen weer in functie kunnen zijn. Laten we wel wezen...' – zijn blik gleed door de sjofele boot – '... je zou het geld goed kunnen gebruiken. Je verlummelt je leven.'

Vos streek over het pakje kaas. Het stonk.

'Ik denk erover een kaaswinkel te beginnen.'

Frank de Groot barstte in lachen uit.

'Jij? Een kaaswinkel? Alsof de Jordaan op de zoveelste kaaswinkel zit te wachten. Alsjeblieft, zeg...'

'Frank.' Vos legde zijn hand op De Groots arm. 'Ik ben er bijna aan onderdoor gegaan. Ik wist een tijdlang niet wie ik was. Als ik dit niet had gevonden... Deze boot...'

Een flits van woede trok over De Groots gezicht.

'Denk je dat ik dat niet weet? Dat ik je dit zomaar zou vragen? We waren niet alleen maar collega's. We waren...'

'Als Liesbeth je heeft gebeld namens de locoburgemeester, dan doe je alles wat ze van je vraagt. Je hebt geen keus.'

Frank de Groot vloekte. Toen glimlachte hij.

'Net zo scherp als altijd. En ik maar denken dat je je misschien helemaal suf had gerookt in dit hol.'

Niets.

'Het is geen geheim, Pieter. Je bent gezien in die coffeeshop verderop aan de gracht.'

'Inwoner van Amsterdam. Niks illegaals. Maar als je de waarheid wilt weten...' Vos verafschuwde de loomheid, de passiviteit die softdrugs met zich meebrachten. 'Het heeft niet geholpen.'

'Ik wil niet dat je die shit nog gebruikt als je bij ons terugkomt. Ik wil...' Hij boog zich naar voren en tikte door het lange bruine haar heen op Vos' schedel. '... alles wat daarbinnen zit.'

'Nee.'

'Ik smeek het je.'

'Eén uurtje in de Marnixstraat,' zei Vos toegeeflijk. 'Dat meisje van je. Bakker...'

'Wat is er met haar?' vroeg De Groot.

'Ze lijkt gespannen. Waarom?'

'Was jij niet gespannen tijdens je eerste zaak?'

Vos schudde zijn hoofd. 'Nee. Waarom had ik gespannen moeten zijn?'

'Ze heeft de halve nacht op het bureau het dossier van de verdwijning van Anneliese en jouw dossier zitten bestuderen. Ik vermoed dat ze een beetje overdonderd is.' Hij kreunde. 'En bang. Haar proeftijd zit er bijna op. Haar functioneringsgesprek staat voor de deur.' Hij haalde zijn zware schouders op. 'Ze gaat het niet redden.'

Vos wachtte af.

'Amsterdam is geen plek voor haar,' voegde De Groot eraan toe. 'Een boerendochter uit Friesland die naar de grote stad komt met een koffer vol verkeerde kleren en een grote mond.'

Er ontbrak iets.

'Waarom is ze dan gekomen?'

De Groot kreunde weer. Een zacht, vermoeid geluid.

'Dat is een afschuwelijk verhaal. Afgelopen kerst zijn haar vader en moeder op de terugweg van de kerk omgekomen bij een auto-ongeluk. Ze had bij hen in de auto kunnen zitten, maar ze deed onbetaalde werkervaring op bij de politie van Dokkum.' De Groot haalde zijn schouders op. 'Dronken bestuurder. Ze zat in de wagen die naar de plek van het ongeluk snelde. Ze heeft hen gezien.'

'Jezus...' fluisterde Vos.

'Daarna heeft ze gezegd dat ze bij het korps wilde. Niet in Dokkum, maar hier. Ik vermoed dat die meid de kudde wil hoeden. Nooit een goed idee.'

Vos bracht zuchtend een hand naar zijn voorhoofd.

Lompe schoenen op de trap vanaf het dek naar de hut. Vos wist wat hij zou zien. Laura Bakker, met Sam hijgend aan zijn riem. Ze had moedwillig op de houten planken gestampt. Daarvan was hij overtuigd. Ze was erin geslaagd stilletjes de boot op te sluipen zonder dat ze het merkten. Vos had geen idee hoe lang ze er al stond, hoeveel ze had gehoord.

'Ik ben geen kind,' zei ze nog eens met dat norse noordelijke accent.

'Dat is waar,' zei Vos. 'We brengen Sam naar De Drie Vaten. De kroeg op de hoek. De vrouw die de zaak runt kan op hem passen. En...'

Hij stond op en pakte een tas met wasgoed.

'... dan laat ik meteen dit bij haar achter.'

'Doen ze je was in die kroeg?' vroeg Bakker.

'Het is maar een tijdelijke regeling,' zei Vos. Hij glimlachte en zag dat dit het ijs een beetje brak. Hij joeg De Groot met een handgebaar naar buiten, en toen haar. 'Wees maar niet bang. Ik ga mee. Ik zal even naar je pop kijken.'

7

Miriam Smith liep met de twee jongens vanaf de Wallen door de rustiger, welvarender straten van de grachtengordel, langs imposante herenhuizen, tegenwoordig voor het merendeel appartementen of hotels voor de rijkere bezoekers. Het was een typische voorjaarsochtend in Amsterdam. Fris, een zwak zonnetje afgewisseld met motregen. Amsterdammers op de fiets reden met gebogen hoofd naar hun bestemming. Daartussendoor toeristen, die hen wandelend of op gehuurde fietsen voor de wielen liepen of reden.

De geuren van brood en gebak uit de bakkerijen, bier uit de kroegen die vroege dorstige klanten bedienden. Van tijd tot tijd de scherpe plantengeur van wiet in de lucht.

De jongens zeulden met een zwarte weekendtas met de wapens de Herengracht, de Keizersgracht en de Prinsengracht voorbij, naar het Leidseplein, waar het al druk was met ochtendbezoekers op zoek naar een pilsje en een joint.

'We hadden een tram kunnen nemen,' zei Rode Jongen klaaglijk.

Miriam schopte tegen de grote tas die hij droeg.

'Slim idee, vriend. En dan door de politie gecontroleerd worden. Hebben jullie eigenlijk een naam?'

Ze antwoordden niet, en toen ze naar hen keek begreep ze waarom. Ze kenden elkaar pas sinds Menzo hen die ochtend bij elkaar had gebracht. Machogedrag zorgde ervoor dat ze geen van beiden als eerste de naam van de ander wilden vragen.

Ze vervolgden hun weg door een smalle straat met Indonesische restaurants en sushizaken, cocktailbars en kleine coffeeshops, met een rastafarivlag aan de gevel en plaatjes van cannabisbladeren op de ramen.

Ze liepen de derde coffeeshop binnen. Achter de toonbank stond een lange Jamaicaan met een afrokapsel en een wollen muts op zijn hoofd. Zonder een woord te zeggen zette hij de reggae zachter en bracht hen naar de Prinsengracht: de buitenste van de drie grote grachten die de Wallen omringen. De grachtengordel omsluit alles wat Amsterdam te bieden heeft, rijk en arm, smerig en luisterrijk.

Aan de overkant stonden hoge panden met hijsblokken aan de trapgevels, klaar om meubels naar boven te hijsen. Duiven fladderden onnozel over de stoep. Er lagen woonarken en rondvaartboten, en ook enkele kleinere bootjes.

De man liep voor de jongens uit een paar treden af naar een oud sloepje, verwijderde het blauwe dekzeil en gebaarde dat ze op de vrijkomende banken moesten gaan zitten. Hij controleerde de buitenboordmotor en liet hun zien hoe ze die moesten starten. Nadat hij aan het koord had getrokken, luisterde hij even naar het regelmatige geronk en zette de motor toen weer af.

Hij haalde een oude Nokia tevoorschijn en een toeristenkaart van Amsterdam, met langs de gracht aangekruiste punten.

'Bij mijn eerste telefoontje gaan jullie hierheen. Wacht daar. De boot is klein en het waterniveau laag. Niemand ziet jullie. Bij mijn tweede telefoontje kom je in actie.' Hij gaf hun de telefoon en de kaart. 'Hier.' Twee paar goedkope nepleren handschoenen. 'Draag deze. Gooi de wapens in de gracht. Ga dan naar het adres dat Jimmy jullie heeft gegeven. Miriam wacht daar op jullie.'

Blauwe Jongen haalde het kaartje met de afbeelding van het poppenhuis tevoorschijn.

'Daar ja, slimmerik,' zei Miriam Smith. Ze glimlachte. 'Jullie zullen het fijn vinden in Afrika. Daar komen we vandaan.'

Rode Jongen bromde iets.

'Hij.' Ze tikte de Jamaicaan op de borst. 'Ik. Jullie ook.'

Dat vonden ze niet leuk. Surinaamse criminelen. Zij kwamen uit Zuid-Amerika, niet het Caribisch gebied zoals zij.

'Jullie weten geen moer van geschiedenis,' bromde de man. 'Of wel soms?'

'Ik weet dat ik honger heb,' zei Rode Jongen.

'Wacht hier,' zei Miriam Smith tegen hem.

Een paar minuten later was ze terug met twee puntzakken patat met mayonaise, twee blikjes cola en twee goedkope opvouwbare paraplu's.

'Pak aan,' zei ze. 'Ik zou niet willen dat jullie nat werden. Bekijk dit ook even.'

Ze gaf hun een foto van een forse man van middelbare leeftijd met een witte baard.

'Wie is dat? De Kerstman?' vroeg Rode Jongen.

Daar moest Miriam Smith om lachen.

'Ja. Maar jullie hebben een cadeautje voor hém.'

8

Een jaar voordat hij overwoog zich kandidaat te stellen voor de gemeenteraad kwam Wim Prins op het idee voor De Nachtwacht toen hij op zoek was naar ideeën die krantenkoppen zouden opleveren. Hij had nooit verwacht dat hij een meerderheid van de stemmen zou bemachtigen, laat staan het ambt van locoburgemeester. Maar de stemming was veranderd. Bezuinigingen en een algemene wrevel jegens de oude partijen hadden in het voordeel gewerkt van minderheidsgroepen die voorheen weinig meer hadden kunnen doen dan hun stem verheffen in de marge.

Hij was Mr Proper. Een nieuwe bezem die de stad schoon ging vegen. Zijn eigen geschiedenis – een drugsverslaafde vrouw, een dochter met hetzelfde probleem – waren eerder een voordeel dan een nadeel voor zijn positie.

Hij was iemand die de prijs kende van het gedoogbeleid van Amsterdam. Met zijn inzet voor een antimisdaad- en antidrugsbeleid haalde hij onmiddellijk de krantenkoppen. De combinatie had een gevoelige snaar geraakt. En nu was hij aan de macht, dankzij een akkoord met de Onafhankelijkheidspartij van Margriet Willemsen.

Nee, met háár. Ze was een vrouw van tweeëndertig met een altijd parate glimlach, kort, zwart haar, geknipt in een zakelijke, chique bob, alerte kobaltblauwe ogen en een oplettend gezicht. Ze was niet mooi, maar aantrekkelijk genoeg om de aandacht te trekken. Ze was geknipt voor de politiek. Prins begreep aanvankelijk niet waarom ze zich nooit bij een van de grote partijen had aangesloten. Dan zou ze nu in de regering hebben gezeten. Tijdens hun samenwerking om de coalitie te vormen was hij het gaan begrijpen. Onder het nuchtere uiterlijk van een politicus brandde een vurige, persoonlijke ambitie.

Niet dat De Nachtwacht geen obstakels kende. Alex Hendriks, algemeen directeur van het raadskantoor, was zo'n obstakel.

Hij en Margriet Willemsen hadden een uur lang aan de vergadertafel in het kantoor van Prins de eerste fase van het plan besproken.

'We hebben bezwaren ontvangen van de winkeliers, de restaurantbond en een aantal plaatselijke bevolkingsgroepen. Een paar van je eigen raadsleden hebben nu ook hun bedenkingen,' zei Hendriks.

Hij was klein, stil en zenuwachtig, altijd in de weer met zijn laptop of iPad of een van zijn telefoons die hij voortdurend bij zich droeg en checkte.

'Hoe minder geld mensen verspillen aan drugs en hoeren, hoe meer ze overhouden om elders uit te geven,' zei Margriet Willemsen met een glimlach.

Hendriks schudde zijn hoofd.

'Niet iedereen komt naar Amsterdam voor de cultuur. Ze zijn op zoek naar...'

'Dat zijn mensen die we kunnen missen als kiespijn,' onderbrak Prins hem.

'Daar ben ik nog niet zo zeker van,' vervolgde Hendriks. 'De beroepsverenigingen zijn bang dat ze tussen de twintig en dertig procent aan inkomsten zullen verliezen. Dat is veel geld. Mensen die geen eten en drinken kopen, kleding, souvenirs. Ze zeuren hun raadsleden aan het hoofd. Jóúw raadsleden.'

'Denk aan al degenen die in hun plaats zullen komen,' zei Prins. 'Betere mensen. Rijkere mensen.'

Hendriks hield voet bij stuk.

'Die gaan niet naar de Wallen. Waarom zouden ze? Om een stel gesloten coffeeshops te bekijken? Lege peeskamerramen? We hebben het hier wel over het centrum. Het plan zou het hart van Amsterdam kapotmaken...'

'Als jij het niet wilt doen, dan zoeken we iemand die dat wél wil,' onderbrak Margriet Willemsen hem. 'Per slot van rekening hebben we wel de verkiezingen gewonnen...'

'Je hebt geen mandaat om iedereen pissig te maken,' snauwde Hendriks. 'Als je dat doet, dan maken ze korte metten met je. Als Theo Jansen of Menzo ze niet voor zijn.'

Margriet Willemsens glimlach vervaagde geen moment.

'Wat zeg je nou eigenlijk? Dat we nu moeten uitkijken voor de georganiseerde misdaad?'

Hendriks bleef Wim Prins strak aankijken.

'Je vormt een gevaar voor hun imperia. Wat verwacht je dan? Dat ze rustig gaan zitten afwachten?'

'Ze zullen weinig keus hebben,' zei Prins. 'Ik heb vanochtend bureau Marnixstraat gesproken. Jansen wordt vanmiddag vrijgelaten. Hij en Menzo zullen elkaar naar de keel vliegen. Wij zijn wel het laatste waar ze zich druk over maken. Laat ze het onderling uitvechten, na afloop ruimen wij de rotzooi op. Ik kan me geen betere tijd voorstellen om het vuilnis af te voeren...'

'Maar je dochter dan?' vroeg Hendriks.

De ambtenaar kreeg voor de verandering zowaar een beetje kleur op zijn bleke gezicht.

'Jij bent niet de enige die met bureau Marnixstraat praat,' voegde Hendriks eraan toe. 'Ze vinden het doodeng wat je van ze vraagt. Ze zeiden...'

'Mijn dochter is mijn zaak. Niet de jouwe. Margriet had gelijk. Als jij vindt dat je de overeengekomen gedragslijn van de raad niet kunt volgen, dan moet je ontslag nemen. Zeg het maar.'

Hij was in wezen een lafaard, dacht Prins. Dit was een goed moment om hem op de proef te stellen.

'Ik word betaald om je van advies te dienen, of je dat nu wilt horen of niet.'

'Bedankt,' antwoordde Prins. 'We hebben je aangehoord. Wil jij nu zo vriendelijk zijn om te doen wat we je hebben gevraagd?'

De eerste fase was bijna afgerond. Binnen een maand zouden de mensen worden geïnstrueerd die zich doorgaans bezighielden met verkeersovertredingen en kleine criminaliteit op straat. Ze zouden de bevoegdheid krijgen om coffeeshops binnen te gaan en aanhoudingen te verrichten. Pooiers, hoeren en dealers oppakken, dan de politie bellen en de arrestanten aan hen overdragen.

Hendriks zat met zijn pen op de tafel te tikken, maar hij maakte geen aantekeningen, en dat was veelzeggend.

'Het gaat hier om ongewapende mannen en vrouwen die we betalen om parkeerbonnen uit te schrijven. Je vraagt hun om op straat criminelen te stangen.'

'Dat valt nu onder hun taak,' zei Prins.

'En als een van hen in elkaar geslagen wordt? Of vermoord?'

'Dan gaan we harder optreden,' antwoordde Willemsen.

'Is er verder nog iets wat we moeten bespreken?' vroeg Prins met een vluchtige blik op zijn horloge.

Margriet Willemsen schudde haar hoofd.

Alex Hendriks pakte zijn telefoons, stak zijn iPad onder zijn arm en vertrok.

9

Bureau Marnixstraat was niet veranderd. Het ene open kantoor na het andere. Daarachter eindelijk de afdeling moordzaken, met rijen bureaus, rapporten en foto's aan de muur, rechercheurs, voor het merendeel mannen, in de weer met computers en telefoons.

Bekende gezichten. Koeman met zijn bruine hangsnor volgde Laura Bakker met zijn blik, wat hij bij elke vrouwelijke agent deed, of ze nou een knappe verschijning was of niet. Rijnder, mager en ongelukkig, deed een poging tot glimlachen. Van der Berg, de joviale kantoordrinker, hief een denkbeeldig glas toen hij Vos zag naderen.

Hij was een energieke, dappere man en werd weinig gewaardeerd.

'Welkom terug, baas,' riep hij toen Vos dichterbij kwam. 'Dit rondje is voor jou.'

Vos glimlachte en hief ook een denkbeeldig biertje, zonder iets te zeggen.

Klaas Mulder stond met zijn handen in zijn zij tegen de deur van een spreekkamer geleund.

Zijn zorgvuldig in model gebrachte, fijne blonde haar werd dunner. Hij had rimpels in zijn grove gezicht, zijn jukbeenderen staken scherper uit, zijn grijze ogen stonden vermoeider. Toen Vos brigadier was, was Mulder gelijk in rang geweest. Hij had Vos altijd als een rivaal gezien. Hij was geen man om mee samen te werken of informatie mee te delen. Na het vertrek van Vos was hij bevorderd tot hoofdinspecteur, plaatsvervanger van De Groot. Hij had de magere zaak tegen Theo Jansen opgepakt en die uitgebouwd tot iets wat zou kunnen leiden tot de opsluiting van Amsterdams belangrijkste bendebaas, wegens dubieuze witwaspraktijken.

In die tijd was Vos nog half buiten zinnen geweest, maar op een dag, in een heldere bui, was hij in plaats van naar de coffeeshop en de kroeg naar de bibliotheek gegaan om alle krantenverslagen door te lezen. Elke veroordeling die Jansen achter de tralies kon krijgen was waarschijnlijk meegenomen voor de bestuurlijke hiërarchie van de stad. Hij had er nog steeds geen goed gevoel over. En nu werd het bewijs ontkracht. Geen wonder dat de glimlach van de man onecht leek.

'Pieter. Fijn om je terug te zien op de plek waar je thuishoort.' Mulder stak zijn hand uit en streek over het sleetse zwarte jasje van Vos. 'Je draagt zelfs je oude werkkleren.'

Voordat hij bij de politie ging was Mulder bijna profvoetballer geworden. Hij had voorgespeeld bij Ajax. Volgens eigen zeggen was een onbetrouwbare knie het enige wat zijn voetbalcarrière had verhinderd. Die knie verhinderde hem echter niet om bijna elke dag te trainen in een sportschool in de buurt. Een harde, eenzelvige, onverzettelijke man. Hij mocht van geluk spreken dat hij nooit voor een disciplinaire hoorzitting was opgeroepen vanwege de rare fratsen die hij met verdachten uithaalde.

'Ik kom alleen maar even langs,' zei Vos, en hij liep langs Mulder heen de spreekkamer in.

Binnen waren twee dingen die hem van zijn stuk brachten. Een grote porseleinen pop op tafel, tweemaal zo groot als de pop die hij bijna drie jaar eerder had ontvangen. En Liesbeth Prins, die bleek en magerder dan ooit in de hoek zat. Ze sloeg haar hand voor haar mond en staarde hem aan.

'Hallo,' zei hij. 'Waar is Wim?'

'Hij heeft het druk.' Ook haar stem klonk broos. 'Als we hem nodig hebben, komt hij wel.'

'Dit gaat over zijn dochter,' zei Laura Bakker. 'Hij hoort hier nu te zijn. Wat...?'

Vos glimlachte naar haar, legde een vinger op zijn lippen en wachtte tot ze zweeg.

Toen liep hij naar een bureau, pakte een paar wegwerphandschoenen uit een la en trok ze aan.

De pop lag nog in een kartonnen doos, die de vorm van een lijkkist had. De doos was neergezet voor het huis van Prins in een van de mooiere hofjes van de Jordaan, een rustige binnentuin met daaromheen een aantal woningen vlak bij de Noordermarkt. De bewakingscamera's hadden een man met een capuchon op betrapt die rond zeven uur 's avonds het hofje was binnengeglipt. Er zaten geen vingerafdrukken op de doos. Op de pop evenmin. Alleen de pluk haar, het schortjurkje met de bloedvlek en dat raadselachtige briefje: *Liefde is duur, Wim. Bereid je voor op de rekening.*

Het was een doodgewone kartonnen doos. Er stond geen tekening van het Oortman-poppenhuis op.

'Waar is het haar?' vroeg Vos.

'In het forensisch lab,' zei Mulder. 'Een half uur geleden kregen we de bevestiging dat het van Katja Prins is. Net als het bloed.' De lange rechercheur keek De Groot aan. 'Ga ik aan deze zaak werken of niet?'

'We weten nog niet eens of er sprake is van een zaak,' antwoordde de commissaris. 'Nog even geduld.'

Het briefje zat in een plastic envelop voor bewijsmateriaal. Vos keek ernaar en fronste zijn voorhoofd.

'Wat is er?' vroeg Mulder.

'Zoals ik al zei.' Hij keek naar Liesbeth. 'Prins houdt niet van zijn dochter. Of wel?'

Ze kwam een stap dichterbij. Hij rook haar parfum. Hetzelfde als altijd.

'Dat is niet waar,' zei ze. 'Katja is de afgelopen jaren een regelrechte nachtmerrie geweest. Wim heeft zijn best gedaan. Hij heeft haar medische hulp betaald, om te voorkomen dat ze in moeilijkheden kwam. Dat heeft niet...'

'Houdt hij van haar?' vroeg hij.

'Op zijn eigen manier,' antwoordde ze, waarbij ze hem met verdrietige bruine ogen strak aankeek. 'Jij zult het niet begrijpen. Als er iets is wat hier moet gebeuren...'

Verder niets.

'Die poppen kun je kopen in elke souvenirwinkel op de Wallen,' zei Mulder. 'Dat ding kan overal vandaan komen. Die meid neemt Prins waarschijnlijk gewoon in de zeik.'

Vos knikte en keek naar de pop in de doos, die er heel anders uitzag dan het exemplaar dat hij had gekregen. Hij schoof zijn in latex gestoken handen onder de rug en tilde de pop uit de doos. Zwaarder dan hij had verwacht.

'Zaklamp,' zei Vos, en hij stak zijn hand uit.

Bakker reageerde onmiddellijk. Ze haalde de Maglite, die tot de standaarduitrusting van de politie behoorde, uit de zak van haar grijze broek en legde hem in zijn hand. Vos tilde het schortjurkje op en richtte de lichtbundel op het doorschijnende plastic van het lijfje. Er was vaag een zwarte vorm te zien.

De Groot vloekte en keek Mulder nijdig aan.

'Heeft de forensische dienst de pop niet onderzocht?' vroeg hij.

'Ik heb het DNA van het haar en het bloed laten bepalen. Je zei dat je Vos en Prins liet komen! Ik wachtte tot...'

'Goed idee,' zei Vos, en hij legde de zaklamp weg.

Voorzichtig, stukje bij beetje, ontkleedde hij de pop. Bij het merkje MADE IN CHINA in de nek zat iets wat leek op een piepklein speakertje, met daarnaast een gaatje dat voor een microfoontje had kunnen zijn. De pop kon praten. En een ingesproken boodschap afspelen.

Vos drukte zachtjes op de buik van de pop.

Een klik. Elektronisch geruis. Toen kwam het gegil.

De pop.

Liesbeth Prins.

Tegelijkertijd.

Vos bracht zijn oor dichter bij het poppenhoofd om het beter te kunnen horen.

'Papa! Papa! Jezus...'

De stem van een jong meisje, huilend van vertwijfeling en pijn. Een harde gil. Een kreet van angst.

Een telkens herhaald refrein.

'Help me! Help me! Help...'

Liesbeth vloog op hem af en beukte gillend met haar vuist op zijn arm: 'In godsnaam, zet af!'

De opname werd automatisch teruggespoeld en begon opnieuw.

Laura Bakker had haar handen voor haar mond geslagen, haar gezicht zag bleker dan ooit. De Groot stond er verloren en machteloos bij. Zelfs Klaas Mulder had niets te zeggen.

'Is het Katja?' vroeg Vos.

'Het is Katja,' zei Liesbeth. 'Jezus, Pieter. Zet dat ding af...'

'Ik weet niet hoe dat moet.'

Hij keek om zich heen en spreidde zijn armen. 'Iemand?'

De pop bleef krijsen.

Mulder kwam aanlopen en raakte iets aan bij het oor. Het gekrijs hield op.

Vos keek hem aan.

'Daar zit een schakelaartje,' zei Mulder op droge toon. 'Jij hebt het ook gezien. Doe nou niet alsof...'

'Nee,' zei Vos met een langzaam knikje. 'Ik had het niet gezien. Ik ben uit vorm. Traag. Dom. Ik snap niet wat ik hier kom doen.' Hij keek naar Liesbeth Prins. 'Je moet je man vragen naar het bureau te komen. Het maakt niet uit of Katja zelf of iemand anders erachter zit. Hij hoort hier te zijn.'

Hij trok de wegwerphandschoenen uit.

'Wat nu?' vroeg Bakker.

'Ik moet mijn hond ophalen bij De Drie Vaten. Ik moet mijn woonboot opknappen. Vanavond speelt er een band in de Melkweg die ik graag wil zien en...'

Een hand op zijn arm. Liesbeth keek hem met haar verdrietige ogen aan.

'Deze pop is groter dan het exemplaar dat ik kreeg,' zei Vos geïrriteerd. 'Deze heeft een boodschap. Die van mij had dat niet. Iedereen die in de krant over de zaak heeft gelezen kan dit gedaan hebben.'

Woede flitste over Liesbeths gezicht.

'En de pop bij mij voor de deur hebben neergelegd? Het is dezelfde man...'

'Dat weet je niet. Je moet geen overhaaste...'

'Een jong meisje wordt vermist. Jezus. Hoor je haar niet? Zie je haar niet? Anneliese...'

'Anneliese is er niet meer. Ik heb mijn best gedaan. Het hele korps van Amsterdam heeft zijn best gedaan. We konden haar niet terughalen. Mijn excuses. Ik heb gedaan wat ik kon. En ik heb gefaald.'

Hij had onmiddellijk spijt van zijn scherpe toon.

De vrouw met wie hij het grootste deel van zijn volwassen leven had samengewoond, van wie hij had gehouden, van wie hij nooit had verwacht dat ze hem zou verlaten, stak haar knokige vingers in haar tas en haalde een foto tevoorschijn. Toen een tweede. Vos bekeek ze. Hun dochter op haar laatste verjaardag. Stralende ogen, lang, blond haar, een glimlach om haar mond. Een toekomst voor zich.

Het meisje op de tweede foto, wist hij, was Katja Prins. Hij had haar nooit ontmoet, maar had af en toe een foto van haar op de roddelpagina in de krant gezien.

Doffe ogen, uitdrukkingsloos gezicht. Maar ongeveer hetzelfde haar als Anneliese en de glimlach... was misschien de glimlach die Anneliese zou hebben opgezet als ze het had geweten. Gedoemd, gelaten, licht geamuseerd dat het leven niet méér bleek te zijn dan dit.

'Als je Katja in de steek laat, laat je ook je dochter in de steek.'

Iedereen keek naar hem.

'Ik heb Anneliese niet kunnen redden,' zei Vos. Er klonk woede in zijn stem door. 'Hoe kom je erbij dat ik de dochter van een ander wél zou kunnen redden?'

Frank de Groot kwam tussenbeide. Hij duwde Vos een legitimatiebewijs in de hand. Een oude foto. Dezelfde rang. En een stukje papier.

'Dat maak ik wel uit,' zei hij. 'Ik haal Prins naar het bureau, al moet ik hem persoonlijk hiernaartoe sleuren. Dit is Katja's laatst bekende adres. Een of ander hok in de buurt van de Warmoesstraat. Zeg maar wie ik je als partner moet toewijzen. We hebben het razend druk, maar je mag kiezen.'

Laura Bakker stond er stijf en zenuwachtig bij in haar lelijke grijze broekpak, en staarde met treurige groene ogen naar de vloer.

'Geef me aspirant Bakker maar,' zei Vos.

De Groot knipperde met zijn ogen. Mulder barstte in lachen uit.

'Even serieus, Pieter,' zei de commissaris nors.

'Ik ben serieus,' zei Vos. 'Bloedserieus.'

Toen legde hij een hand op Bakkers arm en leidde haar de kamer uit.

10

Toen Hendriks met zijn papieren en zijn gadgets was vertrokken, stond Margriet Willemsen op en liep naar het raam.

'Wat is er met je dochter?' vroeg ze toen Prins naast haar kwam staan.

'Niks.'

'Alsjeblieft geen onzin, Wim.'

Dus vertelde hij het haar. Ze keek hem verontrust aan.

'En als Hendriks nou eens gelijk heeft? Als Menzo of Jansen of een van die andere criminelen het op ons voorzien heeft?'

'Jansen komt vanmiddag vrij. Die twee vliegen elkaar direct naar de keel. Dat geeft ons meer kruit om te doen wat we willen...'

'Wat is Katja voor een meisje?'

'Tot een jaar of twee, drie geleden was er niks aan de hand, was ze een normale tiener.' Hij haalde zijn schouders op. 'Lastig. Niet zo intelligent. Ze vertelde nooit waar ze naartoe ging of waar ze mee bezig was. Maar toen... toen ging ze dezelfde kant op als haar moeder. Echt, ik heb van alles geprobeerd. Een tijdje terug hoorde ik van een afkickkliniek...'

Het Gele Huis. Het had hem een smak geld gekost, en hij had een tijdlang gedacht dat het zou werken. Maar op een gegeven moment zat ze weer in dat smerige hok bij de Warmoesstraat en leefde ze weer als een zwerver.

Willemsen pakte de papieren die Hendriks had laten liggen van de tafel.

'Ik wil niet dat dit ons in de weg gaat zitten. We staan toch al niet zo sterk.'

'Wat bedoel je?'

'Hendriks heeft gelijk. De mensen worden bang. Misschien moeten we de plannen een beetje bijstellen...'

'Nee,' zei Prins resoluut. 'Dat sta ik niet toe.'

Ze glimlachte. 'We breken de twintigste eeuw af en zetten er iets voor in de plaats. Je kunt niet verwachten dat iedereen meteen wild enthousiast is. Waarom zouden ze?'

'Omdat we gelijk hebben.'

'Gelijk hebben betekent niet per se dat je gaat winnen...'

Prins deed zijn ogen dicht. Hij voelde hoofdpijn opkomen.

'Ik wil dat je aan je dochter denkt,' zei ze. 'Dat verhaal haalt hoe dan ook de pers. Als dat gebeurt wil ik je niet zo zien als nu. Je moet er gekweld uitzien. Ongerust.'

'Ik ben gekweld. Ik maak me ongerust.'

'Toon dat dan. Het feit dat Katja ontspoord is, bewijst dat we het op de juiste manier aanpakken. Als ze weer boven water komt, kunnen we dat gebruiken.'

Margriet Willemsen kwam vlak voor hem staan en legde heel even een hand op zijn borst.

'Ze vinden haar echt wel. Als ze terecht is, moet je haar wegsturen uit Amsterdam. Stuur haar naar een afkickcentrum in Amerika of zo. Geen afleiding, niet voor haar en niet voor ons.'

Hij zei niets.

'Snap je wat ik bedoel?'

Zijn telefoon ging. Hij keek naar het nummer: Liesbeth.

'Het kan me niks meer schelen,' mompelde hij, en hij nam het gesprek aan.

11

Vos stond erop dat ze met de fiets naar de Warmoesstraat gingen. Hij was nog geen agent, wat Frank de Groot ook beweerde. Het legitimatiebewijs zat voor het gemak in zijn zak en meer niet. Ook zij leek liever niet met de auto te gaan. De week daarvoor had ze in een patrouillewagen gereden toen die het aan de stok kreeg met een tram.

'De tram heeft gewonnen,' zei Bakker, met grote ogen alsof het haar verbaasde. 'Commissaris De Groot was niet blij.'

'Zijn er geen trams in Dokkum?' vroeg Vos.

'Dokkum is de noordelijkste stad van Nederland. Wist je dat?'

Ze reden de hoek om in de richting van de gracht.

'Trams, Laura. Ik vroeg je naar trams.'

'Geen trams.' Ze haalde met een klein giechellachje haar schouders op en legde haar lange vingers tegen haar lippen. 'Anders zou ik die tram hier nooit hebben geramd. Hij kwam opeens recht op me af! Dat heb ik ook tegen De Groot gezegd. Ik kon er niks aan doen.'

Vos stapte van zijn oude fiets af. Het mandje voorop leek erg leeg zonder de hond. Hij vroeg zich af hoe lang hij nog misbruik kon maken van Sofia Albers, de vrouw die De Drie Vaten runde. Zo nu en dan een pilsje of een kop koffie leek een karige beloning voor op de hond passen en de was doen.

'Waarom heb je mij gekozen?' vroeg ze. 'Je had toch een van de echte rechercheurs kunnen nemen?'

'Je leek geïnteresseerd,' zei Vos. Hij glimlachte. 'En ik ben ook geen echte rechercheur.'

Ze kon er niet om lachen.

'Ik ben aspirant, Vos. Volgende week word ik ontslagen.'

'In dat geval moeten we voortmaken.'

Ze leek een eerlijk antwoord op prijs te stellen. Bakker keek omhoog naar het straatnaambordje en zei: 'Hier komt het vandaan, hè?'

'Wat komt hier vandaan?'

'Je poppenhuis. Petronella Oortman woonde in de Warmoesstraat.'

Inderdaad, dacht Vos. Al wist niemand precies waar. Hij had geprobeerd erachter te komen.

'Is het belangrijk?' vroeg Bakker.

Een tekening van een antiek poppenhuis. Een beroemd poppenhuis. Op een miniatuurlijkkist geplakt. Daarna niets meer. Alleen een zwarte, bodemloze put van twijfel en verdriet. Op een avond tijdens een slaande ruzie had Liesbeth hem toegeschreeuwd: 'Je wilt dat ze dood is, hè? Je wilt haar lijk zien!'

Beslist niet. Hij wilde haar door hun straat in de Jordaan zien lopen zoals vroeger, gelukkig, vrij, glimlachend, af en toe ondeugend. Een verdwijning, na zulke afschuwelijke, angstaanjagende boodschappen, was in zekere zin erger dan een sterfgeval. Liesbeth en hij hadden er allebei een wond aan overgehouden die maar niet genas. Een vraag zonder een antwoord.

'Volgens mij wel,' zei Vos, terwijl hij terugkeerde naar het heden. 'Ik begrijp alleen niet...'

'Begrijpen' leek het verkeerde woord. Sommige dingen gingen elk begrip te boven, en misschien was de verdwijning van Anneliese wel een van die dingen.

Bakker liep met haar fiets aan de hand de hoek om, de nauwe steeg in die naar het water liep en checkte de nummers van de zwaar verwaarloosde huizen. Voor een gehavende rode deur bleef ze staan. Er hingen posters voor de smerige gebarsten ramen. Bands, films en drugs. Van binnen kwam muziek.

Recente rock. Het klonk als een zwakke cover, hij gaf de voorkeur aan het origineel.

'De pop die hij jou heeft gestuurd...' zei ze terwijl ze haar fiets op slot zette. 'Waar kwam die vandaan?'

Het hield maar niet op. Laura Bakker bleef hem met vragen bestoken.

'Je had het dossier toch gelezen?'

Ze sloeg haar lange armen over elkaar. 'Niet alles.'

'Daar zijn we nooit achter gekomen,' zei hij. 'Het was een duur ding. Het leek antiek, maar bleek het niet te zijn. Ze worden in Duitsland gemaakt. In Amsterdam worden ze niet verkocht, alleen in Duitsland. Heel anders dan dat goedkope ding dat nu in de Marnixstraat ligt. Iemand heeft er een smak geld voor neergeteld. Misschien...'

Ze wachtte af, maar toen hij niets meer zei, vroeg ze: 'Misschien?'

'Misschien had hij hem al. Misschien was hij verzamelaar. De pop was minstens honderd jaar oud. Ze droeg een hoepelrok. Het soort pop dat Petronella in haar poppenhuis had kunnen zetten.'

'Ze had het haar van je dochter in haar hand?'

'Ja.'

'En de bloedvlek was haar bloed?'

'Ja,' zei hij. Hij had het koud en voelde zich ellendig. Hij wenste dat hij op de boot zat met de hond en een biertje. Misschien een joint als het nog erger werd.

'Denk je dat ze al dood was?' vroeg Bakker. 'Dat hij niet je dochter, maar jou martelde?'

Toen ze aan de zaak werkten had hij zelden gesprekken als dit gevoerd, zelfs niet met Frank de Groot. Ze waren veel te intiem en persoonlijk.

'Dat weet ik niet,' gaf hij toe. 'Het was geen gek, zoals De Groot beweert. Dat is te...'

Woorden. Soms wilden ze maar niet komen.

'Simpel?' vroeg Bakker.

'Juist.'

'Wat vreselijk,' zei ze. Haar gezicht stond treurig, het gezicht van een lieve, onschuldige tiener.

Mensen gingen om verschillende redenen bij de politie. Hij wilde deel uitmaken van iets wat hielp om de wereld beter te maken. Laura Bakker... hij vroeg zich af wat haar reden was. Frank de Groot was een scherpzinnig man, een betere mensenkenner dan menigeen die Vos ooit had gekend. Die opmerking dat ze de kudde wilde hoeden...

De politie veranderde niets. Dat had hij al vroeg geleerd. In het gunstigste geval bood ze troost. Beteugelde de kwalijkste elementen van een maatschappij die zo ver uiteengevallen was dat ze niet in staat was zichzelf te herstellen. Het was niet verstandig om hoge verwachtingen te koesteren. De prijs van de mislukking kon ruïnerend zijn.

'Het spijt me dat ik die stomme dingen heb gezegd,' zei Vos. 'Over dronken bestuurders. Ik praat niet veel met mensen tegenwoordig. Het is lastig voor me.'

Ze leek voor het eerst echt kwaad te zijn om iets wat hij had gezegd.

'Je kon het niet weten,' zei ze. Ze wurmde zich langs hem heen en drukte op de deurbel. Toen ze niets hoorde, ramde ze met haar vuist op het houtwerk.

12

Het meisje dat opendeed had kort, vet, blond haar, een gezicht dat zo bleek zag dat het net perkament leek, en een broodmager lichaam. Ze droeg een lange jurk van indiakatoen en een versleten trui. Ze omklemde de ellebogen van de trui, die zo dun waren dat haar groezelige T-shirt erdoorheen scheen.

In het rijtjeshuis van vier verdiepingen stonk het naar dope en zweet, en er hing een rioollucht. Een gemeenschappelijke keuken, geen spoor van etenswaren. In de voorkamer gaven twee versufte mannen een hasjpijp aan elkaar door.

Ze heette Til en kwam uit Limburg, net als de kaas die De Groot had gekocht. Bakker vroeg om haar legitimatiebewijs. Mathilde Stamm. Negentien. Zo oud als Anneliese nu zou zijn geweest. Ook dezelfde leeftijd als de dochter van Prins.

Ze probeerden met haar over Katja te praten. Uiteindelijk gaven ze het op en gingen naar de rokende mannen in de voorkamer. Daar kwamen ze geen steek verder. Terug naar het meisje. Ze zetten haar klem in een hoek en wachtten tot ze zich gewonnen gaf.

Dat duurde niet lang, toen ze eenmaal doorhad dat Vos niet zou weggaan zonder antwoorden op zijn vragen. Katja woonde al een jaar met tussenpozen in het kraakpand. Til wist niet waar ze uithing als ze er niet was. Ze had haar nooit met vriendjes gezien. Ook niet met vriendinnen.

'Dus helemaal geen vrienden?' vroeg Bakker voordat Vos iets kon zeggen.

Het meisje sloeg haar armen nog steviger om zich heen.

'Waar gaat dit over?'

'Ze wordt vermist. We denken dat ze in moeilijkheden zit.'

Til Stamm lachte.

'Dat jullie haar hier niet aantreffen wil niet zeggen dat ze vermist is. Katja haalt van alles uit. Ze komt er nog mee weg ook. Haar pa is stinkend rijk. Hij runt Amsterdam, toch?'

'Dat denkt hij,' zei Vos. Hij keek om zich heen. Het was zo te zien een typisch doorgangshuis. Een plek waar mensen kwamen en gingen. Niet veel meer dan dat.

'Haar pa kan dingen regelen,' voegde het meisje eraan toe. 'Hij heeft haar naar een afkickkliniek gestuurd.' Ze stak haar hand onder de groezelige trui, haalde een pakje sigaretten tevoorschijn en stak er met trillende vingers een op. 'Alsof Katja zich daar iets van aantrok.'

'Welke kliniek?' vroeg Vos.

'Het Gele Huis. Achter de bloemenmarkt. Ik heb daar het geld niet voor.' Ze lachte weer en moest hoesten. 'En geen behoefte aan.'

Laura Bakker nam haar van top tot teen op. 'Bedoel je dat Katja er nog erger aan toe was dan jij?'

Vos slaakte een zucht. Het meisje werd razend en stortte een scheldkanonnade over Bakker en hem uit. De sigaret viel uit haar trillende vingers.

Overdonderd door de plotselinge woede-uitbarsting deed Bakker een stap achteruit. De mannen met de hasjpijp verroerden zich niet. Pieter Vos raapte de sigaret op van de smerige vloer, hield hem Til Stamm voor, wachtte tot ze was gekalmeerd en stopte hem weer tussen haar vingers.

'Vind je haar aardig?' vroeg hij toen ze weer rustig was.

'Katja is oké. Geen kapsones. Ik denk eigenlijk...' Ze draaide een rondje met haar wijsvinger bij haar slaap. 'Ze is niet helemaal goed snik. Maar ze heeft nooit haar pa op ons afgestuurd. We zagen hem alleen als ze iets nodig had.'

'Zoals?' vroeg Vos.

'Geld. Of een verlaat-de-gevangenis-zonder-betalenkaartje.'

'Waarom zou ze dat nodig hebben, Til?'

Zijn stem was kalm, zijn houding vriendelijk.

Tils blik was op Laura Bakker gericht. Ze scheelden maar een paar jaar, maar er lag een wereld van verschil tussen hen.

'Hetzelfde als altijd,' antwoordde het meisje. 'Ik heb haar al een week of zo niet gezien. Zoals ik al zei, soms gaat ze weg zonder iets te zeggen.'

Ze liep naar de voordeur en slingerde de sigaret de kille dag in. Toen haalde ze een voorgedraaide joint uit de zak van haar trui, dun en half opgerookt. Haar vingers trilden zo hevig dat ze hem niet kon aansteken. Vos pakte de lucifers uit haar hand en deed het voor haar.

'Dit is belangrijk,' zei hij. 'Ze moet íémand hebben. Een vriend of vriendin die ze meer mocht dan anderen. Was jij dat?'

Het meisje haalde haar schouders op.

'Hoe zit het met mannen?'

'Ik ben geen verraadster.'

Laura Bakker viel tegen haar uit. Ze zweeg toen Vos haar nadrukkelijk aankeek.

‘Het enige wat we willen is haar vinden,’ zei hij. ‘Ons ervan vergewissen dat ze niet in moeilijkheden zit. En dan zijn we weg. Dan...’ Hij wees naar de joint. ‘Dan kun je weer doen wat je wilt.’

‘Wat voor moeilijkheden?’ vroeg ze.

‘Ontvoerd worden,’ zei Laura Bakker.

Til Stamm keek hen beurtelings aan, fronste haar voorhoofd en liep in de richting van de uitgesleten trap in de gang. Ze volgden haar naar boven. Het meisje liep met het tempo van een oude vrouw. De zure zweetlucht van ongeventileerde kamers werd sterker.

Vier trappen. Bovenaan bleef Til Stamm buiten adem staan. Hijgend zoog ze aan de joint.

‘Zijn we hier voor het uitzicht?’ vroeg Bakker terwijl ze uit het raam keek. Het enige wat ze zag waren nog meer sombere oude rijtjeshuizen aan de overkant.

‘Ze bakt echt niks van d’r werk,’ zei het meisje tegen Vos. ‘Het verbaast me dat je dat pikt.’

Vos glimlachte. ‘Ze leert het wel. Een meisje uit de provincie, uit Friesland. Ik ben een Amsterdammer, ik kan veel hebben.’

De deur stond op een kier. Een kamer met een eenpersoonsbed. De lakens half op de matras, half op de kale houten vloer. De lucht van ongewassen kleren en hasj.

‘Een tijdje terug bracht ze een vent mee. Hij was oud. Raar.’

Vos liep de kamer in en keek om zich heen.

‘Hoe heette die vent?’

‘Jaap. Ik heb hem nooit anders horen noemen.’

Ze liep naar een ladekast. Een van de poten was afgebroken en een baksteen ondersteunde de hoek.

‘Hij heeft nooit een cent huur betaald. Betaalde sowieso nergens voor. Eten. Sigaretten. Noem maar op.’ Ze sloeg haar armen om haar middel. ‘Wie zou Katja nou ontvoeren?’

‘Dat weten we niet,’ zei Vos. ‘Dat proberen we uit te zoeken. Die Jaap...’

‘Hij zei nooit veel.’

‘Waren ze een stel?’ vroeg Bakker.

‘Ik klap ook niet uit de school over bedpartners.’

Vos trok een wenkbrauw op.

Til Stamm sloeg haar armen over elkaar. ‘Dat. Weet. Ik. Niet. Volgens mij waren ze gewoon vrienden. Katja brengt wel vaker mensen mee. Als ze denkt dat ze een slaapplek nodig hebben. Het is een aardige meid. Een beetje simpel.’

Vos liep naar de ladekast en doorzocht de papieren die erin lagen. Sommige officieel. Rapporten van een reclasseringsambtenaar. Gerechtelijke bevelen. Een brief van een advocaat. Die pakte hij uit de la en las hem door.

'Katja zei dat we niet moeilijk moesten doen,' voegde het meisje eraan toe. 'Jaap had in de nesten gezeten. Het zou allemaal goed komen. Op een dag zouden we geld krijgen...'

Ze maakte een weids armgebaar naar de smerige kamer.

'Al het geld dat we hiervoor te goed hebben.'

'Wanneer is hij vertrokken?'

'Een week of wat geleden.'

'Om en nabij de laatste keer dat je Katja hebt gezien?'

Ze fronste haar voorhoofd.

'Dat zal wel. Ik heb het niet bijgehouden. Waarom zou ik?'

'Wat doet Jaap?' vroeg Vos.

'Wat hij doet? Hij ging 's ochtends weg en kwam 's avonds terug. Ik heb er niet naar gevraagd.'

Dat was alles. Vos wapperde met de brief die hij uit de la had gepakt, zei dat hij die meenam, en toen liepen ze met z'n drieën de trap af.

De buitenlucht was een stuk frisser. Laura Bakker leek zich niet op haar gemak te voelen. Vos zei niets.

'Oké,' zei Laura. 'Ze praatte wel met jou maar niet met mij. Wat heb ik verkeerd gedaan?'

'Niets wat ik niet zou hebben gedaan toen ik zo oud was als jij.'

'Ik moet het weten.'

Vos keek nog eens naar de brief en dacht na.

'Ze is negentien. Heeft haar school niet afgemaakt. Haar thuis en wat wij beschouwen als een leven de rug toegekeerd. Voor hoeveel sollicitatiegesprekken denk je dat ze is uitgenodigd?'

Bakker zette haar handen in haar zij. Een uiting van ergernis die hij inmiddels herkende.

'Voor hoeveel denk je dat ík er ben uitgenodigd?'

'Genoeg. Jij bent pienter. Ontwikkeld. Je wilde politieagent worden. In het rustige provinciestadje Dokkum.'

'Je kent me helemaal niet!'

Hij knikte. 'Dat is waar. Maar ik ken Til Stamm. Jij gedroeg je zoals zij verwachtte. Het leven is soms makkelijker als je het tegenovergestelde doet. Als ze denken dat je keihard zult optreden, moet je vriendelijk zijn. Als ze denken dat je de vriendelijkheid zelve bent...'

'Altijd de vriendelijkheid zelve. Dat ben jij. Hoe was dat spul dat ze rookten? Goeie kwaliteit?'

'Heeft Frank zijn mond voorbijgepraat?'

'Het staat in je personeelsdossier, Vos,' zei ze een beetje beschaamd. 'En ook dat ze een uitkering voor je geregeld hebben wegens arbeidsongeschiktheid. Ik dacht...'

Ze maakte haar zin niet af.

'Wat dacht je?'

'Ik dacht dat je er ouder uit zou zien. En meer verlopen.'

Hij lachte en zei: 'Je moet niet alles geloven wat je in de dossiers leest.'

'Komt dit in het mijne te staan?'

Voor hij kon antwoorden ging haar telefoon. Ze nam het gesprek aan. Haar toon veranderde. Ze klonk respectvol, niet langer verdedigend.

'Had Frank nieuws te melden?' vroeg hij toen ze de verbinding had verbroken.

Bakker zei: 'Waarom doe je dit steeds?'

'Het komt door de manier waarop je praat.' Vos haalde zijn fiets van het slot. 'Van agressief naar...' Hij had bijna 'verdedigend' gezegd, maar dat klopte niet. 'Je moet leren luisteren, Laura. Vooral wanneer datgene wat mensen zeggen onbelangrijk lijkt.'

'Die meid loog.'

'Inderdaad,' zei hij. 'Wat dan nog?'

De ronde groene ogen werden groot.

'Wat dan nog? Ze stond te liegen dat ze barstte.'

'Til Stamm deed wat voor haar normaal is als ze tegenover mensen als wij staat. Doet dat er iets toe?'

Ze vloekte binnensmonds.

'Wim Prins heeft eindelijk de tijd gevonden om naar de Marnixstraat te gaan,' zei ze. 'De Groot wil dat we terugkomen om met hem te praten. Prins heeft het kennelijk erg druk. Hij moet naar een vergadering en kan niet lang blijven.'

Vos stak zijn hand uit naar het mobieltje. Ze gaf het hem. Hij belde terug. Stelde De Groot een paar vragen, zonder opgave van reden. Toen gaf hij haar de telefoon terug en wees naar haar fiets. 'Tijd om te gaan, aspirant Bakker.'

'Naar de Marnixstraat?'

'Naar het gerechtsgebouw. Volgens Frank wordt Theo Jansen ergens in het komende uur vrijgelaten. Hij heeft beloofd dat hij een brave jongen zal zijn. Laten we hopen dat we op tijd komen.'

Ze verroerde zich niet. 'Commissaris De Groot heeft me uitdrukkelijk gezegd dat we terug moeten naar de Marnixstraat. Als ik dat...'

'Frank kan met Wim Prins praten. Ik wil Theo niet mislopen. Het is een tijd geleden dat ik hem sprak.'

'Wil je me alsjeblieft vertellen wat er aan de hand is?'

Hij liet haar het vel papier zien dat hij uit de slaapkamer had meegenomen.

'Katja's vriend is Jaap Zeeger. Een junkie, een onbeduidend crimineeltje. Hij was een tijdje hoofdverdachte in de verdwijning van mijn dochter. Dat bleek niet te kloppen. Dat dacht ik althans.'

Ze las het document door. Een dagvaarding om die middag voor de rechter te verschijnen.

'Zeeger stond bij Theo Jansen op de loonlijst,' zei Vos. 'Mogelijk ook op de loonlijst van een paar anderen. Klaas Mulder heeft hem weten over te halen om informant te worden en zijn baas te laten opsluiten.' Vos stapte op zijn fiets. 'Nu heeft hij alles ingetrokken. Hij gaat Jansen helpen vrij te komen.'

In de brief stond dat Zeeger bij de hoorzitting aanwezig moest zijn.

'Waarom is hij van gedachten veranderd?'

'Dat gaan we hem vragen. Nadat we erachter zijn gekomen wat hij weet over Katja Prins. Aangezien jij zo goed bent in multitasken, mag jij Frank bellen en vertellen waar we naartoe gaan.'

Vos reed de nauwe steeg in, naar de Warmoesstraat.

Ze reed achter hem aan en riep met schrille stem: 'Vos! Vos! Waarom bel jij niet...?'

Haar stem galmde tussen de groezelige bakstenen muren. Regendruppels. Luide smeekbeden achter zijn rug. Ze riep dat hij haar razend maakte.

Wat volgens Vos onzin was. Hij was gewoon met zijn gedachten heel ergens anders.

Hij draaide zich om, zwaaide en reed de drukke straat in waar Petronella Oortman drieënhalve eeuw eerder had gewoond, met haar houten herenhuisje en haar poppenfamilie.

Vos haalde de elastiekjes uit zijn zak en bukte om ze om de pijpen van zijn spijkerbroek te doen.

Ze verscheen onmiddellijk naast hem en legde een hand op zijn schouder.

'Nee, Vos. Dat heb ik één keer gezien en ik wil het nooit meer zien. Hier. Ik heb een cadeautje voor je. Ik had ze over.'

Een paar glimmende zwarte broekklemmen. Gloednieuw. Hij keek naar haar wijde grijze broek. Ze had dezelfde klemmen.

'Bedankt,' zei hij.

13

Twee uur op bureau Marnixstraat. Koeman zat op een stoel de sportpagina's van *De Telegraaf* te lezen terwijl hij over zijn bruine hangsnor wreef.

Liesbeth Prins zat in de spreekkamer met haar man te discussiëren en keek naar de vlot geklede vrouw die voor de spreekkamer met Klaas Mulder stond te praten.

'Het is de stem van Katja. In de pop,' zei ze. 'Haar bloed. Haar haar.'

De Groot had het bandje voor hen afgespeeld toen Prins eindelijk was komen opdagen. Vijftien seconden wanhopig gegil. Aan het eind één woord, keer op keer.

Vader. Vader.

'Ze heeft me nooit "vader" genoemd,' zei Prins.

'Zij is het...'

'Dat weet ik. Ze heeft me nooit "vader" genoemd. Denk toch eens na. Alsjeblieft...'

Hij pakte haar handen. Probeerde haar in de ogen te kijken.

'Ik weet dat dit mijn schuld is. Ik heb niet kunnen voorkomen wat er met haar moeder gebeurd is. Ik had iets moeten doen...'

Liesbeth begon nu boos te worden.

'Katja kan dit niet zelf gedaan hebben. Ze zou niet weten hoe.'

'Een van haar junkievriendjes dan.'

'Ze is ontvoerd, Wim! Door dezelfde man die Anneliese heeft ontvoerd. Ik weet precies wat dit met je doet. Ik wil het niet nog eens moeten doormaken. Ik wil niet dat jíj het moet doormaken. We moeten iets doen...'

'Zoals?' vroeg hij, en de vraag legde haar het zwijgen op.

Hij keek naar de gang, waar Margriet Willemsen een ernstig gesprek voerde met Mulder.

'Ik mag die vrouw niet,' fluisterde Liesbeth.

'Mulder is onze bemiddelaar voor De Nachtwacht. We hebben zo meteen een bespreking.'

'Gooit Katja je programma overhoop of zo?'

'Jezus, Liesbeth!' Hij verhief bijna nooit zijn stem. 'Ik zal alles doen wat ze van me vragen. Verwacht alleen niet dat...'

'Wat?'

'Dat ik het geloof. De rottigheid die ik met die meid heb meegemaakt. Je weet nog niet de helft.'

Ze besefte hoezeer haar kwaadheid hem kwetste. Verwoed zocht ze naar iets wat ze zou kunnen zeggen.

'Ik heb gezien hoe haar moeder de vernieling in ging,' zei hij zacht, op gekrenkte toon. 'Het werd met de dag erger. Toen ging het met Katja dezelfde kant op en ik kon verdomme helemaal niks doen om het tegen te houden. Ga me nou niet de les lezen, Liesbeth. Dat heb ik niet verdiend. Waarom denk je dat ik op de proppen kwam met De Nachtwacht? Ik wil de stad voorgoed bevrijden van dat uitschot en hun vergif.'

'Dit gaat niet over politiek.'

'Ik heb nooit beseft dat jij en Katja zo'n hechte band hadden,' zei hij met een verbitterd gezicht.

'Wat moeten we doen?'

'Jij kunt hier blijven, als je dat wilt. Als er iemand contact opneemt...'

'Ik heb om Pieter gevraagd. Hij is beter dan al die...'

Zijn mond viel open en hij keek haar stomverbaasd aan.

'Denk je dat je gestoorde vroegere vriendje dit kan fiksen? Dat heeft hij al eens eerder gedaan, hè?'

Het ging heel snel, ze dacht er niet eens bij na. Liesbeth Prins gaf haar man een harde klap in het gezicht. Eén mep, met vlakke hand.

Ze had hem nog nooit geslagen, al had ze dat wel overwogen.

Hij bracht een hand naar zijn wang. Zijn gezicht werd rood, van woede, of door de klap, ze wist niet welke van de twee.

De deur ging open. Klaas Mulder kwam binnen. Willemsen bleef buiten en staarde naar de kale muren.

'Hebben jullie nog vragen?' vroeg Mulder, terwijl hij hen beurtelings aankeek.

Prins trok zijn stropdas recht.

'Is Pieter Vos terug bij de politie?'

Mulders uitgestreken gezicht bleef uitdrukkingsloos.

'Hij springt vandaag bij. De commissaris vond dat een goed idee. Als er een verband is met...'

'Ze worden sluw als ze iets nodig hebben,' onderbrak Prins hem. 'Drugsverslaafden hebben geen geweten. Geen gevoel. Ze zijn tot alles in staat. Het maakt ze niet uit hoeveel pijn ze iemand doen. Hun vrienden. Hun familie. Zichzelf...'

'We houden overal rekening mee,' zei Mulder, terwijl Koeman luidruchtig met het sportkatern ritselde, de krant opvouwde en op zijn schoot legde. 'Zodra we iets weten, neem ik contact met jullie op.'

'Jij of Vos?' vroeg Prins.

'Hij springt alleen maar bij,' zei Koeman vanaf de stoel. 'Mankeert er iets aan je oren?'

Prins, in zijn modieuze grijze politicuspak, reageerde stekelig. 'Ik duld geen geouwehoer van jullie over ons werk. We hebben de verkiezingen gewonnen. We hebben het recht...'

'Zoals je vrouw al zei: dit gaat over je vermiste dochter,' onderbrak Koeman hem. 'Niet over jouw sheriffje spelen in het Wilde Westen.' Hij stond op. Rekte zich uit. Keek Prins aan. 'Katja.'

'Ik zal dit niet vergeten,' zei Prins verontwaardigd, en toen liep hij de kamer uit.

Mulder keek geamuseerd naar Liesbeth Prins.

'Wat moet ik doen?' vroeg ze.

'Ga naar huis. Wacht af. Let goed op,' antwoordde Mulder. 'Als je iets vreemds ziet, laat het ons dan weten.'

Daar leek ze niet blij mee te zijn.

'De zaak van je dochter is breed uitgemeten in de krant,' voegde Mulder eraan toe. 'Iedereen kan dat hebben nagebootst. We hebben niets gezien wat niet al bekend was. Voor hetzelfde geld haalt iemand gewoon een rotgeintje uit.'

'Het is fijn om te zien dat jullie je best doen,' zei ze.

De twee rechercheurs keken haar na toen ze wegliep.

'Ik heb haar nooit gemogen toen ze nog met Pieter was,' merkte Koeman op. 'Dat secreet heeft hem altijd als een idioot behandeld. Niet te geloven dat ze hem er weer bij heeft gesleept.'

'Ik zei toch dat Vos alleen maar bijspringt,' zei Mulder. 'Eén dag maar.'

'Ja,' zei Koeman met een glimlach. 'Dat zal best.'

14

Rode Jongen. Blauwe Jongen. Ze zaten zich te vervelen in de boot en trapten met hun voeten tegen de tas met wapens.

Voorin lagen papieren puntzakken besmeurd met mayonaise en frituurvet.

Blauwe Jongen had het mobieltje in zijn hand. Het ging over. Hij luisterde en keek op de kaart.

Zware stem. Surinaams accent. De forse man uit de coffeeshop deed wat hij had beloofd. Hij vertelde hun waar ze naartoe moesten.

'Ja,' zei Blauwe Jongen, en hij stopte de oude Nokia terug in de zak van zijn glimmende trainingspak.

De gracht deed hem denken aan de brede rivier die loom door Paramaribo stroomde. De Surinamerivier. Het land dankte zijn naam eraan. Traag en grijs, dat ook. Troebel. Een plek om iets te verbergen. Dat had hij gedaan. Hij vroeg zich af of Rode Jongen dat ook had gedaan en of hij moest vragen hoe hij heette. Niet dat hij veel zei. Of leek te willen praten.

Over een paar uur zouden ze in een vliegtuig zitten, op weg naar een nieuwe bestemming. Hij had in Amsterdam geen tijd gehad om veel te doen. Eén hoer, een paar joints. Toen had Jimmy Menzo hem ontboden.

Zijn oom had een boot in de Surinamerivier. Toen hij nog klein was en de familie nog intact, gingen ze dikwijls de stad uit voor een picknick op het platteland. Die goede tijden waren voorbij. Er was in zijn thuisland geen toekomst voor mensen zoals hij. Ze moesten naar het buitenland, naar Venezuela, het Caribisch gebied, zelfs overzee.

Er kwam een rondvaartboot voorbij. Mensen gingen staan om foto's te maken. Voornamelijk Japanners met een camera om de hals. Die mensen waren anders dan hij. Ze hadden geld en een echte baan. Genoeg voor een retourtje Amsterdam. Daar werd hij niet kwaad om. Zo was het nu eenmaal. Zij konden er niets aan doen dat ze in Tokio, Los Angeles of Londen waren geboren. Net zomin als dat hij ervoor had gekozen op te groeien in een krottenwijk in Paramaribo, met z'n vieren in een kamertje.

'Gaan we nu?' vroeg Rode Jongen. Hij geeuwde alsof dit gewoon een saaie doorsneedag was.

Het leek kouder te worden. Het was harder gaan waaien. Er viel regen uit de grijze, bewolkte lucht. De bomen langs de gracht verloren lichte, groene zaadjes. Ze wervelden in een windvlaag rond het bootje.

Toen hij ouder werd, mocht hij van zijn oom de boot besturen. Dat was een leuke tijd geweest.

Blauwe Jongen liep naar achteren, startte de buitenboordmotor met een ruk aan het koord en stuurde de kleine boot het langzame verkeer op de Prinsengracht in. Als het lot hem wat gunstiger gezind was geweest, had hij een van de kooplieden kunnen zijn die de grachten op en neer voeren, spullen vervoerden. Dan zou hij nooit lastiggevallen zijn door mensen als Jimmy Menzo. Dan zou hij nooit een pistool hebben hoeven aanraken.

Maar dat zou niet gebeuren. Nu niet meer. Morgen zou hij in Kaapstad zijn, in Zuid-Afrika, met Rode Jongen. Hij moest hem echt vragen hoe hij heette. Maar niet nu.

Vier, vijf snellere rondvaartboten voeren voorbij, alle passagiers maakten foto's van hen. Hij vond het vervelend, maar het enige wat hij kon doen was proberen zijn capuchon zo ver mogelijk over zijn gezicht te trekken. Toen keek hij op de kaart en zag dat ze bijna de plek die de Jamaicaan had gemarkeerd voorbij gevaren waren. Hij gaf een ruk aan het roer, nam gas terug en stuurde de boot in de richting van een roestige metalen ladder, die naar het hoger gelegen wegdek leidde.

De Jamaicaan had gelijk. Niemand zou de boot zien. Ze moesten wachten op een telefoontje. Van iemand binnen, had Miriam gezegd nadat ze hun de puntzakken vette patat had gegeven.

Het stond hem niet aan. Het was belangrijk om de zaken met eigen ogen te zien.

Menzo had waarschijnlijk ook andere mensen in de buurt. Die zouden de boel in de gaten houden. Ze zouden hem en die andere jongen de ladder op zien klimmen en om zich heen zien kijken, op de klinkers voor het gerechtsgebouw.

Nou en? Als ze deden wat Menzo wilde, hadden ze niets te vrezen. Deden ze dat niet...

Daar wilde hij niet aan denken. Hij hield van zijn zus. Was ze maar niet dat hele eind naar Amsterdam gekomen op een sprankje hoop en een hopeloos gebed.

'Blijf hier,' zei hij. 'Ik ben zo terug.'

Hij sprong op het platformpje onder aan de ladder, legde de boot vast zoals hij van zijn oom had geleerd en klom de ladder op.

Nog meer bomen die hun groene zaadjes lieten vallen op deze vochtige, sombere dag. Politieauto's. Er stonden mensen, hij vermoedde advocaten en cliënten, te roken voor een sober stenen gebouw.

Terwijl hij alles in zich opnam, reed een wat vreemd ogende man met lang haar en een jong, markant gezicht op een fiets naar de hoofdingang en begon een gesprek met de bewaker die daar stond. Hij droeg oude kleren, bijna lompen. Achter hem, hard trappend om hem bij te houden, reed een lange vrouw met rood haar, mooi maar verhit, en net zo vreemd gekleed.

Hij wierp een blik op het goedkope digitale horloge om zijn pols, een van de weinige dingen die hij uit Paramaribo had meegenomen. Het was bijna drie uur.

Hij liep langs de waterkant, vond de ladder en klom weer naar beneden naar de boot.

'Ik heb honger,' klaagde Rode Jongen.

'Je zult moeten wachten,' zei hij. 'Er is werk aan de winkel.'

15

De laatste keer dat Vos Theo Jansen had gesproken was twee weken voordat Anneliese verdween. Het was geen onvriendelijke ontmoeting geweest. Een uur in het niet al te grote, niet al te opzichtige huis van de bendeleider vlak bij het Waterlooplein. Jansens dochter had erbij gezeten. Geen advocaat. Jansen dacht niet dat hij die nodig had en hij had gelijk gehad. Vos had zitten vissen. Jansen had niet toegehapt. Michiel Lindeman hoefde niet als strafpleiter op te treden tot Klaas Mulder de antibende-unit van bureau Marnixstraat overnam.

Net als toen zat Jansen ook nu naast zijn gedrongen dochter Rosie. Haar gezicht stond strak. Toen Vos nog in functie was, had hij zich verdiept in de man die in Amsterdam een tijdlang de machtigste crimineel van eigen bodem was. Hij had kennisgenomen van Jansens sobere jeugd, van zijn oprechte liefde voor zijn enige kind. Van zijn meedogenloosheid jegens mensen die hem verraadden, en daartegenover zijn onwrikbare loyaliteit jegens iedereen die aan zijn kant bleef staan.

Door alles wat Vos over Jansen te weten kwam kreeg hij een beeld van een doodgewone Amsterdammer die door toeval en gelegenheid crimineel was geworden, niet met een vooropgezet doel. Theo Jansen zag zichzelf als een noodzakelijk kwaad. Iemand moest toch de drugshandel runnen, toezicht uitoefenen op de peeskamertjes en de bordelen, zorgen voor orde aan de duistere kant van de samenleving, een prettige status quo handhaven waarin criminele activiteiten zo veel mogelijk werden afgeschermd van het gewone leven. Jansen was van mening dat het het meest logisch was dat een Nederlander die rol vervulde. Beter dan een van de vele buitenlanders die de afgelopen dertig jaar met elkaar hadden gewedijverd om de macht in de onderwereld over te nemen.

Eerder die dag had de rechter Lindeman aangehoord en besloten dat Jansen hangende een herziening van het vonnis op borgtocht zou worden vrijgelaten. Het enige wat hij hoefde te doen was plechtig beloven uit de buurt te blijven van zijn voormalige bondgenoten, en zich regelmatig melden bij de politie, twee voorwaarden waarmee hij zonder aarzeling akkoord ging. De zaak zou die zomer opnieuw worden bekeken. Tot dan – en waarschijnlijk ook daarna – was hij een vrij man.

De hoorzitting leek zo ongecompliceerd dat Jaap Zeeger, de man door wiens getuigenverklaring Jansen eerst in de gevangenis was beland en vervolgens in vrijheid was gesteld, er niet eens bij aanwezig had hoeven zijn.

'Ik heb niks van dit alles gedaan,' zei Jansen toen ze plaatsnamen aan een tafel in een spreekkamer in de kelder van het gerechtsgebouw. Vos vond hem meer dan ooit op een joviale Kerstman lijken. 'Dat weet je.' Hij wierp een blik op de vrouw die naast Vos zat. 'Wie is je vriendin?'

'Een politieagent,' antwoordde Vos voordat Bakker iets kon zeggen.

Jansen lachte. Een kortaf, vriendelijk geluid. Toen streek hij met twee dikke vingers door zijn volle witte baard.

'Ze worden steeds jonger, hè? Het spijt me van je dochter. Dat meen ik. Als ik iets had geweten, had ik dat wel doorgegeven. Zulke dingen zijn onvergeeflijk.'

Vos dacht even na en zei toen: 'Ik begrijp nog steeds niet waarom je niets hebt gehoord. Die grote oren...'

Jansen liet zijn oren bewegen onder het witte haar, met een treurige glimlach op zijn brede gezicht.

'Het was niet iemand van onze kant van de straat. Geen Nederlander. Zelfs niet die buitenlanders.'

'Jaap Zeeger...'

'Die was het ook niet. Jaap is een onnozele sukkel. Iemand heeft hem erin geluisd, Vos. Dat weet jij net zo goed als ik. Wij zijn zakenmensen, en dat was geen zakendoen. Sorry.'

Toen Anneliese twee dagen vermist was, hadden ze na een anoniem telefoontje Zeegers woning doorzocht. Ze hadden een meisjesrok en een blouse gevonden. De kleren die ze droeg toen ze verdween. En zo'n zelfde pop als naar bureau Marnixstraat was gestuurd, met haar haar en bloed. Vos had het bibberende crimineeltje naar het bureau gesleurd en als een bezetene tegen hem geschreeuwd, wat niets voor hem was. De doodsbange Zeeger had net zo hard terug geschreeuwd.

Van begin af aan had er iets niet geklopt. Jaap Zeeger was een nietsnut van een straatcrimineel, een loopjongen voor Jansens drugs- en prostitutiepraktijken. Hij beschikte noch over de intelligentie noch over de middelen om zulke spelletjes te spelen.

Toen was het forensisch lab met de boodschap gekomen dat de kledingstukken nieuw waren, nooit gedragen. Er was op de pop niets gevonden wat op een verband met Anneliese wees. Iemand had ze naar Zeeger gestuurd uren voordat de anonieme tip binnenkwam. De zoveelste wending in een wreed spel dat bedoeld leek om te kwellen en te folteren.

'Waar is hij nu?' vroeg Vos.

Jansen keek hem onzeker aan. 'Dat weet ik niet. Lindeman had verwacht dat ze hem zouden laten opdraven, maar de rechter besloot dat hij hem niet nodig had. Ga met Michiel praten. Misschien kan hij je helpen. Heb je geen adres?'

'Als we een adres hadden zouden we er niet om vragen, hè?' zei Laura Bakker.

'Ach, jee.' Jansen lachte. 'Een provinciaaltje, hè? Waarom zoek je Jaap? Jaap is niet meer dan een treurige junkie. Die mafkees van een Mulder heeft hem zwaar onder druk gezet. Ik ben niet haatdragend. Ik hoop dat ze me daar dankbaar voor zijn.'

'We gaan naar huis,' zei Rosie Jansen. 'Mijn vader heeft meer dan genoeg van jullie gepikt. Ik...'

De man legde haar met een handgebaar het zwijgen op.

'Zo praat je niet tegen Vos. Dat verdient hij niet. Een stad heeft goede politiemensen nodig. Hij zal ons niet meer lastigvallen.' Hij boog zich over de tafel heen en keek Vos en Bakker aan. 'Ik zal jullie geen aanleiding geven. Ik beloof...'

Bakker gooide haar notitieboekje op tafel en tikte met haar pen op de bladzij. Jansen trok een wenkbrauw op en zweeg. Keek haar aan. Keek Vos aan.

'Zeeger heeft een tijdje in een drugspand aan de Warmoesstraat gewoond,' zei Bakker. 'Met Katja Prins. Weet jij daar iets van?'

'Ik heb de afgelopen twee jaar in de gevangenis gezeten. Hoe kan ik daar iets van weten?'

Rosie Jansen stond op, boog zich over de tafel heen, pakte de pen van Bakker en schreef iets in het notitieboekje.

'Ga met Lindeman praten. Dit is zijn telefoonnummer. Hij heeft die beëdigde verklaring geregeld. Hij heeft contact gehad met Jaap. Wij niet. We gaan nu. Pap?'

Jansen stond op, omhelsde haar, glimlachte en klopte haar zachtjes op de rug.

Het vrijlatingsbesluit stelde als voorwaarde dat hij rechtstreeks naar huis ging en daar bleef, en dat hij zich elke avond meldde op bureau Marnixstraat. Jansen leek daar best tevreden mee te zijn.

'Hebben we transport voor je geregeld, Theo?' vroeg Vos.

'We hebben je transport niet nodig,' zei Rosie Jansen. 'Hij wil lopen.'

'Misschien onderweg een biertje pakken,' voegde Theo Jansen er dromerig aan toe.

Vos fronste zijn voorhoofd.

'Je zult je moeten houden aan het rechterlijk bevel. Het is beter als wij je thuisbrengen. Laura?'

Bakker deed haar ogen dicht en gooide haar hoofd in haar nek. 'Run ik tegenwoordig een taxidienst voor criminelen?'

Jansen lachte. 'Ik mag die meid wel, Vos!' Hij keek Bakker stralend aan. 'Ik heb geen taxi nodig, meisje. Maar je baas kan meegaan voor een biertje als hij dat wil. Jij ook, als je bereid bent om te slaven en draven...'

Zonder op antwoord te wachten beende hij de trap op, langs bewakers en advocaten, langs verontruste en enkele opgeluchte gezichten.

Vos had geen hekel aan het gebouw. Hij had hier meer zaken gewonnen dan verloren. Dat had niets met geluk te maken. Het was een kwestie van goed voorbereiden, hard werken en je gezonde verstand gebruiken. Als Klaas Mulder blijk had gegeven van hetzelfde toen hij Theo Jansen voor de rechter had gebracht, dan zou de joviale oude bendebaas nooit zijn vrijgelaten.

De weg naar buiten werd versperd door twee grote houten deuren bemand door bewakers. Boven de deuren waren ramen. Daarachter was tussen de grauwe regenwolken een zwak voorjaarszonnetje te zien. Jansen keek stralend naar het licht en zei: 'Kijk! Zo ziet de vrijheid eruit.'

De Kerstman, dacht Vos weer. In de gevangenis was de baard voller geworden, witter.

Hij begreep niet waarom er geen politieteam ter plaatse was. Als hij Jansen had vrijgelaten, zou de oude schurk in een politieauto tussen geüniformeerde agenten naar huis zijn gegaan.

Bakker belde de advocaat terwijl ze de trap op liepen. Ze trok een gezicht en zei dat ze was doorgeschakeld naar zijn voicemail. Ze sprak een boodschap in.

'We laten nooit een boodschap achter,' zei Vos.

'Waarom niet?'

'Omdat Pieter Vos je in het gezicht wil kijken als hij met je praat,' zei Jansen. 'Luister goed naar deze man, jongedame. Misschien steek je daar iets van op.'

Vos ging er niet op in. Het gerechtsgebouw was veranderd. Ze hadden de boel opgeknapt. Het gebouw had zijn oude patina van stof en ouderdom verloren en was nu functioneel en modern, net zo nietszeggend als ieder ander kantoorgebouw in de stad.

Een van de geüniformeerde bewakers dook een donker hoekje in om een telefoontje te plegen.

Vos was altijd alert op stiekem gedrag, hij vond het interessant. Dus volgde hij de man nauwlettend met zijn blik. De manier waarop hij zijn hand over de telefoon hield. De schichtige, onrustige manier waarop hij om zich heen keek. Alsof hij onzichtbaar wilde zijn.

Dergelijke gesprekken vonden voortdurend plaats in gerechtsgebouwen, maar dan tussen advocaten en cliënten. Zelden door mannen in uniform.

'Dag, hoor,' riep Theo Jansen, en Vos hoorde het bekende geknars van die oude houten deuren. De scharnieren waren in elk geval niet recentelijk geolied.

Na een kort telefoongesprek met het bureau zei Laura Bakker geërgerd: 'Dit was je reinste tijdverspilling. Prins is alweer vertrokken. De Groot is razend op ons. Wat moeten we...?'

'Sst,' zei Vos, en hij legde een vinger tegen haar lippen.

Ze keek hem sprakeloos aan.

Vos keek naar de deuren. Theo Jansen stond op de drempel de frisse lucht op te snuiven en keek stralend van geluk naar de grijze lucht. Zijn dochter probeerde hem ertoe te bewegen de trap af te lopen.

'Dit klopt niet,' zei Pieter Vos tegen niemand in het bijzonder.

'Wat niet?' vroeg Bakker.

'Er klopt niets.'

Vanaf de walkant van de gracht kwam metaalachtig geratel, net gekwetter van een mechanisch beest. Jansens hoofd draaide zich in de richting van de bron van het geluid, maar tegen die tijd rende Pieter Vos al naar de deur, maaiend met zijn armen en schreeuwend tegen de grote man die in de deuropening stond, tegen de bewakers, tegen iedereen.

16

Toen ze de roestige ijzeren ladder opklommen en de weg op liepen, met in de ene hand een halfautomatische Walther en in de andere een machinepistool, beefde Rode Jongen als een rietje, stijf van de adrenaline, bang. Toen hij een paar stappen had gedaan, vloog er een duif recht op hem af, de grijze vleugels fladderden tegen zijn gezicht.

Hij maaide met zijn arm door de lucht en haalde per ongeluk de trekker over.

Geratel van schoten de grauwe hemel in, grijze veren en bloed regenden op hen neer.

'Een vogel,' zei Blauwe Jongen. 'Shit.'

Ze waren nu zo dichtbij dat ze de man van de foto herkenden. Hij stond boven aan de trap stompzinnig te glimlachen naar de grauwe dag.

Fors. Witte baard. De Kerstman, maar niet van het soort om bonje mee te zoeken. Een dikke vrouw die bij hem was gilde en probeerde als een schild voor hem te gaan staan.

Te ver weg. Ze waren een stel idioten in opzichtige kleren die langs de gracht liepen met Jimmy Menzo's zware wapens in de aanslag, als slechte figuranten in een B-film.

'Shit,' zei Blauwe Jongen nog eens. Hij bleef staan en dacht na. 'En dat alleen door zo'n stomme vogel.'

Er waren dingen die je kon plannen en dingen die gewoon gebeurden.

Hij liep naar de rand van de gracht, gooide de wapens in het grijze water, draaide zich om en nam de benen.

17

Vos rende naar buiten. Hij riep iets tegen Jansen, die als aan de grond genageld stond door zijn eerste aanblik van de buitenwereld in twee jaar, zich nauwelijks bewust van de jongen in het glimmende rode trainingspak, die op hem af kwam rennen met in elke hand een wapen.

Een tweede salvo schoten verbrijzelde de ramen van een paar auto's die vlak bij de stenen trap voor het gerechtsgebouw geparkeerd stonden en scheurde brokken steen uit de muren.

Toen kwam Theo Jansen in beweging. Hij draaide zich langzaam om, schudde de handen van Vos en zijn dochter van zich af, duwde eerst zijn dochter naar binnen, toen Vos, en liep achter hen aan het gerechtsgebouw in.

'De deuren!' brulde Vos toen ze weer binnen waren.

Een stuk of vijf geüniformeerde bewakers haastten zich om ze dicht te doen.

Een zware ijzeren stang viel dwars over de grote houten deuren en klikte dicht. Vos trok Jansen en zijn dochter mee naar het donkere gedeelte van het atrium.

De ramen zaten te hoog om gevaar op te leveren. Maar buiten werd geschoten. Twee wapens. Een mitrailleur en een pistool. Vos keek naar het uiteenspattende glas, naar de scherven die de lucht in vlogen en op de in patroon gelegde tegelvloer belandden.

Een schelle buitenlandse stem gilde iets.

Twee agenten in uniform waren uit het niets opgedoken. Pistool in de hand, klaar om te schieten. Opgesloten, net als zij allemaal.

Een volgend salvo kogels door de kapotte ramen, het glas vloog in het rond. De mensen binnen hielden zich stil en wisselden angstige blikken. Nog een salvo. Nog meer glasscherven. Niemand zei iets.

Na een poosje werd het stil achter de deur. Toen klonk het geloei van sirenes en het geluid van stemmen. De jongen in het rode trainingspak was kennelijk weg.

Theo Jansen zat naast zijn dochter op een bank. Zijn gezicht stond op onweer.

Vos liep naar hem toe, ging naast hem zitten en haalde zijn schouders op.

'Je kunt niet naar huis, Theo. Niet op deze manier. Ik maak me zorgen om je veiligheid.' Hij zweeg even en voegde er toen aan toe: 'Ik maak me zorgen om wat jij zou kunnen doen.'

'Ik ben een vrij man...' begon Jansen.

'Morgen misschien. Niet nu. Laura?'

Ze zag bleker dan normaal. Je hoorde in Amsterdam niet vaak schoten. Voor haar was het waarschijnlijk de eerste keer.

'Gaat het een beetje?' vroeg Vos.

Ze knikte.

Hij belde De Groot en vertelde hem dat ze terug moesten naar de cellen in het gerechtsgebouw.

'Je bent geen smeris meer, Vos,' snauwde Jansen toen Vos de verbinding had verbroken. 'Je bent een uitgeblust wrak dat leeft als een hippiezwerver in een bouwvallige woonboot. Ik hoor wel eens wat. Jij kunt me niet de wet voorschrijven.'

'Dat is waar,' gaf Pieter Vos toe. 'Maar Frank de Groot is nog altijd commissaris en hij is het met me eens. Je blijft nog een nacht in hechtenis tot we weten...'

Een uitbarsting van verwensingen. Jansen was opgesprongen en boog zich dreigend over hem heen. De twee agenten in uniform kwamen aangesneld.

Toen stond zijn dochter naast hem. Ze legde een hand op zijn stevige arm.

Vos had nooit met haar kunnen opschieten. De vader was veel makkelijker in de omgang.

Ze kuste zijn bebaarde wang en zei: 'Pap. We kunnen best nog één dag wachten.'

Vos bedankte haar, en toen ging hij op zoek naar de bewaker die hij had zien bellen.

De man was door de achterdeur gevlucht. Vos liet Bakker de lijst van personeelsleden natrekken. Een uitzendkracht die die dag voor het eerst was ingezet.

'Zijn naam...' begon Bakker.

'Doet er niet toe,' zei Vos.

'Ik heb zijn naam!'

Twijfel, dacht hij. Dat was waaraan het hem de laatste tijd had ontbroken. Het vermogen om naar iets te kijken en het in twijfel blijven trekken tot er een antwoord kwam.

'Nee,' zei Vos. 'Die heb je niet.'

18

Margriet Willemsen woonde op een kleine, keurige etagewoning in een bescheiden huizenblok niet ver van het Scheepvaartmuseum. Prins was twee maanden eerder samen met Alex Hendriks voor het eerst bij haar thuis geweest, voor een zakelijke bespreking. Ze hield sommige bijeenkomsten graag thuis, uit de buurt van de nieuwsgierige ogen in de raadskantoren. Hij vroeg zich af hoeveel andere mannen hem voor waren gegaan.

Nu lagen ze verstrengeld, naakt en bezweet in haar lage tweepersoonsbed, twee kronkelende gedaanten afgetekend in het flauwe licht dat moeizaam door de gesloten gordijnen viel. Ze bereed hem, haar donkere haar bewoog zachtjes mee op het gestage ritme van haar heupen. Ze liet hem weten wat hij moest doen, wanneer hij zich moest bewegen. Op dit moment, ineengestrengeld, zuchtend en hijgend als één wezen, deed niets anders ertoe. Hij had de ramen wel open kunnen gooien en de wereld naar binnen laten kijken. Dat zou hij willen. Het risico maakte deel uit van de opwinding. Maar zij voor een groter deel.

Bea, zijn eerste vrouw, was stapelgek geworden. Liesbeth bleek al bijna net zo moeilijk om mee te leven. Hij genoot van hun afwijking van het normale, van de manier waarop hij die kon sturen, hen kon besturen. Hij genoot van zijn macht over hen. Maar Margriet was anders. Heel anders dan iedere andere vrouw met wie hij ooit iets had gehad. Ze was vurig, dominant, vastberaden. En zo wild als ze hem haar bed in sleurde dat hij zich afvroeg of Liesbeth Margriets tandafdrukken in zijn huid zou kunnen zien. Niet dat ze ooit nog zo goed naar hem keek. Of dikwijls de liefde met hem bedreef, en zelfs dan was het in het donker, een plichtmatige, kortstondige daad, niet dit woeste, ongeremde krachtsvertoon.

Prins probeerde haar gezicht te strelen terwijl ze hem bereed. Ze duwde zijn hand weg, pakte zijn vingers stevig vast, drukte hem tegen de bezwete lakens, trok aan zijn haar. Haar hoofd kwam omlaag, haar hete adem viel op zijn wang. Een stortvloed van obscene woorden in zijn oor. Toen haar tong, vochtig en warm. En hij brulde het uit, verloren in lawaai.

Een adempauze. Ze lachte, likte zijn wang. Ze stapte van hem af, haar hand op zijn penis om het condoom op zijn plaats te houden. Zonder een woord te zeggen rolde ze het glibberige dunne plastic sluifje van zijn lid, stapte van het bed en liep naar de badkamer. Hij hoorde de wc doorspoelen. Toen hoorde hij een radio. Het nieuws. De douche.

Prins bleef liggen luisteren terwijl zijn ademhaling vertraagde en weer een natuurlijk ritme aannam.

Toen ze terugkwam droeg ze een witte badjas en een handdoek om haar hoofd. Ze had een boek in haar hand. Hij had niet gezien dat ze het pakte. Er waren er hier zo veel. Drie muren van de slaapkamer waren bedekt met boekenkasten. Fictie en biografieën. Politiek en poëzie. Ze was goed met woorden.

Goed met hem.

'Dit moet je lezen,' beval ze.

Hij keek ernaar. Een paperback. Een auteur van wie hij nog nooit had gehoord.

'Waarom?' vroeg Prins, en hij stapte uit bed.

Ze kwam naar hem toe, streelde zijn penis, glimlachte.

'Omdat ik dat zeg.'

'Ga nou niet te ver.'

Haar vingers knepen.

'Au.'

'Een beetje pijn wil nog wel eens helpen.'

Hij haalde haar hand weg.

'Je houdt nooit op, hè?' zei hij.

Ze boog zich voorover, rook aan zijn hand, nam zijn rechterwijsvinger in haar mond, zoog erop, wierp lachend haar hoofd in haar nek.

'Eén leven, Wim. Meer krijgen we niet.' Ze bekeek hem aandachtig. 'Je neukt haar nog steeds, hè?'

Prins zocht zijn kleren bij elkaar. Hij moest douchen. Er was nog een vergadering, met een werkgroep, voordat hij naar huis kon gaan.

'Je hebt nog geen antwoord gegeven...'

'Liesbeth had het moeilijk. Ik dacht dat ik haar misschien kon helpen. Bea heb ik niet kunnen helpen. Katja ook niet.'

Er was geen telefoontje gekomen van bureau Marnixstraat. Of van thuis.

'Als je nog steeds van haar houdt, waarom bedel je dan steeds om hiernaartoe te mogen komen?'

Hij vond het niet prettig om ondervraagd te worden. Om in een hoek gedreven te worden.

Prins legde zijn hand in haar nek en kuste haar vluchtig op de mond.

'Een halfjaar. Als De Nachtwacht goed loopt. Als we er nu mee naar buiten treden, worden we voor hypocriet uitgemaakt.'

Ze wierp een blik op het bed.

'Wacht even...' Peinzend legde ze een vinger tegen haar lippen. 'Ik snap het. Bea en Katja hebben je teleurgesteld, dus je dankt ze af en zoekt een nieuwe vrouw. Een nieuw werk in uitvoering. En als zij weg is?'

'Een halfjaar,' zei hij nog eens. 'We moeten voorzichtig zijn. Ik moet me ook nog bezighouden met het gedoe rond Katja.'

'Af en toe verbaas je me, Wim. Ik bedoel... ik weet dat ik een kreng kan zijn, maar... jij geeft echt geen moer om die meid, hè?'

Hij schudde zijn hoofd. 'Als jij had doorgemaakt wat ik allemaal heb doorgemaakt... Laat maar. Ik ga douchen.'

Hij probeerde de deur van de badkamer achter zich dicht te doen, maar ze drong zich naar binnen, ging op de wc-pot zitten en keek naar hem. Prins fronste zijn voorhoofd, draaide de douchekraan open en wees naar de deur.

'Mag ik alsjeblieft een beetje privacy?' vroeg hij.

'God, wat ben jij een preuts type. Van het ergste soort. Het schunnige soort.'

Margriet Willemsen ging terug naar de slaapkamer en hoorde de douche tot leven komen.

Ze keek om zich heen naar de planken vol boeken. Er stonden er nog tussen uit haar studietijd, in Nederland en op Harvard, waar ze haar MBA had gehaald.

Ze hield van orde en netheid. Ze was een tikje obsessief. Alles had een eigen plekje. Geschiedenisboeken bij elkaar op één plank. Op de volgende economie. Dan politiek. Dan kunst.

Een fotoboek van Man Ray stond opeens tussen de reisboeken. Dat klopte niet. Toen keek ze nog eens goed. Iemand had met de boeken in deze kamer gerommeld. En dat was niet Wim Prins, een man die ze nooit iets anders dan raadsverslagen had zien lezen.

Langzaam, systematisch, controleerde ze plank na plank en zette ze de boeken die verkeerd stonden op hun juiste plek. Ze begreep niet hoe dit had kunnen gebeuren.

Op de derde plank aan de muur aan het voeteneind van het bed trof ze iets aan dat er helemaal niet thuishoorde. Een dikke paperback. De naam van de auteur op de rug kende ze niet. Ook de titel zei haar niets.

Ze trok het boek tussen de vakliteratuur uit. Het voelde zwaar aan. Boven aan de rug zag ze een klein, rond stukje glas. Ze sloeg het boek open en zag binnenin een piepklein videocameraatje, dat met plakband op een mobiele telefoon was geplakt. De telefoon was verbonden met een reeks batterijen die de rest van de ruimte vulde.

Groot genoeg om een week lang te werken. Misschien langer.

Ze ging in haar hoofd na welke mannen haar recentelijk hadden bezocht.

Prins kwam met een handdoek om zijn middel de badkamer uit, druipend op het tapijt. Hij keek haar aan.

'Wat is er?'

'Niks,' zei Margriet Willemsen. Ze zette het nepboek terug op de plank, met de rug naar de muur. 'Ga jij maar. Ik zie je morgenochtend weer.'

19

Een visitekaartje. Een tekening van een miniatuurherenhuis.

Poppenhuis aan de Prinsengracht.

Het zag er alleen heel anders uit dan hij had verwacht.

Weer een leugen van Jimmy Menzo. Blauwe Jongen verstopte zich achter een paar auto's en keek naar de deur. Het huis zag er verlaten uit, vervallen. De gebarsten ramen werden bijeengehouden met plakband.

Hij wist eigenlijk niet wat hij daar moest. Maar... waar moest hij dan naartoe?

Hij had vijfendertig euro op zak. Een vals legitimatiebewijs. Meer niet. Het geld in het diplomatenkoffertje kon hij wel vergeten. Misschien zouden ze het toch al nooit hebben gekregen.

In Suriname waren schuilplaatsen geweest voor een geval als dit. Familie en bekenden. Bendeleden die je tegen betaling zouden helpen. Maar Amsterdam was een wereld ver weg, vol onbekenden.

Op één iemand na.

Toen hij de gracht af keek, zag hij de jongen aankomen. Glimmend rood trainingspak, mager gezicht, een uitdrukking die het midden hield tussen angst en agressie. Bezweet. Bang.

Hij had moeten vragen hoe hij heette.

Rode Jongen was snel. Voor Blauwe Jongen achter de auto vandaan had kunnen komen, had Rode Jongen het vervallen huis bereikt en de deur geprobeerd.

Nee, dacht Blauwe Jongen. Niet doen...

Maar toen zag hij hem naar binnen lopen.

Hij wist niet waarom hij hem achternaging, rennend, roepend.

Een naam zou handig zijn geweest.

De deur gaf toegang tot een voorkamer vol ouderwetse meubels, bedekt met stof en spinnenwebben. Een enorme, gebogen zitbank. Schilderijen aan de muren.

Paren in ouderwetse kleding, mannen en vrouwen die een wandeling maakten. En de kleur van het vertrek. Kinderkamerroze. Roze behang, roze vloerbedekking, roze meubels.

Rode Jongen liep naar achteren en riep Miriam Smith.

Blauwe Jongen volgde hem, onwillekeurig gefascineerd. Hij keek naar de stoffige resten van een wereld die hij alleen kende van horen zeggen. Die ooit rijk was geweest. Warm en behaaglijk. Het soort plek waar hij ooit terecht zou komen.

Aan weerskanten waren kamertjes, elk met een tweepersoonsbed en alles roze, tot en met de gekke lampenkappen.

Schilderijen aan alle muren. Jonge vrouwen in klederdracht. Net poppen. Dus misschien was de naam toch geen leugen.

Voor hem probeerde Rode Jongen niet-werkende lichtknopjes. Hij riep: 'Hallo! Is er iemand thuis?'

Blauwe Jongen liep door het donker en pakte het rode jack vast, wat hem een woeste blik opleverde.

'Ze zijn er niet,' zei hij. 'We hebben het verkloot. Het is linke soep. En...'

Ze zouden sowieso niet zijn gekomen, dacht hij. Los van wat er voor het gerechtsgebouw was gebeurd.

Hij rook gas. Hij hoorde het sissen, ergens vlakbij.

'We moeten hier weg, man,' fluisterde hij.

'Ik wil mijn geld! Ik wil verdomme mijn geld!'

'We hebben hem niet vermoord. We hebben niet gedaan wat ze ons vroegen.'

De gaslucht was zo sterk dat hij er misselijk van werd. Wat kon dat betekenen?

Hij kon maar één reden bedenken, en die deed het bloed in zijn aderen stollen.

'Naar buiten,' zei hij, en hij sleurde Rode Jongen aan de kraag van zijn goedkope jack in de richting van de open deur.

'Waar gaan we naartoe?'

Naar de verdommenis, dacht Blauwe Jongen. Hoe je 't ook wendt of keert. En zonder een naam.

De boel explodeerde op het moment dat hij dicht genoeg bij de deur was om een vlaag Amsterdamse regen in zijn jonge gezicht te voelen. Rode Jongen had zich inmiddels losgerukt en probeerde weer naar binnen te rennen, het huis in dat ooit het Poppenhuis aan de Prinsengracht werd genoemd.

Die idioot schreeuwde om Miriam Smith, brulde loze dreigementen en verwensingen uit het verre Paramaribo die ze niet eens zou hebben verstaan.

Ze waren omgeven door vuur, puin en stof. Toen hij bijkwam, stonden ze voor de deur tussen de overblijfselen van een oude zitbank en bergen puin en glasscherven. Er zat bloed op het rode jack en de rechterarm van de jongen bungelde los aan zijn schouder, verbrijzeld vanaf de elleboog.

Blauwe Jongen kokhalsde, stikte bijna in de wolk roet die rondom hen neerdaalde. Toen betastte hij zijn eigen lichaam: niets gebroken.

Er lag een pistool bij de voeten van de andere jongen. De Walther die Menzo hem die ochtend had gegeven. Die had hij zeker onder zijn jack gestopt toen hij het machinepistool had gedumpt.

'We gaan,' zei Blauwe Jongen, en hij trok Rode Jongen bij zijn goede arm de straat op.

Sirenes kwamen naderbij. Mensen staarden naar hen, eerder verdwaasd dan bang. Dit soort dingen hoorden niet te gebeuren in deze mooie, beschaafde stad. Twee jongens uit Suriname hadden het onheil meegebracht. Met een beetje hulp.

'Naar Afrika?' vroeg Rode Jongen. Hij omklemde zijn bloedende arm.

Blauwe Jongen trok hem mee naar de kruisende hoofdstraat. Hij hield een taxi aan, een zilverkleurige Mercedes. Duwde de chauffeur het pistool in zijn gezicht, net als bij een carjack in Suriname. Dwong de dikke, oude man om uit te stappen, zette Rode Jongen op de passagiersplaats en kroop achter het stuur.

'Ja,' zei hij toen hij de taxi keerde en probeerde te bedenken welke kant hij op moest om de stad uit te komen. 'Afrika. Wat dacht je dan?'

20

Ze stopten Theo Jansen weer in de cel. Twintig minuten nadat De Groot ter plaatse was verschenen, bereikte hem het nieuws van een explosie een kilometer verderop in een leegstaand pand. Zijn humeur verslechterde met de seconde.

'Jimmy Menzo is vanochtend om tien uur met zijn privévliegtuig naar Oostende gevlogen,' zei de commissaris. 'Met zijn vriendin.'

'De Belgen kunnen hen voor ons aanhouden,' opperde Bakker.

Vos schudde zijn hoofd. 'Op welke grond? We kunnen niks bewijzen. Jimmy komt wel weer terug. Om zich te verkneukelen. Ze kunnen hem er nooit mee in verband brengen. Zo gaat het altijd. De jongen die ik buiten zag...'

'Ze waren met z'n tweeën,' zei De Groot. 'Ze kwamen aan in een boot. Een van hen koos het hazenpad toen hij zag dat het verkeerd liep.'

'We moeten die twee te pakken krijgen, Frank. Jimmy zal plannen...'

'Ja! Dat weet ik!'

Het was niets voor De Groot om geagiteerd te raken.

'Heeft de explosie hiermee te maken?' vroeg Vos.

De Groot dacht van niet. De brandweer zei dat het pand zowat op instorten stond. Ze vermoedden dat een gaslek de oorzaak was.

Het leek een wonder dat de jongen die voor het gerechtsgebouw met het machinepistool om zich heen had staan schieten niemand had geraakt. Er was alleen sprake van een paar verbrijzelde ramen en enige schade aan het metselwerk.

'Heb je nog nieuws over Katja Prins?' vroeg Vos.

'Niks,' zei De Groot. 'Haar vader gelooft nog steeds dat ze een spelletje speelt. Misschien heeft hij gelijk. Hij kent haar beter dan wij. Ik moet terug naar de Marnixstraat. Handel jij hier de zaak maar af.'

Ze liepen de trap af naar de cel. Bakker volgde hen. Theo Jansen zat op een bank. Vos vroeg hem nog eens waar Zeeger zou kunnen zijn.

De forse crimineel hief vertwijfeld zijn armen en riep: 'Dat heb ik je al verteld! Dat weet ik niet. Vraag het aan Lindeman...'

'Dat heb ik gedaan,' zei Bakker. 'Hij zegt dat hij geen idee heeft. Zijn laatste adres... Zeeger is verdwenen.'

'Jaap werkt niet voor mij,' zei Jansen. 'Einde verhaal. Ik wil naar huis.'

'Katja Prins woonde op datzelfde adres, Theo,' zei Vos. 'Zij heeft Zeeger daar binnengehaald. Nu wordt ze vermist. Het lijkt erg veel op de zaak van mijn dochter. Dezelfde aanpak.'

Jansen ging verzitten, kneep zijn ogen tot spleetjes en zei: 'Hoezo?'

'We hebben een pop met haar bloed, haar haar. Net zoals ik toen heb ontvangen.'

'Ik heb er niks mee te maken,' zei Jansen op stellige toon. 'Hoe zou dat kunnen? Ik heb de afgelopen twee jaar in de gevangenis gezeten. Ik wil naar huis. De rechter heeft gezegd dat ik naar huis mag.'

'Het is een voorwaardelijke vrijlating,' zei Vos. 'Die kunnen we herroepen wanneer we maar willen, zonder reden. Dat is gebeurd. Ik heb de rechter gesproken..'

'Kappen met die shit...'

'Nee,' zei Vos. 'Jij gaat niet naar huis. Over een uur word je met een busje teruggebracht naar de gevangenis. Ik ben bang dat het eenzame opsluiting wordt. Zwaar bewaakt. Voor je eigen veiligheid...'

Jansen vloog razend overeind, zwaaiend met zijn vuisten. Bakker deed een paar stappen achteruit. Pieter Vos bleef staan en keek Jansen recht in zijn woedende gezicht. Wachtte tot de storm was gaan liggen.

'Morgen kun je met Michiel Lindeman je wettelijke opties bespreken,' voegde hij eraan toe. 'Vandaag niet. Degene die je dood wil hebben, heeft een handlanger het gerechtsgebouw binnen weten te krijgen. We weten niet wie. De man had een vals identiteitsbewijs. Als ze dat kunnen regelen, kunnen ze je misschien ook in de gevangenis bereiken. Ik hou je liever buiten bereik.'

Hij draaide zich om en ging terug naar boven. Bakker volgde hem, afkeurend klakkend met haar tong. Boven aan de trap wachtte hij op haar.

'Vos! Je hebt helemaal geen rechter gesproken. Je hebt geen busje geregeld om hem naar de gevangenis terug te brengen. Je hebt niet...'

'Bel Frank maar. Hij kan het regelen.'

Hij keek op zijn horloge.

'Ik heb behoefte aan een biertje. Ik moet erop toezien dat Sam behoorlijk te eten krijgt. Hij is erg kieskeurig met eten.'

'Er is werk aan de...'

Zijn glimlach bracht haar tot zwijgen.

'Niet voor mij. Ik zei dat ik een paar dingen zou bekijken. Ik werk niet meer voor bureau Marnixstraat. Jíj hebt werk te doen.'

Toen liep hij het gerechtsgebouw aan de Prinsengracht uit, bekeek de verbrijzelde ramen en de kogelinslagen in de gevel, haalde zijn oude fiets van het slot en ging op weg naar huis.

21

Rode Jongen omklemde zijn gewonde arm en schreeuwde het uit van de pijn. Blauwe Jongen omklemde het stuur en reed als een gek door een doolhof van straatjes, op zoek naar een uitweg.

Sirenes. Doodlopende straten. Voetgangers sprongen opzij. Fietsers maakten obscene gebaren.

Hij was niet bekend in de stad en hij had geen idee hoe ze konden ontsnappen, waar ze heen konden.

Hij reed de Mercedes een nauwe steeg in, vurig hopend op een beetje tijd om na te denken.

Ze konden natuurlijk altijd naar de politie gaan. Maar hij wist wat dat zou kosten. Iemand zou ervoor boeten, al hoefde hij dat niet per se te zijn.

'Shit,' zei hij, en hij ramde met zijn vuist op het stuur terwijl hij de auto met piepende remmen tot stilstand bracht.

De steeg liep dood. Niets dan bestrating, het onvermijdelijke fietspad en daarachter traag stromend water.

'We hebben niemand vermoord,' zei Rode Jongen. Hij drukte zijn bebloede, verbrijzelde arm tegen zijn lichaam.

'Dat is me duidelijk. Het zal Menzo ook duidelijk zijn.'

Het gebouw aan de rechterkant leek een pakhuis te zijn. Links stond een leegstaand pand met etagewoningen. Hij had geen idee in welk deel van de stad ze terecht gekomen waren.

'We hebben niemand vermoord,' zei Rode Jongen nog eens, en toen ging de oude Nokia.

Hij wist wie het zou zijn.

'Ben jij de jongen met de zus?' vroeg Jimmy Menzo.

'Ja,' zei hij zonder nadenken.

'Ze wil je even spreken.'

Geklik, alsof ze haar doorverbonden. Hij hield de telefoon bij zijn oor vandaan. Hij wist wat hij te horen zou krijgen.

Ze was een jaar jonger dan hij. Bloedmooi. Ze zou waarschijnlijk toch de hoer gaan spelen en niet een coffeeshop of een bar runnen. Dat begreep hij. Hij schikte zich in de positie die ze in de wereld innamen.

'Hou op,' zei hij toen haar gegil hem te veel werd.

Het ging nog minstens een minuut door. Rode Jongen was stil. Hij jammerde niet eens over zijn arm.

'Ik zei: hou ermee op!'

Stilte. Menzo kwam weer aan de lijn en zei: 'Dat hangt van jou af, jongen. Je weet wat je te doen staat.'

Hij klonk heel rustig, alsof hij een pizza bestelde.

'Beloof me dat je haar niks doet.'

Stomme woorden. Zinloos.

'Ik zal haar niks doen. Nou goed?'

Blauwe Jongen draaide het raam open en slingerde de telefoon de vuile bestrating op.

Rode Jongen keek hem aan en vroeg: 'Waar gaan we naartoe als we niet naar Afrika gaan?'

'Hoe heet je eigenlijk?'

Het bleef even stil en toen zei Rode Jongen: 'Etienne.'

Blauwe Jongen veegde zijn neus af aan zijn mouw en zei: 'Vergeef me, Etienne.' Toen pakte hij het pistool dat tussen hen in lag en joeg hem een kogel door het hoofd, zoals hij had geleerd in de meedogenloze straten van Paramaribo.

De gracht sloeg hem gade. Luisterend. Afwachtend.

De Mercedes was hooguit een halfjaar oud. Schoon en glimmend. Mooi zwart leer. Hij rook nog nieuw. Echt zo'n auto die hij in Paramaribo zou hebben gestolen. In Kaapstad had hij er misschien een voor zichzelf kunnen kópen.

Maar wel een met een versnellingspook. Geen automaat zoals deze.

Blauwe Jongen sloeg zijn armen om het stuur alsof hij het omhelsde. Toen trapte hij het gaspedaal diep in en hield zich stevig vast terwijl de zilverkleurige Mercedes door de versperring aan het eind van de steeg schoot, over het fietspad heen, door het lage stenen muurtje daarachter, waarna hij met loeiende motor het loodgrijze, troebele water van de gracht in dook.

22

Wim Prins kwam pas iets over achten thuis. Liesbeth zat in de huiskamer met een glas whisky in haar hand. De tv stond aan. Te hard.

Hij ging zitten en keek naar het achtuurjournaal. Een extra lange uitzending. Er werd gesproken over bendeoorlogen, geweld in de straten van Amsterdam.

'Mulder van bureau Marnixstraat heeft gebeld,' zei ze zonder hem aan te kijken. 'Hij wilde weten of iemand contact met je had opgenomen over Katja.'

'Natuurlijk niet. Anders had ik het wel aan hem doorgegeven. Hoogstwaarschijnlijk belt ze me morgen om te zeggen dat het gewoon een slechte grap was. Dan wil ze iets van me.'

Liesbeth stond op en schonk nog een whisky voor zichzelf in.

'Rustig aan,' zei hij.

'Waarom?'

'Moet ik je dat nog uitleggen?' Hij keek toe terwijl ze het glas tot aan de rand volschonk en hem woedend aankeek. 'Erg verstandig.'

'Verstandiger dan coke en heroïne, toch? Kreeg Bea ook preken van je?'

'Ja. Net als Katja. Die werkten ook niet. Maar...' Hij stond op en schonk voor zichzelf een bescheiden whisky in. 'Ik heb het geprobeerd.' Hij hief het glas. 'Sorry.'

'Wat moeten we nu doen?'

'Dat heb ik al gezegd. Afwachten. Op een gegeven moment komt ze altijd weer opdagen.'

De tv stond verschrikkelijk hard. De nieuwslezer zei dat de bendeoorlog mogelijk een reactie was op de geplande campagne van de gemeenteraad. Dat De Nachtwacht deze strijd tussen de bendes teweegbracht. Hij noemde zelfs Jansen en Menzo als hoofdschuldigen.

Prins schoof dichter naar zijn vrouw toe, pakte het glas van haar af, nam haar handen in de zijne en probeerde haar in de vochtige, bezorgde ogen te kijken. Op dat moment had ze Bea kunnen zijn, en die gedachte beangstigde hem.

'Als ik alles heb geregeld met de raad, gaan we er even tussenuit. Naar Aruba. Blijven we daar een tijdje als je wilt. Laten we de boel een beetje opknappen. Sorry. Ik heb op het moment erg veel aan mijn hoofd.'

Ze kuste hem vluchtig op zijn wang en zei: 'Je moet onder de douche. Je stinkt van de hele dag in dat pak rondlopen.'

Hij trok zijn jasje uit en hing het over de rugleuning van de dichtstbijzijnde stoel.

'Waarom zou Katja jou of mij dit aandoen? Waar hebben we dit aan verdiend?'

'Denk je dat ze een reden nodig heeft?'

In de slaapkamer piepte zijn telefoon. Een e-mail van een adres dat hij niet herkende. Een bijlage die veel te groot was voor de mobiele verbinding.

Prins slaakte een zucht, ging naar zijn werkkamer, die grensde aan de slaapkamer, startte het e-mailprogramma op en liet het zijn werk doen.

Toen nam hij een douche. Voor de tweede keer binnen drie uur. Een heleboel water. Hij vroeg zich af of het genoeg was.

23

Wat hij over de hond had gezegd was een leugen. Sam was helemaal niet kieskeurig met eten. En Sofia Albers had hem vaak genoeg te eten gegeven in De Drie Vaten. Soms, als Vos het spoor bijster was en hij dagen achtereen wegzonk in allesoverheersende gedachten, mocht Sam in de kroeg blijven. Hij leek het er heerlijk te vinden.

Drie stopplaatsen onderweg. Vertrouwde bruine kroegen in de Jordaan. Plekken waar hij rustig kon zitten nadenken. Of helemaal niet denken. Alleen nippen aan een biertje, naar gezichten kijken, naar de muziek luisteren. Soms naar het zingen. Oude liedjes. Stompzinnige liedjes. Refreinen over de stad en de buurt. De wijk en familie. Mensen uit het verleden.

Dode mensen.

Vos had er al veel te veel gezien. Van hem als politieman werd verwacht dat hij die tragedies voorkwam. Maar al te vaak was hij niets meer geweest dan een nieuwsgierige gluurder. Zelfs als hij de waarheid aan het licht bracht, werd de pijn er niet minder op. Vos kon de achterblijvers niets geven. Hij had Liesbeth niets kunnen bieden, en ze was een andere weg ingeslagen en had zich in de wachtende armen van Wim Prins gestort. Hij was treurend achtergebleven, vloekend en scheldend in het armoedige bootje onder de lindebomen, waar niemand hem hoorde en hij avond aan avond doorbracht in een waas van alcohol of drugs.

In dat waas bestonden geen antwoorden, maar ook geen vragen.

Tegen de tijd dat hij bij De Drie Vaten aankwam, was het al acht uur geweest. Laura Bakker zat in haar eentje aan een tafeltje met een halfleeg glas cola voor zich. Haar woedende blik volgde hem toen hij naar de bar liep en een biertje bestelde. Haar broekspijpen waren besmeurd met smeer van haar fietsketting. Het grijze broekpak leek nog oneleganter om haar lichaam te hangen dan daarstraks.

'Waar koop je die kleren in godsnaam?' vroeg hij.

'Tante Maartje maakt ze.' Ze nam hem van top tot teen op. 'Waar haal jij de jouwe? Een liefdadigheidswinkel voor overjarige tieners?'

'Tante Maartje zit zeker in Dokkum?'

'Ze heeft een naaimachine. Ze koopt patronen. Dat is goedkoop.' Met een servetje wreef ze over de smeervlek, wat het alleen maar erger maakte. 'Praktisch.'

'Net als je schoenen,' zei hij, starend naar haar lompe zwarte schoeisel. 'Ik hoor je twee straten verder aankomen.'

'Je hoorde me anders niet toen ik op je boot stapte. Toen je met De Groot zat te praten.'

Vos voelde zich een beetje nevelig in het hoofd. Hij was gekleed in zijn gewone kloffie. Blauwe wollen ribbeltrui. Marineblauw jasje. Spijkerbroek. Alles oud. Misschien een beetje sjofel. Maar schoon. Daar zorgde Sofia Albers, die nu naar hen stond te kijken, voor.

'En moet je horen wie het zegt. Je hebt twee verschillende sokken aan, Vos. De ene is grijs, de andere groen. Is je dat niet opgevallen?'

'Jezus, het zijn maar sokken,' zei hij terwijl hij naar zijn biertje reikte.

'Sam heeft al gegeten. Ik heb het gevraagd.'

Achter de bar zwaaide Sofia kameraadschappelijk naar haar.

Vos ging bij haar zitten, hief zijn glas en zweeg. De kleine terriër kwam achter de bar vandaan en ging bij zijn voeten liggen. Bakker wees naar een poster aan de muur. *Casablanca.* Bogart en Ingrid Bergman, mooi en droevig, op de achtergrond een glimlachende pianist.

'Heb je Sam vernoemd naar een poster in een kroeg?' Ze sloeg haar lange armen over elkaar.

'En wat dan nog? Het maakt hem toch niets uit.'

'De Groot is razend. Je kunt niet zomaar weglopen.'

'Waarom niet?'

'Menzo is nog steeds in Oostende. De jongens zijn gevonden. In ieder geval een van hen. Ze hebben een auto gestolen.'

Dat was nieuws. Zijn hoofd werd iets helderder, geheel uit eigen beweging.

'Wat is er gebeurd?'

'Het ziet ernaar uit dat de ene de andere heeft doodgeschoten. Ze zijn de gracht in gereden.' Ze schudde haar hoofd. Haar lange rode haar hing los om haar schouders. 'Er is één lichaam gevonden. Er wordt nog gedregd naar het tweede.'

Vos knikte.

'Het is verschrikkelijk,' voegde ze eraan toe. 'Het waren nog kinderen.'

'Doe een gebedje voor hen en ga dan snel terug naar Dokkum,' zei hij.

Ze werd woedend. 'Weet je niets beters te zeggen?'

Hij nam een slok bier en wenste dat hij zijn mond had gehouden.

'Een gebedje?' zei Laura Bakker. 'Waarom? Omdat ik de dorpsgek ben? Bedoel je dat soms?'

'Dat heb ik niet gezegd.' Vos schoof zijn glas weg. Hij had helemaal geen trek meer in bier. 'Dit is de grote stad, Laura. Als de stad verdorven wordt, wordt hij... meedogenloos. Hij kiest niet tussen kinderen en volwassenen, tussen goed en kwaad, schuldig en onschuldig...'

'Ik ben hier omdat ik hier wil zijn. De Groot kan me ontslaan. Jij niet. Waarom moesten die jongens op die manier sterven?'

'Cultuur,' zei hij. 'Jimmy Menzo. Surinaamse criminelen nemen het risico. Het is een kwestie van trots. Waarschijnlijk ook familie. En ik betwijfel of ze een keus hadden. Als ze zich niet op hun zwaard zouden laten vallen, konden ze onaangename gevolgen verwachten.'

Zijn antwoord leek haar nog kwader te maken. 'Dit is waarom De Groot je nodig heeft.'

'Nog nieuws over Katja Prins?' vroeg hij, in een poging het gesprek een andere wending te geven. 'Is Jaap Zeeger al gevonden? Dat afkickcentrum waar haar vader haar naartoe heeft gestuurd moet gecheckt worden...'

'Wat kan het je schelen? Je zit niet meer bij de politie. Niks van dat alles raakt je, toch? Ik ben maar een aspirant die op het punt staat ontslagen te worden. En toch vraag je mij van alles.'

Haar toon was bot, woedend. De hond bewoog onrustig onder de tafel.

'Dit alles is mijn schuld niet,' zei Vos. 'Niet mijn verantwoordelijkheid.'

'Nee. Dat besef ik nu.'

Ze pakte haar tas. Haar fietssleuteltje. Ze keek naar buiten, naar de donkere avond en de omtrek van Vos' woonboot achter de weg.

'Voel je je hier veilig?' vroeg Bakker nijdig terwijl ze haar spullen verzamelde. 'Voel je je hier onaantastbaar?'

'Ik deug nergens voor!' brulde Pieter Vos terwijl hij overeind sprong. 'Snap je dat dan niet? Ik heb mijn eigen dochter niet kunnen redden. Waarom denkt Frank in godsnaam dat ik iemand anders wél kan helpen?'

De hond was nu een ineengedoken bundeltje witte vacht onder de tafel. Vos voelde zich schuldig. Laura Bakker kennelijk ook, want ze ging op haar knieën zitten en aaide zijn bevende ruggetje.

'Ik begrijp waarom,' zei ze. 'Jammer dat jij het niet begrijpt. Hier... voor het geval je het nodig hebt.'

Ze krabbelde een telefoonnummer op een bierviltje, wierp het hem toe, liep de kroeg uit, pakte haar fiets en reed het donker en de regen in.

Vos dronk het bierglas leeg, liep naar de bar en vroeg om een oude jenever.

'Doe niet zo stom,' zei Sofia Albers. Ze sloeg haar armen over elkaar en keek hem kwaad aan. 'Schreeuwen in mijn kroeg? Je hondje de stuipen op het lijf jagen? Ga naar huis, Pieter Vos. Je moest je schamen.'

'Ik heb een klotedag gehad. Nog een biertje dan.'

Hij bleef staan tot ze zich gewonnen gaf. Hij voelde zich ellendig en bracht bijna een vol uur door met het glas, dat hij slokje voor slokje leegdronk.

Wat hij tegen Sofia had gezegd was waar. Het was een klotedag geweest. De buitenwereld was zijn leven weer ingesijpeld, naar binnen geduwd door hardnekkig gepor van Laura Bakkers scherpe ellebogen.

Hij had Liesbeth weer gezien. Hij besefte dat zij zich nog net zo ellendig voelde, net zo gedeprimeerd en op zichzelf gericht was als toen ze bij hem wegging. Het nadenken over de zaak, al was het maar heel kort, had herinneringen opgeroepen aan het werk. En dat had het besef met zich meegebracht dat hij het in sommige opzichten graag deed en miste.

Vos pakte het bierviltje met Laura Bakkers telefoonnummer van het tafeltje, stak het in zijn zak, haakte de leren riem aan Sams halsband vast en liep naar de deur.

Hij zag iets wat hem eerder niet was opgevallen. In de woonboot brandde licht. Gedimd licht bij de keukentafel.

Bakker, dacht hij. Ze was waarschijnlijk binnen geweest voordat ze naar de kroeg ging. Het was makkelijk genoeg om binnen te komen.

Er viel een koude motregen.

Toen hij dichterbij kwam, hoorde hij muziek. 'My Funny Valentine', de melancholieke stem van Chet Baker.

Nog meer lijken.

De tengere jazzmuzikant was in 1988 gestorven in de rosse buurt na een val uit een raam van hotel Prins Hendrik, nabij de hoek van de Warmoesstraat met de Zeedijk. Vos had een ruime muzieksmaak. De betere hardrock, obscure moderne jazz. Zelfs enkele recentere artiesten. Maar hij hield ook veel van de gelaten melancholie van Chet Baker. Zijn zang en zijn trompetspel. Hij had die cd. Hij had hem pas nog opgezet, hij lag boven op de stapel.

Voor de boot begon het hondje opeens te blaffen. Vos zag binnen geen beweging. Niet dat door de ramen alles te zien was.

Hij liep over de loopplank en probeerde de deur. Het hangslot lag op de grond, naast de afgebroken beugel.

Vos haalde zijn telefoon en het bierviltje dat Laura Bakker hem had gegeven tevoorschijn en belde haar.

Hij vloekte toen hij haar voicemail kreeg.

'Jij betaalt de schade,' zei hij na de piep. 'Waag het niet om nog eens zonder te vragen mijn boot binnen te gaan.'

Hij trok de deur open, stak de telefoon in zijn zak en liep de treden af, de woonruimte binnen. Sam blafte als een gek. Een schel gekef. Het geluid dat hij maakte als de dierenarts een injectiespuit tevoorschijn haalde.

Het geluid dat hij maakte als hij bang was.

24

In bed kroop Liesbeth dicht tegen Prins aan, stak haar hand onder zijn pyjamajasje en streelde zijn borst.

'Drukke dag,' zei hij. 'Moe.'

Haar vingers luisterden niet. Toen gaven ze het op.

'Ligt het aan mij?' vroeg ze.

Ze draaide zich op haar rug en deed haar ogen dicht.

'Nee. Het komt door het werk. En de... zorgen over Katja.'

'Zo bezorgd lijk je anders niet.'

'Verwacht je dan dat ik moord en brand schreeuw? Zie je mij dat wel eens doen? Ik leef al sinds de dood van Bea met Katja en haar demonen. Dat wordt op den duur uitputtend.'

Ze schoof onder de lakens bij hem vandaan.

'Mulder komt morgenochtend langs,' zei Prins. 'We hadden al een bespreking gepland. Over De Nachtwacht...'

'Ik word doodziek van die onzin.' Ze duwde zich op een elleboog omhoog en keek hem aan. 'Het gaat niet werken. Mensen werken niet zo. Je kunt niet gewoon een schakelaar omzetten en de dingen veranderen.'

Hij rekte zich uit, voelde zich rot.

'We moeten iets doen. Als we iets eerder de schakelaar hadden omgezet, dan hadden we misschien je dochter kunnen redden...'

'Pieter zei heel wat anders. En De Groot ook. Ze zeiden dat het...' Ze knipperde met haar ogen en zette het tragische masker op dat ze de hele tijd had gedragen toen zij en Vos uit elkaar gingen. 'Ze zeiden dat het een gek was.'

'Ze hebben geen flauw idee wie het was.'

'Jij wel soms? Zelfs de baas van Amsterdam weet niet alles, hè?'

'Nee,' zei hij met een grimmig lachje. 'Ik weet veel minder dan de meeste mensen. En elke dag wordt het minder.'

'Ga niet bij me weg,' fluisterde ze. Ze lag weer dicht tegen hem aan en woelde door zijn grijzende haar. 'Laat me niet vallen.'

'Wat bedoel je?'

'Soms denk ik...'

De pijn werkte altijd bij hem. Prins kuste haar. Toen, voordat hij kon tegensputteren, trok ze zijn pyjama uit en drukte zich wanhopig tegen hem aan.

Het was kort. Triest. Vreemd. Na afloop wisselden ze geen woord. Hij voelde haar gezicht tegen zijn borst, haar tranen op zijn huid.

'Ik moet mijn e-mail checken,' zei Prins, en hij stapte uit bed en liep zijn werkkamer binnen.

Het was een smoesje. Een slap excuus. Maar hij had opeens moeten denken aan dat vreemde mailtje van eerder die avond, met de bijlage die op zijn mobieltje niet gedownload kon worden.

Hij keek naar het bericht op zijn computerscherm. De afzender was iemand die zichzelf Poppenmeester noemde. Een schuilnaam, natuurlijk. De naam stond ook achter 'onderwerp'. Er was geen tekst, alleen een bijlage, een videobestand van 80 MB.

Prins liep naar de deur, deed hem dicht en ging terug naar de computer.

Hij had een voorgevoel van wat hij te zien zou krijgen. Er stonden zelfs een tijd en datum op om hem te helpen. Het filmpje was drie uur eerder gemaakt. Korrelig beeld, geen geluid. Naakte lichamen in het halfdonker. Margriet Willemsen zat over hem heen gebogen in de slaapkamer van haar kleine woning. Prins wierp zijn hoofd in zijn nek. Een stille kreet.

Hij klikte het filmpje weg en wiste het bestand met shift-delete. Alsof het daarmee voorgoed weg was.

Hij ging terug naar bed en probeerde te slapen.

25

Er was niemand in de woonboot. Vos liep naar de cd-speler en zette de muziek af.

De hond bleef maar blaffen, snuffelen en janken.

Vos keek om zich heen. Toen nog eens. Hij zocht overal.

Hij was niet dronken. Niet echt. In zekere zin was zijn hoofd helderder dan het in maanden was geweest. Hij besefte dat niets van dit alles werkte. De boot zou nooit opgeknapt worden. Net zomin als zijn leven zou opknappen. Niet zoals het nu ging.

En Frank de Groot liet een terugkeer naar de vroegere nachtmerrie voor zijn neus bungelen. De maar al te bekende hel.

Hij liep naar het raam voor in de boot en zette het open. Toen haalde hij de identiteitskaart die De Groot hem had gegeven uit zijn zak om hem in het water te gooien.

'Sam...' zei hij smekend. 'Alsjeblieft...'

Het volume van het geblaf was enkele decibels hoger geworden op het moment dat er koude lucht de boot in stroomde. Nu ging het over in luid gejank.

Dieren zagen dingen eerder dan mensen. Hun reukvermogen was ook veel scherper.

Het dekzeil hing over de rand van het halfgezonken sloepje.

Vos' adem stokte, hij werd kotsmisselijk. Alle oude bekende gevoelens. Hij kon er niet omheen.

Hij haakte Sams riem weer vast aan zijn halsband, liep met hem naar De Drie Vaten en zei tegen Sofia Albers dat ze de hond die nacht bij zich moest houden. Iets in zijn gezicht voorkwam dat ze een discussie begon.

Een aardige vrouw. Misschien was ze verliefd op hem.

'Heb je iets gehoord?' vroeg hij. 'Of iemand gezien bij mijn boot?'

Ze keek de donkere avond in.

'Helemaal niks, Pieter. Wat is...?'

Hij griste een paar papieren servetjes van de bar, liep naar buiten, de treden af naar de kleine sloep. Met een servetje in elke hand trok hij voorzichtig het dekzeil weg.

Toen belde hij Frank de Groot. Hij ontdekte dat hij net zo kon praten als toen hij nog bij de politie was. Logisch, rustig, duidelijk, ondanks het tollende gevoel in zijn hoofd.

De Groot luisterde en zei toen: 'Jezus, Pieter. Toch niet de dochter van Prins?'

Vos dwong zichzelf om nog eens te kijken.

Een vrouwenlichaam tegen de zijkant van de kleine sloep. Een schotwond in het hoofd. Een donkere vlek die naar een van haar borsten liep. In de kromming van haar rechterarm een porseleinen pop in een ouderwets jurkje, dat nu doordrenkt was met bloed. Het soort pop dat Petronella Oortman had kunnen hebben.

'Kom nou maar, oké?' zei Vos, en hij ging op de koude stenen bank zitten wachten.

DEEL 2

Dinsdag 18 april

1

Ochtend. De weg langs de Prinsengracht was nog steeds afgesloten. Net als de brug en het pleintje met de standbeelden van Johnny Jordaan en zijn vrienden. Vos had toegekeken terwijl het moordonderzoek langzaam op gang kwam, het verleden verrees uit het koude water van de gracht.

Forensisch rechercheurs in witte pakken met een camera en wattenstaafjes in de hand. Zachte stemmen die in telefoons mompelden. Overal auto's. De grote, zwarte sedan van de commissaris. De goedkopere, gemarkeerde auto's van agenten in uniform die daar waren om toeschouwers en de pers op afstand te houden. Een woud van fietsen. Dit was nog altijd Amsterdam.

En een brancard. Omhooggehesen onder felle schijnwerpers uit de halfgezonken sloep, zes uur nadat hij haar had gevonden. Het lichaam lag nu in een lijkenzak. Zwart plastic bedekte haar dode ogen en haar bebloede huid.

Een nauwgezet ritueel kwam tot leven, en Vos kon er niet aan ontkomen. Om een uur of vijf, toen hij zijn ogen nauwelijks meer open kon houden, had hij een rusteloos uur doorgebracht in een kamer boven de kroeg. Toen hij om half zeven wakker werd, had hij koffiegedronken en een broodje gegeten. Hij had een kort wandelingetje gemaakt met een terneergeslagen, verdwaasde Sam en hem zonder iets te zeggen weer naar Sofia Albers gebracht.

Het was inmiddels zeven uur. De Groot was er met een team van forensisch specialisten en rechercheurs. Laura Bakker hing rond aan de rand van de menigte die huiverend bij de gracht stond, alsof ze er niet bij hoorde. Haar rode haar zat in een staart, haar ogen stonden helder en alert. Een nieuw broekpak. Marineblauw, bijna dezelfde kleur als zijn eigen sjofele jasje, broek en trui. Ze leek een slungelig schoolmeisje dat de hele nacht op was geweest.

De Groot ving Vos' blik, knipte met zijn vingers en wees naar een busje van de recherche. Vos glimlachte naar de jonge aspirant, die er verloren en genegeerd bij stond. Hij zei dat ze mee moest, wat De Groot een diepe zucht ontlokte. Ze stapten in het busje en namen plaats op de koude zitplaatsen. De Groot liet Bakker op de laptop rapporten doorkijken, telefoontjes plegen en informatie checken.

Vos voelde zich helder. Scherpzinnig bijna. Het was bijna twee jaar geleden dat hij deel had uitgemaakt van een onderzoeksteam en had gezocht naar licht in de duisternis. Iets in hem verwelkomde de uitdaging. Een innerlijk stemmetje dat hij niet tot zwijgen kon brengen.

'Heb je Theo Jansen al op de hoogte gebracht?' vroeg hij toen ze een samenvatting hadden doorgenomen van de die nacht verzamelde informatie.

Frank de Groot staarde naar de laptop en zei zacht: 'Nee. Daar moeten we goed over nadenken. Hij wordt vandaag vrijgelaten. Wat moet ik zeggen? Je dochter is dood en we hebben geen flauw idee wat er is gebeurd? Jimmy Menzo is nog steeds in Oostende. We kunnen niet nagaan wie die jongens waren die hij voor het gerechtsgebouw had gepost. Theo raakt in alle staten.'

'Waarom moet het per se Menzo zijn?' vroeg Bakker terwijl ze opkeek van de computer.

De commissaris keek haar aan. 'Wie zou het anders kunnen zijn?'

Vos was er niet zo zeker van.

'Zou hij echt de dochter laten vermoorden, alleen maar omdat de aanslag op haar vader is mislukt? Die jongens voor het gerechtsgebouw waren ingehuurd. Het was geen spontane actie. Ze hadden instructies gekregen. Het was grof, gewelddadig en openbaar. Hij probeerde iets duidelijk te maken. Rosie Jansen vermoorden...'

Hij keek Bakker aan en vroeg: 'Wat zou dat zeggen?'

'Niks,' antwoordde ze. 'Haar vermoorden maakt de zaak er alleen maar erger op, of niet?'

Vos glimlachte, keek De Groot vluchtig aan en knikte.

'Inderdaad,' zei hij. 'Nog meer oorlog. Een ergere oorlog. Niet gewoon bloedvergieten, maar een vendetta. Misschien was het Menzo, maar ik had hem slimmer ingeschat.'

'Je klinkt weer helemaal als een van ons,' merkte De Groot glimlachend op.

Vos pakte de computeruitdraaien en liet Bakker nog eens de rapporten op de laptop doorkijken.

Ze bespraken de informatie waarover ze beschikten.

Twee Surinaamse criminelen, tieners nog, hadden geprobeerd Theo Jansen te vermoorden. Dat was mislukt en nu waren ze dood, de een doodgeschoten, de ander had schijnbaar zelfmoord gepleegd, al had het duikersteam het tweede lichaam nog niet gevonden. Beide jongens waren de week daarvoor legaal via Schiphol het land binnengekomen en hadden gelogeerd in een goedkoop hostel in de binnenstad. Er was niets wat hen in verband bracht met Menzo of enige andere bekende Amsterdamse crimineel.

Jaap Zeeger was nog steeds niet gevonden. Er was geen nieuws over Katja Prins. De kranten en tv-journaals stonden bol van de verhalen over een bendeoorlog en de moordaanslag op Jansen. De identiteit van het slachtoffer in de Prinsengracht en het feit dat de dochter van Prins vermist werd waren nog niet tot de media doorgedrongen.

Bakkers telefoon ging. Ze vormde geluidloos de woorden 'forensische dienst' met haar lippen en luisterde. Haar bleke gezicht stond gespannen van nieuwsgierigheid.

'Waarom bellen ze jou?' vroeg De Groot toen ze de verbinding had verbroken.

'Omdat ik dat heb gevraagd,' zei ze, alsof dat antwoord voor de hand lag. 'Ze hebben iets gevonden op de pop die Rosie Jansen in haar arm had. Een...'

Ze ging naar de laptop en zocht het e-mailbericht op.

'Een cameraatje. Vastgeplakt op de rug, in een plastic zakje om het droog te houden.'

Haar vingers dansten weer over de toetsen van de laptop. Ze bracht een hand naar haar gezicht en streek een losgeraakte pluk haar achter haar oor.

'Er staan foto's op. En een filmpje. Ze sturen alles door.'

Ze wachtten. Er verscheen een reeks foto's op het scherm. Vos bekeek ze nauwlettend.

'Waar is dat?' vroeg hij.

'De woning van Rosie Jansen,' zei De Groot. 'We wisten al dat ze daar is vermoord.'

Acht foto's in totaal. De dochter van Theo Jansen dood op de vloer van wat een smaakvol ingerichte kamer leek. Lichte vloerbedekking. Moderne schilderijen aan de muur. Daarnaast bloed. Spetters. Een enkel schot.

Omvergeworpen meubels. Kapot aardewerk. Glasscherven op de vloerbedekking.

'Ze heeft gevochten,' zei Bakker.

'Als een tijger,' zei Vos. 'Dat was van Rosie te verwachten.'

'Is er iets op te zien wat we nog niet wisten?' vroeg De Groot ongeduldig. 'Hoe is hij binnengekomen? Wat zegt de forensische dienst daarover?'

'Geen sporen van inbraak,' zei ze, en ze drukte weer op een paar toetsen. 'Dat was het. Ze zoeken verder. Dat heeft natuurlijk tijd nodig.'

Vos staarde naar zijn voeten. Bruine suède schoenen. Versleten. Op weg naar buiten had hij schone kleren gepakt uit de waszak die Sofia voor hem had klaargezet. Schone sokken. Weer geen bij elkaar passend paar, lichtgrijs en donker. Daar had hij nooit op gelet. Dezelfde marineblauwe wollen trui. Daaronder een goedkoop sweatshirt van C&A. Hij was gekleed voor een avond in de Melkweg, een optreden van een band. Niet voor een moordonderzoek.

'Je hebt geen tijd,' zei hij. 'Iemand oefent druk uit. Op Theo Jansen.' Hij keek De Groot aan. 'Op jou. Misschien zelfs op Jimmy Menzo.'

De commissaris zei iets over teruggaan naar bureau Marnixstraat om daar de zaak door te nemen.

Vos schudde zijn hoofd.

'Gisteren was een gunst. Ik heb je stinkkaas ermee terugbetaald.'

'Jezus, Pieter!' riep De Groot. 'Die klootzak heeft Rosie Jansen op jouw stoep gedumpt. Hij is in je huis geweest. Je bent erbij betrokken, of je dat nou leuk vindt of niet.'

'Des te meer reden om me erbuiten te houden,' antwoordde Vos. Hij stond op en keek naar buiten, naar de kleurloze dag.

Hij kon teruggaan naar De Drie Vaten. Een poosje slapen. Zodra de forensische dienst klaar was, zou zijn boot weer worden vrijgegeven. Daarna zou hij de boel aan kant maken. Andere oude kleren aantrekken. Het werk hervatten dat niet echt werk was. Het leven dat bitter weinig voorstelde.

Misschien weer naar het Rijksmuseum gaan, uren zitten staren naar het poppenhuis van Petronella Oortman, proberen wijs te worden uit wat er was gebeurd.

Daarna een paar biertjes drinken. Misschien voor het eerst in weken een joint roken.

De tijd doden. Want wat was er verder nog wat hij met zijn tijd kon doen?

'De forensische dienst heeft ook een filmpje doorgestuurd,' zei Bakker. 'Afkomstig van de camera. Het is niet tegelijk gemaakt met de foto's. Iemand heeft het er doelbewust opgezet.'

'Hoeveel beelden heb je nodig?' vroeg Vos geïrriteerd. 'Rosie Jansen is dood. Punt uit.'

'Het gaat niet over haar,' zei Bakker voorzichtig.

Toen verscheen er iets nieuws op het scherm.

2

Wim Prins zat in de keuken van hun rustige hofjeswoning. Het was even na achten. Koffie en geroosterd brood op tafel. Klaas Mulder, de hoofdinspecteur van bureau Marnixstraat, had tien minuten te vroeg op de stoep gestaan.

Tot ergernis van Prins wilde hij het niet over De Nachtwacht hebben. Alleen over Katja.

'Als dit niet een of ander spelletje is...' begon hij.

'Het is geen spelletje,' beet Liesbeth hem toe. 'Wat het ook mag zijn, een spelletje is het niet.'

Mulder keek haar kwaad aan. Ze veegde met een vaatdoekje de keukentafel schoon, wat helemaal niet nodig was.

'Als Katja is ontvoerd, moeten jullie je erop voorbereiden dat er contact met jullie zal worden opgenomen. Waarschijnlijk vandaag nog,' zei Mulder. 'De mogelijkheid bestaat dat er een verband is met de aanslag op Jansen.'

'Hoezo?' vroeg Prins.

Mulder haalde zijn schouders op. Hij pakte zijn kopje, speelde met een gevulde koek op tafel en zei: 'Je hebt gezworen dat je ze flink gaat aanpakken. Misschien vindt Menzo dit een goed moment om Jansen en zijn mensen uit de weg te ruimen. Het zal je nooit lukken om de misdaad volledig uit te roeien. Wat er overblijft... des te meer heeft hij.'

'Dit gaat over Katja,' fluisterde Liesbeth. 'Niet over politiek. Niet over een of andere idiote wet...'

Stilte. Mulder schonk nog een kop koffie voor zichzelf in en wachtte af.

'Het gaat over mijn dochter,' zei Prins. 'Ze neemt weer een loopje met me. Dat weet ik zeker. Het is niet de eerste keer en het zal niet de laatste keer zijn. Maar we moeten er iets mee doen.'

Mulder haalde zijn schouders op.

'In beide gevallen is het een ernstige zaak. De Groot zegt dat hij niet langer een oogje dichtknijpt. Als dit een spelletje is, zal ze moeten terechtstaan voor het verspillen van onze tijd. Als ze is ontvoerd, bijvoorbeeld door Menzo...'

Liesbeth Prins bracht een trillende hand naar haar voorhoofd.

'Jezus, Wim. Waarom heb je al deze shit over ons afgeroepen? Wat denk je ermee te...'

'Zo is het wel genoeg!' riep Prins uit. 'Je weet best waarom.' Hij knikte naar Mulder. 'Hij ook. De hele stad weet het, verdomme. Het heeft vaak genoeg breed uitgemeten in de kranten gestaan. Ik had een vrouw die voor mijn ogen de vernieling in is gegaan. Een dochter die dezelfde kant op gaat. Het is...'

'Het draait dus om jou?' vroeg ze op zachte, bittere toon.

'Zo je wilt,' zei hij, rustiger nu. Toen tegen Mulder: 'Zeg maar wat je van ons verwacht.'

'We hebben een lijst van al haar vrienden nodig. Haar connecties...'

'Katja is twee jaar geleden het huis uitgegaan,' onderbrak Prins hem. 'Jij kent haar connecties beter dan wij.'

Mulder stopte zijn notitieboekje in de zak van zijn jasje, nam nog een gevulde koek, keek op zijn horloge en zei: 'Als je het te druk hebt...'

'Ze heeft hier nog steeds een kamer,' zei Liesbeth. 'Daar liggen nog spullen van haar. Sommige dingen uit de tijd dat ze nog klein was.' Ze zweeg even. 'Toen was ze gelukkig.'

'Heb je die kamer doorzocht?' vroeg Mulder.

'Nee. Ik heb me wel eens afgevraagd of we sommige spullen niet weg konden doen, maar als ik haar daarnaar vroeg, vloog ze me zowat aan.' Liesbeth sloeg haar armen om zich heen in haar dunne ochtendjas. 'Zelfs nadat ze was vertrokken. Het valt niet mee.'

'Wat niet?'

'Stiefmoeder zijn. Of stiefdochter, denk ik. Wil jij even in haar kamer rondkijken?'

Mulder stopte hoofdschuddend het laatste stukje koek in zijn mond. 'Niet echt.' Hij stond op en veegde de kruimels van zijn jasje. 'Laat het me weten als er iemand belt.'

'We hebben het niet over De Nachtwacht gehad,' zei Prins.

'Nee. Eerlijk gezegd is het op het moment erg druk. Belangrijke zaken.' Hij grijnsde. 'Vermisten. Doden.'

'De Nachtwacht gaat door, Mulder. Bureau Marnixstraat kan het niet tegenhouden.'

'Nee,' gaf Mulder toe. 'Dat gaan we niet doen. Maar uit wat ik heb gehoord, begrijp ik dat dat niet nodig zal zijn.'

'Hoe bedoel je?'

Mulder gaf Liesbeth Prins zijn visitekaartje. 'Als je iets hoort, moet je mij rechtstreeks bellen. Niemand anders.'

3

Laura Bakker startte het filmpje dat de forensische dienst had opgestuurd. Trillende beelden. Een stralende zomerdag in een andere tijd.

Het stond op de geheugenkaart, maar was opgenomen met een andere camera. Een datum van een kleine drie jaar eerder. Enkele dagen voordat Anneliese verdween.

'Dat is je dochter, hè?' vroeg Bakker.

Frank de Groot sloeg vloekend zijn handen voor zijn gezicht.

Het duurde even voordat Vos iets zei.

Hij probeerde de locatie te bepalen. Gras. Gezinnen met kinderen. Op de achtergrond een licht gebouw in de vorm van een vliegende schotel.

Het Vondelpark. Het Blauwe Theehuis. Een rustige plek voor een drankje of een broodje. Daar gingen ze vroeger, toen Anneliese nog klein was en de wereld nog heel leek, altijd naartoe, met Anneliese in een wandelwagentje.

Nu zag hij haar zoals ze eruit had gezien vlak voor ze verdween. Jong, mooi en gelukkig. Op de grens van volwassenheid en op zichzelf wonen. Ze liep op blote voeten over het grasveld, lachend en glimlachend naar degene die de camera vasthield. Vos kon zich herinneren dat hij haar dat had zien doen. Als de dag van gisteren. Hij herinnerde zich ook hoe bezorgd hij altijd was geweest. Stel dat er iets – een wesp, een glasscherf – op de loer lag in het welige gras en hij dat niet op tijd zag?

'Is dat Anneliese?' vroeg Bakker nog eens.

Ze danste over het groene gras alsof ze onsterfelijk was.

Laura Bakker leek zich er niet aan te storen dat ze geen antwoord kreeg. Ze ging gewoon door.

'Iemand van de nachtploeg zag het. Hij herkende haar. Het spijt me. Ze zeiden dat het belangrijk was.'

'Natuurlijk is het belangrijk,' zei Vos zonder zijn blik af te wenden van het scherm. 'Iemand wil dat ik me met deze zaak bezighoud. Wat hebben ze nog meer gezegd?'

'Niks.'

Hij stak zijn hand uit en zette het filmpje stil.

In de derde week van juli was ze verdwenen. Het was heet die zomer. Geen regen. De stad was loom. Vos had zich dag en nacht afgebeuld met pogingen enkele mindere criminelen in de stadsbendes over te halen om informant te worden. Niets had gewezen op de naderende storm.

Hij boog zich dichter naar het scherm toe en keek nauwlettend naar het gras, naar de mensen om haar heen. Ze droeg een pastelblauw T-shirt en een spijkerbroek met afgeknipte pijpen, net onder de knie. Hij herinnerde zich dat hij erbij was geweest toen ze die broek gingen kopen. Een verjaarscadeau. Hij had zich eraan geërgerd dat ze zo veel tijd nodig had om te beslissen.

Liesbeth had om de een of andere reden niet met haar mee gekund.

Hij schudde zijn hoofd in een poging het helder te krijgen en startte het filmpje weer.

'Vos...' begon Bakker.

Anneliese liep nu in de richting van het Blauwe Theehuis. Huppelend als een kind, wat ze natuurlijk ook was. Toen ging ze op het gras zitten met haar handen om haar knieën, haar gezicht stralend van blijdschap. Van...

Geluk. En ze was niet altijd gelukkig geweest. Dat besefte hij nu.

Het beeld schommelde. Degene die de camera vasthield probeerde ook te gaan zitten terwijl hij doorfilmde.

Vos bracht zijn gezicht zo dichtbij dat zijn neus bijna het scherm raakte. Hij zag een meisje het beeld in komen lopen. Dezelfde soort kleren. Een licht T-shirt, roze nu. Lange spijkerbroek.

Toen een gezicht.

Blond haar. Helderblauwe ogen. Ze hadden zusjes kunnen zijn.

'Jezus christus,' mompelde De Groot. 'Wat zullen we...'

Bakker zette het filmpje stil en haalde een paar foto's uit de dossiers.

'Dat is de dochter van Prins, hè?'

Vos bleef naar het scherm staren: twee jonge, blonde tieners. Ze hadden nichtjes kunnen zijn. Zusjes. Hij was veel van huis geweest, maar hij kende enkele van Annelieses vriendinnen. Katja Prins had nooit deel uitgemaakt van Annelieses vriendenkring.

'Katja ziet er tegenwoordig heel anders uit,' zei ze.

Drie foto's. Waarschijnlijk politiefoto's. Een nors, afgetobd gezicht, het gezicht van een vroegoude tiener. Vos draaide de foto's om en keek naar de datum. De eerste was van twee jaar geleden.

'Kenden de meisjes elkaar?' vroeg De Groot.

'Niet dat ik weet,' zei Vos. 'Ik was altijd aan het werk, weet je nog? Je moest eens weten hoeveel uur per dag...'

Bureau Marnixstraat had hem opgeslokt vanaf het moment dat hij zijn voet over de drempel had gezet. Liesbeth leek er vrede mee te hebben. Anneliese werd groter, had het druk in de zomervakantie. Er was voor een vader niets om zich zorgen over te maken.

De Groot las vluchtig Katja's dossier door.

'Na Annelieses verdwijning ging het met Katja Prins helemaal verkeerd. Drie maanden daarna is ze voor het eerst door de politie aangehouden. Dronken. Stoned. Prins gebruikte zijn invloed en kreeg het voor elkaar dat ze er met een waarschuwing van afkwam.'

Vos stak zijn hand uit en startte het filmpje weer. Veertig seconden van Anneliese en Katja Prins die als jeugdvriendinnen stralend de camera in keken in een hete, zonnige zomer die altijd zou voortduren.

Toen werd het scherm zwart. Vos wilde de laptop uitzetten, maar Bakker zei dat het filmpje nog niet afgelopen was. Nog twintig seconden. Ze wachtten.

Na een korte pauze kwam er weer beeld. Een donkere, groezelige kamer. Een doodsbang, lijkbleek gezicht.

Katja Prins. Afgetobde gelaatstrekken. Magerder. Ze was er ellendig aan toe, door iets waar Pieter Vos alleen maar naar kon raden.

Ze gilde, het speeksel vloog haar mond uit.

Vader, vader, vader. Help me...

Er was niemand anders te zien. Niets achter haar behalve duisternis en kale lichte muren.

'Iemand bedient die camera,' zei De Groot. 'Iemand houdt die meid gevangen.'

Ze keken elkaar aan zonder iets te zeggen.

Pieter Vos sloot zijn ogen en probeerde na te denken. Soms neem je beslissingen. Soms neemt het leven die voor je. Hij draaide zich om en keek Laura Bakker aan.

'Waar was je gisteravond?'

'Hoezo?'

'Toen ik thuiskwam en zag dat er iemand in mijn boot was geweest, dacht ik dat jij dat was. Ik heb je gebeld, maar kreeg je voicemail.'

Ze keek hem strak aan. 'Ik was zo kwaad op je dat ik je heb weggedrukt. Ik dacht dat je dronken was.'

'Als je met me wilt samenwerken, neem je altijd op.'

Ze schudde haar hoofd. 'Werk ik met jou samen dan?'

Toen zei Vos tegen De Groot: 'Ik wil Koeman, Rijnder en Van der Berg. Ze kunnen beginnen met het verzamelen van alle dossiers over Katja Prins, Menzo en Jansen.' Hij dacht even na. 'Daarna werken ze voor mij. Samen met Bakker.'

'We zitten tot over onze oren in het werk, Pieter...' zei De Groot.

'Dat kan me niet schelen. Mulder kan zich bezighouden met de moord op

Rosie Jansen. Ik wil niet dat hij zich met deze zaak bemoeit.'

Een knikje, zacht instemmend gebrom.

Vos stond op.

'Waar ga je naartoe?' vroeg De Groot.

'Ik moet even bellen.' Tegen Bakker zei hij: 'Ga terug naar de Marnixstraat. Regel dat Jansen daarnaartoe wordt overgebracht.'

Ze keken hem aan.

'De dochter moet toch geïdentificeerd worden?' zei Vos.

'Uiteraard,' zei De Groot.

Vos wees met een vinger naar hen.

'Niemand vertelt Theo Jansen wat dan ook. Dat laten jullie aan mij over.'

'En dan?' vroeg De Groot.

'Dan stoppen we hem weer in de gevangenis. Je wilt hem echt niet op straat hebben rondlopen, Frank. Niet als hij is ingelicht.'

4

De zoveelste bespreking over De Nachtwacht liep ten einde. Hendriks en Margriet Willemsen zaten bij Prins om de tafel.

'We zijn gebeld door een van de kranten,' zei Hendriks. 'De verslaggever wilde niet zeggen waarover ze belde. Ze zei dat ze jou wilde spreken. Een persoonlijke kwestie.'

Prins kwakte vloekend zijn pen op tafel.

'Ik heb tegen haar gezegd dat ik moest weten waarover het ging,' voegde Hendriks eraan toe.

Sinds het begin van de bespreking had Margriet Willemsen nauwelijks opgekeken van de papieren die voor haar lagen.

'Het gaat over je dochter,' zei Hendriks. 'Ze hebben gehoord dat ze weer wordt vermist.'

Toen keek Margriet op.

'Wat is er aan de hand, Wim?' vroeg ze. 'Is er nieuws?'

Hij was gewend geraakt aan het idee dat alles veranderde als hij het kantoor van de gemeenteraad binnenstapte. Dat hij de buitenwereld van zich afschudde en iemand anders werd. Maar dat was niet waar. Al die shit kwam hem achterna, de trap op, zijn kantoor binnen, dat uitkeek over de gracht en de Wallen.

'Ik dacht dat Katja me weer een kunstje flikte,' zei Prins. 'Misschien had ik het mis. De mogelijkheid bestaat dat het iets te maken heeft met wat er gisteren is gebeurd. De aanslag op Theo Jansen.'

'Hoezo?' vroeg Margriet Willemsen.

'Weet ik veel! Als de politie het wel weet, vertellen ze het niet.'

Ze deden er het zwijgen toe.

'Ik laat me niet chanteren,' zei Prins. 'Ik laat die smeerlappen niet winnen.'

'We kunnen de zaak maar beter niet ingewikkelder maken,' zei Margriet.

'Hoe bedoel je?'

'We zouden De Nachtwacht op een laag pitje kunnen zetten,' stelde Hendriks voor. 'Je moet je nu op je dochter concentreren. Het komt raar over als je gewoon je gang gaat. Alsof het je niks doet.'

Prins sloeg met zijn vuist op de tafel. 'We gaan niet terugkrabbelen. Ik...'

'Luister.' Margriet reikte over de tafel en legde haar hand op de zijne. 'Je bent van streek. Dat is begrijpelijk. Alex heeft gelijk. Laten we een verklaring uitgeven. Onder het mom van dat we zeker willen weten dat iedereen meedoet...'

'Verdomme!' schreeuwde Prins. 'Ik run hier de boel. Ik maak uit wat er gebeurt. We hebben een tijdschema.' Hij pakte het projectplan en slingerde het over de tafel heen naar Hendriks. 'Daar houden we ons aan.'

Ze deden er weer het zwijgen toe.

'Zijn er nog vragen?'

'Als dat is wat je wilt,' zei Margriet zacht. 'We kunnen bureau Marnixstraat vragen om geen informatie over Katja vrij te geven. Zouden ze dat voor ons doen, Alex?'

Hendriks fronste. Hij vond het niet prettig als mensen hun stem verhieven. 'Als het om ontvoering gaat wel, denk ik,' zei hij.

Toen verzamelde hij zijn telefoons en zijn iPad en sloeg op de vlucht.

'Je moet je kalmte niet verliezen tegenover medewerkers,' zei Willemsen toen hij weg was. 'Dat zou zich tegen je kunnen keren.'

'Denk je?' zei Prins. Toen vertelde hij haar over het e-mailbericht en het filmpje.

Ze luisterde zwijgend en vroeg toen: 'Heb je het bewaard?'

'Zie ik eruit als een idioot? Als Liesbeth het...'

'Wat zei hij? Waar vroeg hij om?'

Prins dacht terug.

'Hij vroeg nergens om. Er stond alleen een naam bij. Poppenmeester. En het videobestand. Dat was alles. Jezus. Hoe hebben ze dat in godsnaam in handen gekregen?'

Ze stond op en liep naar het raam. Donker mantelpakje met krijtstreep. Haar zwarte haar onberispelijk.

'Hoe?' vroeg Prins nog eens. Hij kon haar niet in de ogen kijken. 'Ik bedoel... zonder jouw medeweten?'

'Wát zeg je?' Ze kwam naar hem toe, legde haar handen plat op tafel en keek hem strak in het gezicht. Margriet Willemsen werd nooit kwaad. Alleen kil, en op dat moment was haar blik ijziger dan hij ooit had gezien.

'Verdenk je me ervan dat ik ons heb gefilmd terwijl we aan het neuken waren? En dat ik dat filmpje aan een... een afperser heb gegeven?'

'Ik...'

'Waarom zou ik dat doen? Om wat voor reden?'

'Als de pers dit in handen krijgt... Als Liesbeth...'

'Wees verdomme niet zo'n zwakkeling.'

'Hoe heeft dit kunnen gebeuren?' vroeg hij. 'Ze hebben een camera in je kamer geplaatst.'

Haar hand streek door zijn grijze haar. Genegenheid. Of macht. Hij wist niet welke van de twee.

'Laat dit maar aan mij over. En De Nachtwacht ook. Dat kan wel even wachten.'

'Nee. Dat is toch precies wat die smeerlappen willen?'

De telefoon op het bureau ging. Hij nam niet meteen op, dus deed zij dat voor hem.

Alex Hendriks. Bureau Marnixstraat zou contact opnemen met de media. De berichtgeving over Katja werd stopgezet. Er mocht in de krant of op tv niets meer over de zaak worden gezegd. Niemand mocht de familie benaderen.

'Ze is echt ontvoerd, hè?' fluisterde Prins.

Willemsen ging op de rand van het bureau zitten.

'Het zou het beste zijn als je naar huis ging.'

'Wat moet ik daar?'

'Bij je vrouw zijn?' opperde ze. 'Dat zou een goede indruk maken.'

5

Vos was bij Liesbeth Prins, een lastig gesprek doorspekt met ongemakkelijke stiltes.

'Is er iets wat ik moet weten?' vroeg hij.

'Zoals?'

Liesbeth zag er belabberd uit. Alsof ze in geen dagen had geslapen. Bijna net zo slecht als toen hun eigen dochter pas vermist was.

'Anneliese en Katja Prins waren vriendinnen,' zei hij. 'Ik had geen idee. Jij wel?'

Ze zaten aan de keukentafel in het gerieflijke, smaakvol ingerichte huis aan het hofje bij de Willemsstraat. Heel anders dan het leven dat zij samen hadden gehad. Hij had lange dagen gemaakt en zich opgewerkt tot rechercheur bij bureau Marnixstraat, terwijl zij Anneliese grootbracht en tijdelijke baantjes aannam. Ze hadden nooit geldgebrek gekend. Hadden zich niet echt druk gemaakt om meubels en dergelijke. Die dingen leken er niet toe te doen. Ze waren een gezin, en hoewel Vos graag had gewild dat ze met hem trouwde, had hij begrepen en geaccepteerd waarom ze dat niet deed. Wat had het voor zin? Ze hadden Anneliese, een prachtig kind, kostbaarder, belangrijker dan een gouden trouwring ooit kon zijn.

'Dat kan niet kloppen,' zei Liesbeth iets te snel. 'Dat zou ik hebben geweten.'

Ze had een tijdje bij een rechtsbijstandskantoor gewerkt. De advocaten kwamen en gingen toen.

'Kwam Wim wel eens bij jou op kantoor toen je op het Damrak werkte? Misschien had hij dan Katja bij zich?'

Ze liep naar het aanrecht, pakte een pakje sigaretten, kwam terug en stak er een op. Haar hand trilde net zo hevig als vroeger.

'Waar wil je naartoe, Pieter?'

Hij vertelde haar over de moord op Rosie Jansen, en dat ze naast zijn boot was gevonden.

'Het ziet ernaar uit dat jij niet de enige bent die wil dat ik me met deze zaak ga bezighouden.' Hij liet haar zijn politiepasje zien. 'Ik ben terug, tegen mijn zin. We hebben een filmpje gevonden. Anneliese en Katja in het Vondelpark. Ze waren vriendinnen. Niet lang voordat Anneliese verdween. Geen twijfel mogelijk.'

Ze dacht even na.

'Misschien heeft Wim haar wel eens meegebracht. Ik kan het me niet herinneren. Ik heb Katja pas leren kennen toen ik met hem omging. Liese was toen al dood. Onze relatie was toen verleden tijd.'

Niet dood, dacht hij. Vermist.

'Tieners zijn dol op geheimen,' zei Vos. 'Die koesteren ze.'

'Jij was dag en nacht van huis toen ze verdween. Ik werkte toen al niet meer bij dat rechtsbijstandskantoor. Die zomer had ik een parttimebaan. Ik was altijd thuis als ze uit school kwam. Voor zover ik weet heeft ze Katja nooit gezien. Weet je het echt zeker?'

'Ik heb de beelden gezien.'

'Nou...' Een schouderophalen. 'Ik heb er geen verklaring voor.'

Hij wachtte.

'Wat kom je hier eigenlijk doen? Mulder is hier vanochtend vroeg al geweest. We hebben hem alles verteld wat we wisten. Zodra er iemand belt, dan laten we jullie dat weten.'

'Als,' zei hij. 'Als ze bellen.'

'Jij denkt dus dat Katja een spelletje speelt? Met al die bendeshit die aan de gang is? Mulder zei dat ze misschien ontvoerd is.'

'Het zou kunnen.'

'En nu?'

'Dat weet ik niet. Ik stel alleen maar vragen en wacht op antwoorden. Meer niet.'

Ze kreeg een hoestbui, en Vos pakte de sigaret tussen haar vingers vandaan en drukte hem uit in de asbak.

'Jij bent mijn oppasser niet,' zei ze.

'Dat ben ik nooit geweest, hè? Hoe had ik dat kunnen zijn? Ik was er nooit. Het werk...' Dat was waar en hij had er spijt van. 'Sorry.'

Het deed Liesbeth altijd plezier als iemand haar zijn excuses aanbood. Excuses waren een teken dat ze had gewonnen.

'Er liggen hier nog steeds spullen van haar. In haar oude slaapkamer. Dat heb ik Mulder ook verteld. Ik dacht dat hij er misschien belangstelling voor zou hebben.'

'En dat had hij niet?'

'Wim en hij liggen met elkaar overhoop over die Nachtwacht-onzin. Jullie willen geen van allen dat dat doorgaat, hè?'

Vos slaakte een zucht. 'Ik ben pas een uur weer politieman. Vraag me alsjeblieft niet om namens bureau Marnixstraat te spreken. Ik zou graag een kijkje nemen in haar kamer, als je dat goedvindt.'

De kamer lag aan de voorkant en keek uit over de tuin midden in het hofje. Klein, een eenpersoonsbed, keurig netjes, wat ongetwijfeld het werk was van de opruimerige handen van Liesbeth en niet die van een tiener.

Opzichtige posters van popsterren aan de muur. Een kast vol kleren. Een volle ladekast. Een bureau waarop duidelijk een laptop ontbrak.

'De computer...'

'Volgens Wim heeft ze die verkocht om drugs te kunnen kopen.'

Hij doorzocht de klerenkast. Achterin zakken met schoenen. Een enorme hoeveelheid.

'Ze heeft heel wat achtergelaten.'

'De mode, Pieter. Iets van gisteren is niks meer waard.' Ze liet haar blik over hem heen glijden en legde even haar hand op zijn versleten trui. 'Dat heb jij nooit begrepen. Je lijkt geen dag ouder. Hoe krijg je dat voor elkaar?'

'Misschien komt het doordat ik de laatste tijd niks heb gedaan,' zei hij schouderophalend.

Liesbeth ging op het bed zitten en leek de tranen nabij.

Hij doorzocht de ladekast. Alleen ondergoed, sokken, shirtjes, een paar boeken: vampiers en steampunk.

'Haat je me?' vroeg ze.

Het bureau had maar één la. Hij lag vol met pennen, oude concertkaartjes, paperclips en kleurpotloden. Achterin lag een groot tekenblok. Hij haalde het uit de la en bekeek de tekeningen.

'Waarom zou ik je haten?'

'Omdat ik ben weggegaan toen je me nodig had.'

Vos ging naast haar op het bed zitten.

'We waren allebei kapot van wat er was gebeurd. We konden niet met elkaar praten. We hadden niks meer.'

Dit gesprek hadden ze nooit gevoerd, een wreed, treurig verzuim.

'Jij had mij niet nodig,' voegde hij eraan toe. 'Voor zover ik het kon beoordelen.'

'Ik...' Ze deed haar ogen dicht en zweeg.

'Toen Wim ten tonele verscheen, leek hij je uit je schulp te halen. Uit de ellende.' Hij gebaarde om zich heen. 'Hij nam je mee naar een huis als dit...' Vos lachte, hij voelde geen jaloezie. Zelfs het verdriet leek te vervagen. 'Hij had je veel meer te bieden dan ik, of niet soms?'

Ze gaf een kneepje in zijn hand. Hield die vast. Ze keek hem aan alsof ze iets wilde zeggen, maar niet durfde.

Vos keek naar het bureau.

'Katja en Anneliese kenden elkaar,' zei hij. 'Ze waren dikke vriendinnen.

Kort voor Annelieses verdwijning. In die tijd...'

Hij kreeg de beelden niet uit zijn hoofd. De twee meisjes, mooi en zorgeloos in het park. Was het mogelijk dat een vriendschap die zo hecht leek geheim kon blijven?

'In die tijd was er met Katja ook niks aan de hand.' Hij trok zijn hand los uit de hare. 'Wanneer begon het met haar de verkeerde kant op te gaan?'

'Dat weet ik niet. Dat moet je Wim vragen. Hij is haar vader.'

'Dat zal ik doen.'

'Dat hij met mij trouwde heeft niet geholpen. Ik was nooit goed genoeg. Bea was een bijzondere vrouw. Ze kende iedereen. Deed precies wat ze wilde. En toen raakte ze aan de drugs. En pleegde ze zelfmoord. Katja is een beetje een simpel kind. Theatraal. Hoe kon ik daar in godsnaam mee concurreren?'

Toen hij nog bij bureau Marnixstraat werkte, had zijn hoofd prima gewerkt. Hij had een gave gehad voor datums en lineair denken. Maar nu...

'Wanneer is Bea gestorven?' vroeg hij. 'Ik kan het me niet precies herinneren.'

'Dat komt doordat jij ook stomdronken en high was,' zei ze, plotseling woedend. 'Het was rond de tijd dat wij uit elkaar gingen.'

'Hoe heeft ze het gedaan?' vroeg hij.

Ze keek hem nijdig aan. 'Ze heeft zichzelf doodgeschoten. Was je nou echt zo ver heen dat je dat nooit hebt geweten?'

Hij liep nog eens naar het bureau. Er lag iets onder een van de hoeken bij de muur. Vos liet zich op zijn knieën vallen en pakte het op: een USB-stick.

Glimlachend hield hij hem omhoog.

'Mulder is een idioot,' zei ze.

'Heb je een computer? Ik wil even kijken wat erop staat.'

Ze ging hem voor naar de werkkamer van Prins. Zijn computer stond in de slaapstand.

Vos bracht hem tot leven en stak de USB-stick in de daarvoor bestemde poort.

'Wil jij nog eens in haar kamer rondkijken?' vroeg hij. 'Voor het geval ik iets over het hoofd heb gezien?'

Ze fronste, maar deed wel wat hij vroeg.

Er stond een bericht in Wim Prins' inbox. Het was een paar minuten eerder binnengekomen. De afzender was iemand die zichzelf 'Poppenmeester' noemde.

Een interessante naam onder de gegeven omstandigheden. Vos dacht even na en opende het bericht. Er was een zipbestand bijgevoegd. Er zat genoeg ruimte op de USB-stick, en hij had het bestand net op de stick gezet toen Liesbeth met lege handen terugkwam. Hij markeerde het mailtje als 'ongelezen'.

'En?' vroeg ze.

Hij klikte op Katja's eerste bestand. Er kwam popmuziek uit de speakers van de computer. Op de stick stonden alleen maar mp3'tjes.

'Piraterij, dat mag niet,' zei hij, en hij haalde de USB-stick uit de computer. 'Ik neem hem toch maar mee.'

'Ik kan nog een pot koffie zetten,' zei ze, plotseling hoopvol.

'Ik heb een afspraak.'

'Het zal ook eens niet. Een andere keer dan?'

Hij stak de USB-stick in zijn zak en nam afscheid.

6

Het mortuarium lag op de begane grond achter in het pand van bureau Marnixstraat en keek uit over het parkeerterrein van het personeel en de aangrenzende fietsenhokken. Voor het raam stonden rijen gemarkeerde politieauto's. Dieseldamp vermengd met de stank van lijkschouwing, chemicaliën en bloed.

Een van de assistenten stond op de binnenplaats tegen de muur geleund een sigaret te roken. Grijze rook kringelde door het open raam naar binnen.

Theo Jansen stond met handboeien om bij de uitgang door het raam in het niets te staren. Hij had tranen in zijn ogen.

'Het spijt me,' zei Vos. 'Ik wilde het je persoonlijk vertellen.'

'Waarom?' beet Jansen hem toe. 'Denk je dat dit ons tot gelijken maakt?'

Het lichaam van Rosie Jansen lag op een metalen sectietafel midden in het kleine vertrek. Haar gezicht was zichtbaar boven het laken. De schotwond was schoongemaakt en afgedekt met verband.

De Groot had een team de hele nacht door aan de zaak laten werken. Dat was meer aandacht dan de twee Surinaamse jongens kregen, die hadden geprobeerd Jansen voor het gerechtsgebouw te vermoorden. Het was nog vroeg. Maar toch hadden ze meer verdiend.

'Nee, niet tot gelijken,' zei Vos.

De witte baard was warrig, ongekamd. Jansen leek veel ouder dan de dag daarvoor.

'Maar er is wel sprake van een connectie. Ze is naast mijn boot achtergelaten. Met de pop in haar armen. Net zo'n pop als ik toegestuurd heb gekregen toen Anneliese pas vermist was...'

'Daar had ik niks mee te maken!'

'Dat weet ik. Dat heb je me verteld en ik geloof je. Maar wie deze man ook is... deze mensen... Ze willen dat ik me met de zaak bezighoud, Theo. Ze hebben foto's van mijn dochter bij Rosie achtergelaten.'

Woedend en verbijsterd zei Jansen: 'Ga je me nu vertellen dat zij iets met de moord op je dochter te maken had?'

'Dat zeg ik niet. Iemand wil me bij de zaak betrekken. Ik weet niet waarom. Ik zou niks liever willen dan dit alles nooit was gebeurd. Maar het is wél gebeurd.' Hij haalde zijn schouders op. 'En hier staan we dan, met z'n tweeën.'

Jansen liep naar een stoel bij de deur naar de binnenplaats en ging zwaar zitten. Laura Bakker vroeg hem of hij iets wilde drinken, een glas water, koffie. Hij schudde zijn hoofd. Vos had beveiligd transport terug naar de gevangenis geregeld.

'Hoe hebben ze haar vermoord?' vroeg Jansen.

Vos vertelde hem alles wat ze wisten.

'Ze heeft haar moordenaar zelf binnengelaten. Dat betekent dat het iemand moet zijn die ze kende, of niet? Of iemand die ze had uitgenodigd.'

'Rosie was niet bang,' zei Jansen. 'Voor niemand. Waarom zou ze? Wie verwacht in godsnaam dat er iemand rondloopt die je kinderen afmaakt?'

Hij besefte wat hij had gezegd. Hij haalde zijn schouders op. Zijn blik ging naar de metalen tafel. Bakker riep een van de mortuariummedewerkers. De man liep naar de sectietafel en bedekte Rosie Jansens dode, gezwollen gezicht.

'In wat voor wereld leven we?' vroeg Jansen aan niemand in het bijzonder.

'Is ze wel eens bedreigd?' vroeg Vos.

'Nee.' Jansen leunde op zijn armen naar voren en staarde naar de grond. 'Ik wel een paar keer, in de gevangenis. Dat was te verwachten. Rosie paste alleen maar op de zaak tot ik terugkwam.'

'Dat geeft ons niet veel aanknopingspunten,' zei Vos zacht.

'Waar is hij?' vroeg Jansen. 'Die Surinaamse smeerlap. Jezus... Dat hij mij te pakken wil nemen begrijp ik. Dat verwacht ik. Maar niet Rosie. Nooit...'

'Hij is nog steeds in Oostende. Gisterochtend vertrokken. Per privévliegtuig vanaf Schiphol.'

Jansen ging weer rechtop zitten, leunde tegen de muur en keek Vos aan.

'Hij komt wel terug,' zei Vos. 'Zodra hij terug is, gaan we hem ondervragen.'

Stilte.

'We weten allebei dat hij met een waterdicht alibi zal komen,' ging Vos verder. 'We weten dat een van de jongens dood is. We gaan ervan uit dat de tweede zich op zijn zwaard heeft gestort. We hebben dus iemand nodig die bereid is te praten. Kun jij iemand bedenken?'

'Dankzij die klootzak van een Mulder heb ik de afgelopen twee jaar in een cel gezeten. Waarom stel je me al die stomme vragen?'

Vos knikte en zei: 'Omdat ik dat moet.'

'Word ik nu vrijgelaten?'

'Wat denk je zelf?'

'Verdomme! De rechter heeft gezegd...'

'Het is voorwaardelijk,' onderbrak Laura Bakker hem. 'Je had de uitspraak moeten lezen. Vrijlating op borgtocht hangende het beroep. Onder de gegeven omstandigheden...'

Jansen wierp haar een woedende blik toe en keek toen naar Vos.

'Behandel jij deze zaak nu? Is dit alles? Het hele team?'

'Wij zoeken de dochter van Prins,' zei Vos. 'Ik wilde het je persoonlijk komen vertellen. Ik vond dat ik je dat verschuldigd was. De Groot stelt een team samen. Mulder gaat het leiden...'

De grote gangster priemde met zijn vinger naar Vos.

'Ik wil jou. Niet die mafkees. Als hij me niet had laten opsluiten, zou dit niet zijn gebeurd.'

Vos fronste zijn voorhoofd. 'Zo mag je niet denken, Theo. Je moet je niet steeds afvragen "wat als?" Dan word je gek. Ik spreek uit ervaring. Ik heb een eenpersoonscel voor je geregeld in het Schouw. Zo luxueus mogelijk.'

De Bijlmerbajes nabij de Amstel bestond uit zes torens. Jansen had twee jaar in Demersluis gezeten, een afdeling bestemd voor gevaarlijke gevangenen.

'Vergeleken met je oude cel is het Schouw een vakantieoord. Het wordt nog wel eenzame opsluiting,' voegde Vos eraan toe.

Jansen staarde weer naar de tafel.

'En Rosie? Wanneer mag ik haar begraven?'

'Dat laten we je weten. Zijn er familieleden die we op de hoogte moeten stellen? Haar moeder...'

'Die is jaren geleden bij me weggegaan. Ik weet niet eens waar ze uithangt.' Tranen vertroebelden weer zijn blik. 'Waarom vraag je dat? Je hebt dossiers. Je weet zelfs hoe ik ontbijt. Wanneer ik moet schijten. Rosie was alles wat ik had.'

Vos wierp een blik op zijn horloge en vroeg: 'Is er verder nog iets?'

'Mag ik een paar mensen bellen? Zonder pottenkijkers? Ik moet Michiel Lindeman ook spreken.'

'De advocaat krijgt je ook niet vrij,' zei Bakker.

'Natuurlijk,' zei Vos. 'In de gang is een munttelefoon.'

'En de wc,' voegde Jansen eraan toe.

De telefoon en het toilet waren een flink eind verderop in de gang. Vos gaf een jonge agent met een knikje te kennen dat hij Jansen moest begeleiden. Toen ze weg waren, vroeg hij de labmedewerker die in het mortuarium aan het werk was zachtjes of hij enkele rapporten wilde natrekken.

Bakker las de dossiers door. 'Wat nu?' vroeg ze.

Hij gaf haar een visitekaartje in een plastic hoesje voor bewijsmateriaal.

'Die twee jongens van Menzo hadden dit bij zich. Het Poppenhuis aan de Prinsengracht. Een vervallen pand. Wat het ook was, een poppenhuis was het niet.'

'Is dat het pand van die gasexplosie?' vroeg ze terwijl ze naar het kaartje keek.

'Koeman is daar nu aan het rondkijken. Ik wil er zelf ook een kijkje nemen.'

Ze verroerde zich niet. 'Dit is een plaatje van het Oortman-huis, hè? Zoals de afbeelding op de eerste doos met de pop erin die jij hebt ontvangen?'

'Zo te zien wel,' zei hij.

'Dat plaatje kun je overal vandaan halen, Vos.' Ze gaf hem het hoesje terug. 'Het is gewoon clipart. Dat kun je zo van internet plukken.'

'Misschien.'

'Een vermist kind opsporen? Door middel van een visitekaartje? Dit...' Ze knikte naar de zilverkleurige deuren van het mortuarium. '... is moord. Jansen wil dat jij de zaak op je neemt. De Groot zal daarmee instemmen als je het hem vraagt.'

'Dat weet ik.'

Ze sloeg haar armen over elkaar. Het zelfgemaakte broekpak leek nog slonziger om haar lichaam te hangen dan het pak van de dag daarvoor.

'Laura, voor de dochter van Theo Jansen kunnen we niets meer doen. Katja Prins kan nog in leven zijn. Met een beetje geluk vinden we haar misschien. Als jij liever hier blijft om met een computer te spelen...'

'Ik ga vervoer voor ons regelen.'

Vos keek uit het raam. 'Het regent toch niet?'

7

Tien minuten nadat Vos en Bakker waren vertrokken, ging Frank de Groot naar beneden. Het mortuarium was bijna verlaten. Het lichaam van Rosie Jansen lag weer in de koeling. De forensisch medewerkster zat over een computer gebogen.

Geen patholoog.

Geen rechercheurs.

Geen Theo Jansen.

Hij liep naar de assistente, een knappe jonge, Nederlandse moslima met een roze sjaal om haar hoofd. Er siste muziek uit de kleine oortelefoontjes die ze in had.

'Waar is iedereen?'

Ze deed de oortjes uit en keek op van het scherm. Hij moest de vraag nog eens stellen.

'Iedereen is weg.'

'Dat zie ik.'

Ze keek naar boven. 'Vergadering over de twee Surinaamse jongens die een aanslag op Theo Jansen hebben gepleegd. Het schijnt dat er verband is met dat pand op de Prinsengracht waar die bom is ontploft. Zij waren daar als eersten.'

'Wat voor verband?'

'Ik geloof,' zei ze langzaam, 'dat ze daar nu achter proberen te komen. Die aardige nieuwe man is vertrokken.'

De commissaris vloekte binnensmonds. Ze keek hem geschokt aan. Hij bood haar zijn excuses aan.

'Pieter Vos is niet nieuw.'

'Voor mij wel.'

'En de crimineel die we in hechtenis hadden?'

Ze leefde op. 'Die dikke? Twee medewerkers van de Dienst Beveiligd Vervoer hebben hem opgehaald.' Ze schudde haar hoofd. 'God, dat vind ik het afschuwelijkste wat er is. Als ze een lichaam komen identificeren. Je moet toekijken en je haat jezelf daarom.' Ze wierp een blik op de laden van de koeling. 'Ik kan me echt niet voorstellen hoe dat moet zijn. Iemand van je eigen familie...'

'Theo Jansen heeft genoeg werk onze kant op gestuurd,' bromde De Groot.

'Dat wil toch niet zeggen dat hij geen gevoel heeft?'

Iedereen had zijn woordje klaar tegenwoordig.

Hij probeerde Vos te bellen en kreeg de voicemail. Toen Laura Bakker. Ze was ergens buiten. Op een fiets, giste hij. Ze kon hem nog net vertellen dat ze op weg waren naar het huis aan de Prinsengracht waar de explosie had plaatsgevonden, toen de verbinding wegviel.

'Jezus,' mompelde De Groot, wat hem een afkeurende blik opleverde van de jonge vrouw met de roze hoofddoek.

De toiletten bevonden zich in een afgezonderde ruimte aan het eind van een lange gang, vlak bij het parkeerterrein. Hij liep erheen, naar de muur en luisterde naar het komen en gaan van busjes terwijl hij stond te plassen. Inwendig dankte hij God dat Vos weer aan het werk was en weer een beetje op zijn vroegere scherpzinnige zelf begon te lijken.

Een bendeoorlog. Katja Prins vermist. De Groot had genoeg aan zijn hoofd met bedenken hoe ze de gevolgen moesten aanpakken van het idiote plan van Prins om de stad misdaadvrij te maken. Dat had hij voor het grootste deel aan Klaas Mulder overgelaten en hij wist eigenlijk niet of dat wel zo'n verstandig besluit was geweest.

Toen hij zijn gulp dichtritste, hoorde hij een gesmoord geluid. Een man die pijn leed.

Hij liet zijn blik langs de rij hokjes gaan. De achterste deur stond halfopen. Een been, met een zwarte schoen, stak naar buiten.

'Jezus,' zei hij, en hij liep ernaartoe.

Een van de jonge agenten in uniform, niet veel ouder dan Laura Bakker. Zijn gezicht was bebloed en hij had een angstige blik in de ogen. Hij zat in de hoek naast de toiletpot, zijn handen vastgebonden achter zijn rug, zijn mond volgepropt met papieren handdoeken, die met een reep stof op hun plaats werden gehouden.

De Groot haalde de reep stof van de mond van de agent en wachtte terwijl de man kokhalzend de papieren handdoeken uitspuwde.

Dat duurde even. Toen boog hij zijn hoofd over de toiletpot en braakte snikkend, hij stikte bijna.

Er zat geen wapen in zijn holster.

Inmiddels had de meldkamer op zijn oproep gereageerd. Toen De Groot begon te praten verloor de jonge agent zijn evenwicht en viel weer op de vloer. De commissaris hielp de man overeind, klapte het deksel op de toiletpot, zette de man daarop neer en hield zijn arm vast om te voorkomen dat hij weer zou vallen.

‘Theo Jansen is in een gevangenisbusje op weg naar de Bijlmerbajes,’ zei hij tegen de centraliste.

‘Dat staat op de lijst,’ zei de vrouw. ‘Hij is al opgehaald. Hij wordt naar het Schouw gebracht.’

‘Verbind me door met de chauffeur.’

Hij keek op zijn horloge. Dertig seconden. Langer zou hij niet wachten.

Maar dat hoefde niet. De centraliste kwam weer aan de lijn en zei: ‘Er is iets mis. Ik laat een opsporingsbericht uitgaan.’

8

In het beveiligde busje dat op weg ging naar de torens van de Bijlmerbajes stelde Theo Jansen zich de route voor. Rechtsaf de Marnixstraat in, rechtdoor tot ze de drukte van het Leidseplein bereikten. Daarna was zijn kans verkeken. Alleen maar drukke openbare straten. Weinig gelegenheid om te ontsnappen. Hij moest net zo snel handelen als toen hij nog een jonge Amsterdamse crimineel was en in gevaarlijke tijden moest zien te overleven.

Tot nu toe was het een makkie geweest. Hij had die magere agent op bureau Marnixstraat in elkaar geslagen en hem zijn pistool afgepakt. Hij was naar buiten gelopen en had het gevangenisbusje op de binnenplaats zien staan. De twee bewakers hadden hem verbaasd aangekeken toen hij in zijn eentje verscheen, hoestend en hijgend. Hij zei dat hij zich niet goed voelde en wilde vertrekken.

Ze bekeken hun transportinstructies. Theoretisch gezien was Theo Jansen een vrij man. Misschien was het dus toch niet zo vreemd dat hij zonder bewakers naar de binnenplaats was gekomen. Ze sloegen hem gade terwijl hij op een bank ging zitten, een minuutje de tijd vroeg om op adem te komen, hoestte als een gek en tevergeefs om een sigaret vroeg.

Even later hielpen ze hem het busje in te stappen.

Seconden nadat ze de binnenplaats hadden verlaten hield hij zijn adem in tot hij begon te transpireren. Toen ramde hij met zijn vuist hard op de metalen wand die hem scheidde van de chauffeur en de bewaker op de passagiersplaats.

Drie keer. Nog eens drie keer. Eindelijk ging het raampje open.

Jansen stak zijn rode gezicht in de opening en zei: 'Misselijk.'

'Je kunt naar de dokter als we er zijn.'

Theo Jansen kokhalsde en liet zich op zijn zij vallen.

Het busje reed omhoog. De brug over de Leidsegracht, giste hij. Ze reden nu door de smalste straat van de route. Trambanen, fietspaden, aan weerskanten rijen winkels en etagewoningen van rode baksteen. Bruine kroegen met Heineken-uithangborden. Rechts doemde het lichtbruine American Hotel op.

Dertig jaar eerder, toen hij nog zijn eigen vuile werk opknapte, had Jansen in de lobby van dat hotel een Engelse gangster omgelegd, met drie schoten, geen snelle dood.

Daar moest hij aan denken terwijl hij kreunend op de vloer lag en voelde dat het busje stopte.

Ze zouden hem niet laten liggen zonder te kijken wat er aan de hand was. De politie had regels. Bevelen die opgevolgd moesten worden.

Toen de deuren opengingen bekeek hij de bewakers goed. De ene was groot, de andere klein. Een knuppel en een portofoon aan hun koppel. Eigenlijk waren het gewoon chauffeurs. Ze zagen er verveeld en geërgerd uit.

Ze stapten het busje in. De kleine man boog zich over hem heen en vroeg: 'Wat is er aan de hand?'

Jansen verkocht de grote man een trap in zijn kruis, haalde het pistool tevoorschijn en duwde het in het gezicht van de kleine man.

De grote man ging jammerend onderuit. De kleine verstijfde van angst.

'Sleutels,' zei Jansen, terwijl hij overeind krabbelde en met het pistool zwaaide.

Niets.

Hij liep naar de deur en trok hem met een klap dicht. Alleen de zwakke binnenverlichting nu. Buiten was niemand te zien.

'Sleutels of ik schiet,' zei hij zacht. Hij klonk zelfverzekerd en rustig. 'Dwing me daar niet toe. Je schiet er niks mee op.'

Jansen keek omlaag naar zichzelf. Geelbruine katoenen broek. Wit overhemd. Geelbruin jasje.

'En ik heb de pest aan bloed op mijn kleren.'

De grote man was de eerste die zijn sleutels uit zijn zak haalde.

'Die ook,' voegde Jansen eraan toe, knikkend naar de portofoons aan hun koppels. 'En jullie portefeuilles.'

Toen ze alles op de vloer hadden gelegd, schopte hij de portofoons, porte feuilles en sleutels naar de deur. Hij vroeg de kleine man hoe hij het busje moest afsluiten. Toen opende hij de deur en schoof hun spullen naar buiten.

Hij stak het pistool achter zijn broeksband, stapte uit en deed de deur achter zich op slot.

Ze trapten hard tegen de wanden, maar dat liet hem koud.

De straat was bijna verlaten. Hij raapte de portefeuilles op, haalde het geld eruit en gooide ze samen met de portofoons en de sleutels onder het busje.

Het was een sombere dag. Te koud voor de kleren die hij aanhad. Theo Jansen liep in de richting van de smalle straatjes achter het Leidseplein.

De kapperszaak was klein, één enkele deur, een klein raam, een bord: MAARTEN. Hij ging naar binnen, knikte naar de man die bezig was met een klant, liep door naar de achterkamer en wachtte.

Een paar minuten later kwam de kapper de achterkamer binnen.

'Je ziet er geen dag ouder uit,' zei Jansen. 'Heb je een biertje voor me?'

De kapper liep naar de koelkast en kwam terug met twee flesjes. 'Jezus, Theo. Ik heb het net op het nieuws gehoord. Over Rosie. Wat is er in godsnaam aan de hand?'

'Dat weet ik niet,' zei Jansen.

De kapper knikte naar buiten. 'Mag je vrij rondlopen? Op de radio zeiden ze...'

'Dit is mijn stad. Waar zou ik anders moeten zijn?'

Jansen streek over zijn volle witte baard en zijn lange witte haar. Hij was al grijs geworden toen hij in de dertig was. Voor zijn gevoel had hij er altijd zo uitgezien. Maar dit was een andere tijd.

'Kun je dit eraf halen?' vroeg hij. 'Alles. Millimeter het maar, zoals de jongens van tegenwoordig eruitzien. Dat heb ik nog nooit gehad.'

Maarten liep naar de deur, draaide het bordje om naar GESLOTEN en trok de jaloezieën naar beneden. Toen hij terugkwam was het bierflesje van Theo Jansen leeg. De kapper pakte er nog een uit de koelkast en gaf het hem.

'Ga maar op de stoel zitten,' zei hij.

9

Vanaf bureau Marnixstraat was het een behoorlijk eind fietsen naar het Poppenhuis, dat aan een rustig stuk van de Prinsengracht lag, tegenover het Amstelveld. Het pand was afgezet met politielint met de tekst NIET BETREDEN. Een ploeg bouwvakkers bevestigde grote vellen plastic aan de steiger voor de gevel. Bij de voordeur veegde een man versplinterd glas bij elkaar.

Koeman, een magere man van gemiddeld postuur, met een smal gezicht gedomineerd door zijn bruine hangsnor, zat op de motorkap van een politieauto bij de gracht een sigaret te roken. De as viel op zijn korte, taupekleurige winterjas. Hij merkte het niet eens. Hij stak een hand op bij wijze van groet en keek naar Bakker toen ze aan kwam lopen, zonder iets te zeggen.

Vos en Bakker liepen achter hem aan naar de deur. Ze zetten alle drie een helm op en liepen langs de bouwvakkers het pand in.

'Hoerenkast,' zei Koeman toen ze door de verwoeste kamers op de benedenverdieping liepen. 'Willen jullie kennismaken met de hoerenmadam?'

Vos was blijven staan in wat de ontvangstruimte moest zijn geweest. De rook en het water uit de brandslangen hadden de kleur veranderd, maar hij kon nog zien dat alles roze was geweest. Koeman liep naar iets wat eruitzag als een hoge kast achter de receptiebalie en maakte hem open. Achter de deuren hing een groot schilderij: het Oortman-poppenhuis, een vrijwel exacte kopie. Maar in elke kamer was iets anders te zien. Een weergave van allerlei soorten seksuele handelingen. De gezichten van de mannen waren weggedraaid van de schilder. De vrouwen waren niet naakt, maar gekleed als poppen. Ze lagen op hun rug. Op hun knieën. In een van de kamers lagen ze languit op een houten constructie, de benen wijd.

'Dat zou je de menukaart kunnen noemen. Je kreeg het alleen te zien als je ernaar vroeg.' Koeman aarzelde even voordat hij verderging, maar vroeg het toen toch maar. 'Dit is toch waardoor je bent doorgedraaid toen je dochter verdween? Dat poppenhuis in het museum?'

Vos knikte.

Koeman fronste zijn voorhoofd.

'Als iemand een bordeel "Het poppenhuis" noemt, ligt het voor de hand dat ze dát poppenhuis als voorbeeld nemen, Pieter. Het is beroemd. Het wil niet zeggen dat er een verband is.'

'Dat weet ik,' zei Vos. 'Was het bordeel geregistreerd?'

'Ik heb het adres laten natrekken door de zedenpolitie. Het staat geregistreerd als woonhuis. We hebben geen rapporten van klachten of onderzoeken.' Hij haalde zijn schouders op. 'Helemaal niks.'

'Er moet toch een soort administratie zijn,' zei Bakker.

'Dit is onbekend terrein voor je, hè?' zei Koeman. 'Het is wat je noemt een privéhuis.'

Bakker keek hem verdwaasd aan.

'Een privéhuis. Waar "chique feestjes" worden gehouden.' Hij keek de kamer rond. 'Je zit gezellig bij elkaar. Je praat met de meisjes. Drinkt iets. Glimlacht naar een van hen. En dan...'

'Je bent goed op de hoogte,' zei ze.

Koeman glimlachte grimmig.

'Ik ben als achttienjarig groentje bij de politie begonnen in deze stad. Je zou ervan versteld staan als je wist wat ik allemaal heb gezien. Maar deze tent...' Hij schudde zijn hoofd. Keek Vos aan. 'Het klopt gewoon niet. We hadden er vanaf moeten weten. Uit wat ik boven heb gezien valt op te maken dat het een bruisend bedrijf was. Maar iets minder dan drie jaar geleden...' Hij knipte met zijn vingers. 'Afgelopen. Uit.'

Ze liepen via de achterdeur een kleine, vieze binnenplaats op. Een Aziatische vrouw in opzichtige kleding zat op een roestige tuinstoel een sigaret te roken. Ze keek hen geen van drieën aan toen ze naar buiten kwamen.

Ze heette Amm. Vos zag nog een roestige stoel, pakte die en ging voor de vrouw zitten.

'Je zit flink in de problemen, Amm,' zei hij.

Ze keek hem nijdig aan. 'Niet waar.'

'Waarom heb je de tent gesloten?' vroeg hij.

'Ik ben een poosje op vakantie gegaan. Toen ik terugkwam, waren alle meisjes weg.'

'Allemaal?' vroeg Koeman.

'Dat heb ik hem al verteld,' zei ze, en ze priemde met een vinger naar Koeman. 'Allemaal. Klerewijven. Sommige van die meiden heb ik zelf het land binnengebracht. Papieren voor ze geregeld. En dat was mijn dank.'

Bakker keek om naar het huis.

'Hoe oud waren die meisjes?' vroeg ze.

'Oud genoeg,' zei Amm.

'Hoe oud?' vroeg Bakker nog eens, terwijl ze zich vooroverboog en haar gezicht tot vlak voor dat van de vrouw bracht.

'Allemaal negentien.'

Koeman wierp lachend zijn hoofd in zijn nek. 'O, schitterend. Waarom niet achttien? Dat is nog steeds de wettelijk toegestane leeftijd. Nog wel.' Hij knipoogde naar haar. 'Maar als die nieuwe vent in de raad zijn zin krijgt, wordt het eenentwintig. En dan zijn bordeelhouders zoals jij er slecht aan toe, hè?'

'Het was een privéhuis,' hield ze vol. 'We hadden keurige meisjes en keurige klanten.' Ze keek hem woedend aan. 'Misschien ken je er zelfs een paar.'

'Wat wil je daarmee zeggen?' vroeg Bakker.

Koeman keek haar aan en knipoogde.

'Een goede gastvrouw praat niet over zaken,' zei de Thaise bijna preuts. 'Waar moet het heen met de wereld?'

Vos stond op.

'Waarom ben je niet meer opengegaan, Amm? Je had nieuwe meisjes kunnen aannemen. Deze tent...' Hij keek om naar de zwartgeblakerde gang, de schilderijen aan de muren. 'Dat alles moet een smak geld hebben gekost.'

Ze schoof heen en weer op haar stoel.

'Ik had er geen zin in. Had het ook niet nodig. Ik heb geld genoeg...'

'Dat krot op de Wallen waar ik je heb aangetroffen ziet er niet al te florissant uit,' zei Koeman. 'Je werkt als serveerster in een derderangsrestaurantje. En hoeveel is dit pand waard? Drie of vier miljoen. Misschien wel meer.'

Geen antwoord.

'Wie int het verzekeringsgeld?' vervolgde hij. 'Jimmy Menzo?'

Ze gaf geen antwoord.

Vos haalde een foto uit zijn zak. Katja Prins. Liet de vrouw de foto zien. Niets. Toen, na enige aarzeling, haalde hij nog een foto tevoorschijn. Anneliese. Liet de vrouw ook die zien.

De Thaise keek hem stomverbaasd aan. 'Ik werk niet met blanke meisjes. Waarom zou ik? Die rotwijven uit Rusland en dergelijke landen... ze snijden je voor vijf euro de keel af.' Ze zwaaide met haar hand door de koude lucht. 'Ik heb die meisjes nooit gezien.' Ze bekeek de foto's nog eens. 'Te jong voor mij.'

'Het zijn Nederlandse meisjes,' zei Vos.

Ze lachte en onthulde een gouden hoektand.

'Je bent gek. Wat zou een Hollandse meid hier te zoeken hebben? Alleen jullie mannen kwamen hier.'

Vos knikte naar Koeman. 'Je moet met mijn collega mee naar het politiebureau. We zullen je papieren moeten checken. De wettelijke documenten met betrekking tot dit pand.'

Ze vloekte binnensmonds.

'Dat zal enige tijd in beslag nemen.'

10

Vos begon op de bovenste verdieping en werkte kamer voor kamer af.

Bakker liep met hem mee en keek toe.

'Kan ik iets doen?' vroeg ze.

'Wat denk je dat je zou moeten doen?'

'Teruggaan naar het bureau en proberen Jaap Zeeger op te sporen. Dat meisje... hoe ze ook mag heten...'

'Til Stamm.'

'Die had meer te vertellen.'

Vos fronste zijn voorhoofd.

'Laten we eerst maar even rondkijken.'

'Het is een leeg huis. Zou het niet beter zijn om met mensen te praten?'

Er was niet veel achtergebleven op de bovenste verdiepingen. Lege kamers, felroze ingericht, in een hoek een wasbak en een douche. Een bed. Een paar stoelen.

Op de eerste verdieping was een grote kamer die anders aanvoelde. Een piepklein raam, hoog in de muur. Hoogpolige vloerbedekking, flets roze behang, een groot tweepersoonsbed met een stoffige fluwelen sprei vol roetvlekken. Twee stoelen. De gebruikelijke douchecabine in de hoek. Een stoffige kroonluchter, alsof deze kamer op de een of andere manier bijzonder was.

Vos probeerde uit het raam te kijken. Het was te hoog om naar binnen te kunnen kijken, zelfs vanaf de overkant van de gracht.

Hij doorzocht de dichtstbijzijnde kast. Hoofdzakelijk handdoeken. Op elke handdoek een geborduurde afbeelding van het Oortman-poppenhuis in de hoek. Toen hij een stapeltje lakens tevoorschijn haalde, zag hij hetzelfde borduursel.

'Is dit een bordeel?' vroeg Bakker. 'Met luxe linnengoed?'

'Dat wijst op geld. Wat weten we nog meer?'

Ze sloeg haar armen over elkaar. 'Waarom heb je haar die foto's laten zien?'

Hij haalde zijn schouders op. 'Waarom niet? Het heet Het poppenhuis.

Dat suggereert dat de meisjes hier jong waren. Niet negentien. Ook niet achttien. Als dit een gewoon privéhuis was geweest, zouden we ervan hebben geweten, zoals Koeman zei. Misschien maakten ze hier de meisjes wegwijs in de liefde. Misschien... Weet ik veel.'

Bakker had de hint ter harte genomen en was begonnen met het doorzoeken van de ladekast onder het raam. Ze was zo lang dat als ze op een stoel klom en op haar tenen ging staan, ze uit het gebarsten, met roet besmeurde raam naar buiten kon kijken. De gracht, het plein met de kerk waarin nu een eetcafé en een kroeg waren gevestigd. Een vrachtschip en een rondvaartboot voeren door de gracht.

'Wat zoeken we eigenlijk?' vroeg ze toen ze nog meer handdoeken en lakens aantrof, allemaal met het logo van het poppenhuis in een hoek. 'En waarom hebben ze al dat linnengoed niet weggehaald?'

'Ze was bang,' antwoordde hij. 'De Thaise vrouw. Ze durfde niet eens het huis in te gaan.' Hij krabde op zijn hoofd.

Bakker ging door met het uitkammen van de laden.

'Ik weet niet wat we zoeken,' zei Vos somber. 'Drie jaar geleden wist ik het niet en nu weet ik het nog steeds niet. Frank zal het hier van me moeten overnemen. Ik kan niet...'

Hij zweeg. Ze had de op een na onderste la opengetrokken en aan haar gezicht kon hij zien dat ze iets had gevonden.

Vos liep met grote passen naar haar toe en duwde haar opzij. Hij staarde naar de inhoud van de la. Vier porseleinen poppen. Blond haar. Dode gezichten, pruilmondjes. Ze zagen er duur uit.

In de onderste la lagen kartonnen geschenkdozen. Op de deksels een tekening van het Oortman-poppenhuis. Als Vos een viltstift bij zich had gehad, had hij op een van de deksels de hoeken van een lijkkist getekend. Niet dat dat nodig was.

'Is dit wat hij jou heeft gestuurd?' vroeg Bakker.

Hij liep naar het bed, ging zitten, zei niets.

'Een la vol, Vos. Alsof ze die poppen als souvenir verkochten of zo.'

Vos belde De Groot op het bureau. 'Ik heb een volledig team nodig,' zei hij voordat de commissaris iets kon zeggen. 'We hebben iets gevonden.'

'Wat dan?' vroeg De Groot. Toen Vos was uitgesproken, zei hij: 'Is dat alles?'

'Ja,' zei Vos.

'Je kunt een paar forensische mensen krijgen. Ik kan geen mankracht missen. Degenen die ik je heb meegegeven, worden teruggehaald.'

'Nee, nee. Luister nou, Frank. Dit is belangrijk...'

'Theo Jansen is zojuist ontsnapt,' zei De Groot. 'Ik heb geen tijd voor oude zaken. Ik heb te veel lopende zaken.'

'Geef me alsjeblieft een kans...'

'Heb je daar iets gevonden wat verband houdt met de dochter van Prins?'

'Daar probeer ik juist achter te komen.'

'Niet, dus,' zei De Groot. 'Een paar mensen van de forensische afdeling kun je krijgen. Ze wilden je toch al spreken.'

'Waarover?'

'Over iets waar je om hebt gevraagd.'

'Ik heb rechercheurs nodig,' zei Vos dringend.

'Je kunt Van der Berg krijgen. Zorg dat hij nuchter blijft, als je dat kunt,' zei De Groot, en toen hing hij op.

11

Wim Prins zat aan zijn bureau de plannen voor De Nachtwacht door te nemen toen zijn persoonlijk assistente hem belde om te zeggen dat er een misdaadverslaggever van een van de dagbladen voor haar stond die hem met alle geweld wilde spreken.

'Zeg maar dat ik het druk heb. De volgende keer moet hij een afspraak maken.'

'Het is een vrouw, en ik geloof niet dat ze zich laat wegsturen.' De assistente was een draak van middelbare leeftijd die hij had geërfd. Ze mocht Prins niet. 'Ze zegt dat het over uw dochter gaat.'

Prins deed zijn ogen dicht. 'Wat is er met mijn dochter?'

'Dat wil ze niet zeggen. Alleen maar dat ze iets heeft wat u moet zien.'

'Wat dan?'

De assistente slaakte een zucht. 'Zou het niet makkelijker zijn als u haar dat zelf vraagt?'

De verslaggeefster heette Anna de Vries. Ze liep tegen de dertig, schrander gezicht, zelfvoldane glimlach. Niet in het minst geïntimideerd door zijn aanwezigheid.

'We hebben het razend druk,' zei Prins. 'Kom meteen ter zake.'

Ze haalde een voicerecorder tevoorschijn.

'En stop dat ding weg.'

Glimlachend haalde ze haar schouders op en deed wat hij vroeg. De assistente kwam binnen met koffie en deed de deur achter zich dicht. Anna de Vries schoof heen en weer op haar stoel. Korte rok. Mooie vrouw. Wist hoe ze daar gebruik van kon maken.

'Ik besloot om eerst naar jou te gaan,' zei ze. 'Voordat ik naar de politie ging. Ik wil dat dat jouw beslissing is, niet de mijne.' Ze keek hem vrijmoedig aan. 'Ik heb het zelfs niet aan mijn nieuwsredacteur laten zien. Dus...' Ze legde haar handen op het bureau. 'Ik laat het aan jou over wat je ermee wilt doen. Ik vind alles best.'

Ze pakte haar aktetas en haalde er een bruine envelop en een iPad uit.

'Wonderlijk. Wekenlang alleen maar narigheid en dan twee meevallertjes op één dag.' Ze legde de envelop voor hem neer. 'Bekijk dit eerst maar even. Ik heb ze voor je geprint. Ze zaten als bijlage bij een mail die vanochtend binnenkwam. Jouw naam stond erboven.'

Zeven vellen papier. Geprint op een laserprinter. Een boodschap: 'Regel duizend biljetten van vijfhonderd euro. Stop ze in een diplomatenkoffertje. Zwartleren Tumi. Je hebt een dag de tijd. Dan nemen we weer contact op.'

En foto's. Katja, geen twijfel mogelijk. Op de eerste in een groezelig effen T-shirt, bang, met door drugs verdwaasde ogen die woedend in de camera keken. Een veeg oogschaduw op haar wang, of misschien was het een blauwe plek. Op de tweede foto uitgeput, apathische blik, vet haar. Op de derde...

Prins wreef over zijn slaap. Hij kon wel gillen.

Katja in haar ondergoed, vastgebonden op een stoel, gillend terwijl iets – een zweep of een ijzeren staaf – zo snel op haar neerkwam dat de beweging wazig was.

'Een half miljoen euro,' zei de verslaggeefster zacht. 'Wauw.'

'Dit moet naar de politie.'

Prins stak zijn hand uit naar de telefoon. Haar hand hield hem tegen. 'Ik ben nog niet klaar.'

Ze pakte de iPad.

'Weet je,' zei Anna de Vries, 'ik word maar zelden in verlegenheid gebracht tijdens mijn werk. Dat verleer je in de loop der tijd. Maar dit...'

Ze bedekte theatraal haar ogen en drukte op PLAY. Ze slaakte een zucht en zette het geluid zachter toen het gegrom te luid werd.

Wim Prins reikte over het bureaublad heen en zette de iPad af.

'Coalitiepolitiek.' Ze grijnsde onbeschaamd. 'Het brengt mensen echt bij elkaar, hè? Hartverwarmend, in zekere zin. Maar wat je vrouw...'

'Wat wil je?'

Ze knipperde met haar ogen.

'Is dat een serieuze vraag? Ik ben verslaggever. Ik wil een verhaal. Mijn verhaal. Exclusief.' Ze tikte op haar jasje. 'Voor mij alleen.'

Hij wachtte.

'Als ik dit nu kon schrijven, dan zou ik dat zeker doen,' voegde ze eraan toe. 'Je dochter. Jij neukend met je coalitiegenote. Een vroeg kerstcadeautje.'

De grijns verdween.

'Je hebt voor elkaar gekregen dat bureau Marnixstraat de berichtgeving heeft stopgezet. Ik zou de eerste zes pagina's kunnen vullen, maar ik mag verdomme geen woord schrijven. Je wordt bedankt.'

'Wat wil je?' vroeg hij nog eens.

Ze trommelde met haar vingers op de bruine envelop.

'Ik wil dat jij je dochter terugkrijgt. Gezond en wel. Dat meen ik. Wat je hieraan gaat doen...' Ze knikte naar de iPad. 'Dat laat ik aan jou over. Ik heb het aan niemand laten zien. Zoals ik al zei, zelfs niet aan mijn baas. Alleen jij en ik, Wim. In ieder geval moet je met de foto's en de boodschap naar de politie. Dit...' Ze streek met haar vinger over de iPad. 'Dit kan voorlopig onder ons blijven.' Ze zweeg even. Grijnsde. 'Als je daar geen bezwaar tegen hebt.'

'Ga verder.'

Ze kneep haar ogen tot spleetjes.

'Ben je echt zo traag van begrip of doe je alsof? Doe wat je moet doen wat Katja betreft. Los het op. En dan, als die narigheid voorbij is... als het stopzetten van de berichtgeving wordt opgeheven... praat je met me. Met mij en niemand anders. Het grote verhaal. Hoe je je verslaafde dochter hebt teruggekregen. Hoe je gezin dit te boven gaat komen. Sterker wordt.'

Prins wachtte af.

'Hoe je een poosje bent ontspoord. Het spoor bijster was. Margriet Willemsen is een mannenverslindster. Ben jij de enige sukkel in deze stad die dat niet weet? Háár carrière staat op het spel. Niet de jouwe. Niet als je alles eerlijk bekent. Niet als we dit op de juiste manier aanpakken.'

Ze pakte de iPad van het bureau en stopte hem in haar aktetas.

'Ik weet dat we allemaal worden geacht goede protestanten te zijn, maar in ieder van ons zit een katholiek trekje. We kunnen zo ongeveer alles vergeven. Als iemand maar alles opbiecht. Dat is goed voor de ziel. Vind je ook niet?'

Wim Prins voelde zich beroerd.

Anna de Vries stond op, haalde een visitekaartje tevoorschijn, schreef iets op de achterkant en gooide het op het bureau.

'Dat is mijn privénummer. Mijn adres staat er ook op. Het is niet ver hiervandaan. Als je liever daar praat...'

Hij keek op het kaartje. Een adres in de buurt van het Spui.

'Je zegt het maar. Bel...'

'En niemand heeft dit gezien? Helemaal niets ervan?'

'Dat zei ik toch? Ik wil dit verhaal. Ik laat het aan niemand zien tot de tijd rijp is.'

Toen ze weg was, belde hij bureau Marnixstraat. De Groot klonk verontrust.

'Hoe gaan ze contact opnemen?' vroeg de commissaris.

'Al sla je me dood.'

De Groot bleef even stil. Toen zei hij: 'Ik stuur iemand langs om op te halen wat je hebt. We laten de forensische dienst ernaar kijken om te zien of we kunnen vaststellen of het echt is.'

'Er zijn foto's. Ik ken mijn dochter.'

'Ik bedoelde een echte ontvoering. Geen afpersing. Ze zullen hoe dan ook van zich laten horen. Om iets af te spreken. Ik moet weten...'

‘Is dat alles?’

Het bleef even stil.

‘Nee. Maar er spelen op het ogenblik ook andere zaken. Of had je het nog niet gehoord?’

Prins luisterde naar het nieuws over Jansens ontsnapping en voelde zich op een schuldbewuste manier dankbaar. De politie zou hem tenminste niet met moeilijke vragen bestoken.

Toen belde hij Margriet Willemsen en zei: ‘We moeten praten.’

12

Het Begijnhof was een hofje met hoge huizen achter het drukke Spui. Een zonderling anachronisme in de drukke moderne stad: een katholieke leefgemeenschap voor vrouwen, die eeuwen geleden haar oorsprong vond. Rustig, vredig, afgezonderd, op de stroom toeristen na die door de poortjes het hofje in liepen. Niet echt een nonnenklooster, maar het scheelde niet veel.

Keurig gemaaid gras, in het midden pikkende duiven, bomen. Enkele toeristen wandelden langs het verzorgde gazon.

Theo Jansen zat bij het raam in een bovenwoning en streek over zijn ruwe kin en wangen. De baard was verdwenen dankzij Maartens zorgvuldige werk. Net als het lange witte haar. Zijn huid was rood en pijnlijk. Hij was tot een besluit gekomen.

De vrouw in de kamer was twee jaar jonger dan hij. Geverfd bruin haar, te lang voor haar, en een vriendelijk, rimpelig gezicht. Ze droeg een geelbruine jurk, ouderwets, met daaroverheen een bruine trui. Een vervaagde tatoeage op haar rechterpols was het enige wat op een ander leven wees.

'Heb je haar de laatste tijd dikwijls gezien?' vroeg Jansen.

'Ik was de vijand, nietwaar? De vrouw die maar het beste vergeten kon worden. De vrouw die jou in de steek had gelaten.'

'Daar had je je redenen voor. Het was geen leven voor jou. Ik heb nooit...' Jansen groef in zijn geheugen en probeerde zich voor de geest te halen hoe het precies was gegaan. Toentertijd was de wereld snel en beangstigend geweest. Zijn greep op de drugsmarkt en de nachtclubs was verre van zeker. Hij had net zo makkelijk dood in de goot terecht kunnen komen als de mannen die hij had gedood. 'Ik had nooit gedacht dat je bij me weg zou gaan. En toen je dat deed...'

Het volgende was waar. Dat moest hij geloven.

'Ik heb Rosie nooit bij je weg willen houden. Ik hoopte...'

'Wat, Theo? Dat we vrienden konden blijven?'

Ze hadden elkaar leren kennen toen zij studeerde en in een van zijn bars werkte om de kost te verdienen. Een intelligent meisje. Altijd haar woordje klaar. Nooit bang voor hem, in tegenstelling tot alle anderen in die tijd.

'Suzi. Dat deed ik nu eenmaal. Nog steeds. Ik kan niks anders.' Hij keek naar haar en zag de strijdlustige, mooie jonge vrouw op wie hij verliefd was geworden. 'Ik kon niet weglopen. Mezelf veranderen. Of...' Hij gebaarde naar buiten. 'Godsdienstig worden of zo.'

Hij krabde op zijn kale hoofd en ontdekte dat dat pijn deed.

'En ik heb ook nooit geweten dat je katholiek was.' Jansen stak een vermanende vinger naar haar op. 'Als je me dat toen had verteld, zou misschien niks van dit alles ooit...'

Ze begon te huilen. Hij stond op en sloeg zijn armen om haar heen. Kuste haar geverfde haar. Het rook anders dan vroeger, niet meer naar bloemen en de rook van joints.

'Sorry, hoor,' fluisterde Suzi. 'Ik denk steeds dat het een nare droom is. Ik hoop steeds...'

Haar armen gleden om zijn middel en haar handen raakten elkaar niet meer zoals vroeger. Hij was dik en oud. Toch bleven ze een hele tijd zo staan. Toen droogde ze haar tranen met haar mouw en hij ging weer op zijn stoel zitten en nam een slokje van zijn lauwe koffie. Ze had het nieuws over de moord op Rosie op de radio gehoord. Hij kon haar niets vertellen wat niet al algemeen bekend was. Hun dochter was voorpaginanieuws. Dertig seconden op het journaal na het bericht over de aanslag voor het gerechtsgebouw aan de Prinsengracht. Het echte verhaal was een op handen zijnde bendeoorlog. De mensen vreesden voor hun eigen leven, niet dat van een stel criminelen.

'Bedankt dat je me in huis hebt genomen,' zei hij. 'Ik weet niet waar ik anders heen zou moeten.'

'Maar stel dat ze weten wie ik ben? Dit is het Begijnhof. Het is voor vrouwen. Ik kan je hier een poosje onderdak geven als mijn gast. Ik zal zeggen dat je mijn... neef bent. Dat kan wel.'

Ze veegde weer met haar mouw over haar gezicht. Het Begijnhof was een soort toevluchtsoord. Bijna een gevangenis, maar gematigd. Suzi woonde in het Houten Huys, dat net als de andere huizen in wooneenheden was opgesplitst. Op een bord naast de deur stond dat het dateerde uit het begin van de zestiende eeuw. Jansen had het gezien toen hij aankwam en zich afgevraagd hoe Amsterdam in die tijd was geweest. Hoeveel anders.

'Wanneer wordt ze begraven?' vroeg ze. 'Mag ik naar de begrafenis?'

'Dat weet ik niet. Dat hangt af van de zaak. Als Pieter Vos de leiding heeft, zoals ik heb gevraagd, dan misschien... binnenkort. Vos is een fatsoenlijke kerel.' Jansen dacht aan de uitdrukking op Vos' gezicht toen ze hadden staan ruziën. 'Hij kent dit soort pijn. Maar die klootzak van een Mulder...'

'Waarom? Waarom Rosie?' vroeg ze. Dat vond hij de moeilijkste vraag van allemaal.

Jansen liet zijn hoofd hangen, wreef zich in de ogen en zei: 'Ik heb geen idee. Dat ze mij wilden vermoorden? Dat kan ik me voorstellen. Waarom niet?' Hij schoof de koffie opzij en wenste dat ze een fles jenever in de kast had staan. 'Rosie heeft zich nooit met de zaken bemoeid.'

Ze staarde hem aan.

'Bijna niet,' voegde hij eraan toe.

Het was onmogelijk om het uit te leggen. Zich te verontschuldigen. Iets anders te doen dan een verhaal vertellen dat deze vrouw, iemand van wie hij ooit had gehouden, met afschuw zou vervullen. Het idee van wraak zou zelfs toen ze nog bij elkaar waren voor haar onverdraaglijk zijn geweest. Nu, in de vredige vrome sfeer van het Begijnhof, waar ze tweemaal daags in gebed verzonk...

'Ik blijf niet lang,' beloofde hij.

'Waar ga je dan naartoe?'

'Naar Maarten. Ken je Maarten nog?' Jansen wreef over zijn gemillimeterde haar. 'Hij is tegenwoordig kapper. Ik heb hem geholpen de zaak op te zetten toen hij een ander leven wilde. Hij is erg goed. Hij kent mensen die me de stad uit kunnen krijgen. Als ik ergens een paspoort kan regelen, kunnen we naar Spanje rijden. Ik heb daar een huis.'

Hij probeerde naar haar te glimlachen.

'Je zou me kunnen opzoeken als je wilt. Het is in de buurt van Malaga.'

Hij zag twijfel op haar gezicht.

Jansen zei: 'Dat zou ik met Rosie gaan doen als ik vrijkwam. Dat hadden we afgesproken. Dat is wat ik de rechter heb verteld. Ik heb alles opgegeven.' Hij salueerde als een padvinder. 'Ik ben eindelijk een brave jongen geworden.'

'Waarom ben je dan ontsnapt, Theo?'

Ze was nog net zo scherpzinnig als vroeger, terwijl de tijd en de gevangenis zijn aangeboren geslepenheid hadden afgestompt.

'Omdat als ik word teruggebracht naar de Bijlmerbajes, Jimmy Menzo me daar van kant maakt.'

Die ijzige, veroordelende blik. De blik die zei: 'Leugenaar'. Nu wist hij weer waarom ze uit elkaar waren gegaan, niet schreeuwend, niet haatdragend. De oorzaak was simpelweg een wederzijds gebrek aan vertrouwen geweest.

'Wat wil je van me?' vroeg ze.

'Een bed voor een paar nachten. Een biertje of drie...'

Daar moest ze om lachen en dat moedigde hem aan.

'Verse haring en worst. En kaas. En...' Hij stond op en drukte weer een kus op haar haar. '... jouw gezelschap.'

De plotseling opkomende tranen vormden twee glimmende stroompjes op haar bleke wangen. Hij wenste dat ze er niet waren, dat hij iets kon doen.

‘God, wat heb ik dat gemist, en ik zou willen dat Rosie er ook van kon genieten.’

‘Bier en haring,’ zei ze terwijl ze opstond. ‘Kaas heb ik wel.’

Haar bewegingen waren stram. Oud. Niet lelijk oud zoals hij. Mooi oud. Een ander soort schoonheid, veel aangrijpender dan de in het oog springende, sensuele aantrekkingskracht waarvoor hij vroeger was gevallen.

‘Ik doe mijn best,’ zei ze, en ze stak een hand uit en raakte zijn rasperige kin aan. ‘Je ziet er goed uit zonder die stomme baard en dat hippiehaar. Je lijkt een ander mens.’

‘Ik ben blij dat te horen.’

‘Maar dat ben je niet, hè, Theo? Een ander mens, bedoel ik?’

Hij keek uit het raam in een poging haar blik te ontwijken.

‘Ik moet straks bij Maarten langs. Voor geld en dat paspoort.’

Ze knikte, had dit verwacht.

‘Ik zal jou erbuiten laten,’ beloofde hij. ‘Ik zal niks doen wat jou moeilijkheden kan bezorgen.’ Hij dacht erover na en besefte dat hij het meende. ‘Dat heb ik vaak genoeg gedaan, en ik verdien je vergiffenis niet. Toch?’

‘Nee,’ zei ze terwijl ze haar jas pakte en haar portemonnee, en keek of er genoeg geld in zat. ‘Maar als je alleen degenen vergeeft die het verdienen... wat heeft dat voor zin?’

13

Van der Berg verscheen met het forensisch team. Een gezette man van vijfenveertig met een pokdalig gezicht en flets peper-en-zoutkleurig haar. Hij rook naar aftershave, sterk genoeg om de geur van bier te verhullen. Een oude truc die nooit werkt.

'Het is een gekkenhuis,' zei de rechercheur nadat ze witte overals hadden aangetrokken. 'Theo Jansen is weer op vrije voeten.' Ze bevonden zich in de kamer op de eerste verdieping met het tweepersoonsbed, de kroonluchter, de lakens en de handdoeken. Alles roze en vol roetvlekken. 'Dit alles... Wat is er in godsnaam aan de hand?'

Vos vroeg hoe Jansen was ontsnapt.

'Theo was alleen. Heeft een jong agentje in de toiletruimte in elkaar geslagen,' zei de rechercheur. 'En hem zijn pistool afgepakt.'

Het forensisch team was aan het fotograferen. Vos wendde zich tot de leider, wees naar de kale, houten vloer en zei: 'Die foto's kunnen wel even wachten. Ik wil luminol.'

Hij liep naar het hoge raam en trok het zware gordijn dicht.

'Alles op z'n tijd,' antwoordde de man.

'Katja Prins kan nog in leven zijn. Ik hèb geen tijd.'

De man in het witte pak leek op het punt te staan ertegen in te gaan, maar zag daar toch maar van af.

'Laten we het dan wel volgens de regels doen,' zei hij.

Hij trok het gordijn open. Sprak zijn team toe. Vroeg de drie politiemensen om buiten te wachten terwijl ze aan de slag gingen.

Op de overloop overhandigde Van der Berg Vos het rapport waarom hij eerder had gevraagd.

'Heb je het gelezen?' vroeg Vos.

'Waarom zou ik?'

Vos haalde zijn schouders op, liep naar een hoek en begon te lezen.

Ze sloegen hem gade. Ze keken toe toen hij de trap afliep, de koude, bewolkte dag in. Verzonken in iets waarnaar ze alleen maar konden raden.

'Wat was het?' vroeg Bakker.

'Iets waarom hij had gevraagd, over de zaak van zijn dochter. Een technisch rapport. Meer weet ik niet.' Van der Berg fronste zijn voorhoofd. 'Het kan me niet schelen wat Frank de Groot zegt, Pieter zou dit niet moeten doen. Het is destijds bijna zijn dood geworden.'

'Verwacht je dan dat hij op die stomme boot blijft zitten duimendraaien? Of in het Rijksmuseum naar een poppenhuis gaat zitten staren?'

Hij keek haar kwaad aan. 'Ik ben daar een paar keer geweest. Heb geprobeerd hem mee te krijgen. Om een biertje te pakken of zo. Denk jij echt dat hij naar dat poppenhuis zat te staren? Naar een stuk hout?'

'Wat anders?'

De ervaren rechercheur keek haar nu wat vriendelijker aan, bijna neerbuigend.

'Hij staarde niet naar het huis, maar naar de poppen. Ik weet niet of hij dacht daarin een antwoord te vinden. Of dat zijn dochter daarop leek of zo...' Hij leunde tegen de met roet besmeurde muur. 'Hij wilde er niet over praten. Hoor eens... dit is allemaal prima als het goed uitpakt. Maar wat als het niet goed uitpakt? Als we de dochter van Prins ook verliezen? En we er nog steeds niet achter komen wat er in godsnaam aan de hand is?'

Hij had een mistroostig gezicht, hij glimlachte makkelijk, maar niet lang. Van der Berg keek naar de muur en trok met zijn vinger een lange streep in de roetlaag. Eronder zat roze behang.

'Er is hier iets wat niet klopt.'

'Heb jij aan de zaak van Anneliese gewerkt?'

'Reken maar. We hebben allemaal geholpen waar we maar konden. Maar dit...' Hij maakte ruimte toen twee leden van het forensisch team met spuitbussen en tl-lampen de kamer in liepen. 'Die vent van toen kwelde Pieter alleen maar. Hij vroeg nooit ergens om. Wilde alleen zijn leven tot een hel maken. Ze was waarschijnlijk van begin af aan al dood. Dat wisten wij en dat wist hij ook.'

'Hij denkt dat Katja Prins nog leeft,' zei Bakker.

'Ja. En Pieter Vos heeft doorgaans gelijk. Uiteindelijk.' Hij knikte naar beneden. 'Als een stomkop als ik al een vaag idee krijgt dat dit anders is, dan weet hij het zeker. Hij weet ook altijd veel meer dan hij loslaat. Daar werden we vroeger gek van.'

Bakker liep de trap af en vond Vos buiten. Hij zat op het muurtje met een sigaret in zijn hand.

'Ik wist niet dat je rookte,' zei ze. 'Gewone sigaretten dan.'

Zijn ogen stonden glazig. Ze keek hem vragend aan.

'Ik rook niet,' zei Vos, en hij gooide de peuk in de goot.

'Gaat het een beetje?'

Hij staarde naar een rapport, een enkel vel papier, op zijn schoot. Vos stopte het terug in de envelop toen ze probeerde te kijken wat erin stond.

'Iets wat ik moet weten?' vroeg ze.

'Til Stamm vertelde ons dat Katja in een afkickkliniek had gezeten. Betaald door haar vader. Het Gele Huis, heet het. Het is een liefdadigheidsinstelling. Regressietherapie. Het verwerken van ervaringen uit je verleden.'

Bakker leunde tegen het plastic en de steiger voor de verbrande gevel.

'Waarom zou de forensische dienst je een rapport sturen over een liefdadigheidsinstelling?'

'Dat hebben ze niet gedaan.' Hij haalde een briefje van twintig euro uit zijn zak. 'Om de hoek is een erg goede patatzaak. Wil je alsjeblieft patat voor ons halen?' Hij trok een peinzend gezicht. 'Welke saus? Welke saus...?'

Ze sloeg haar armen over elkaar.

'Curry, als ze die hebben. Breng ook maar een portie voor Van der Berg mee, maar hij wil altijd mayonaise. En iets voor jou. En iets te drinken. Water voor mij. Zonder prik. Ik heb de pest...'

'Je hebt de pest aan prik.'

'Hoe weet je dat?'

Laura Bakker keek naar het geld. 'Gokje. Ik snap het niet. Het ene moment behandel je me bijna als een gelijke en het volgende moment als je bediende. Waar slaat dat op?'

'Saté,' zei hij, zwaaiend met het biljet. 'Ik heb me bedacht. Als ze saté hebben, dan wil ik dat.'

14

Margriet Willemsen zat met Prins aan zijn bureau. Hij vertelde haar over de verslaggeefster. Ze leek heel kalm. Bijna alsof het haar niet verbaasde. Toen pakte ze het visitekaartje van Anna de Vries van het bureau en wierp er een vluchtige blik op.

Hij leunde achterover op zijn leren managersstoel en probeerde rustig te worden.

'Ken je haar?' vroeg ze.

'Die vrouw is misdaadverslaggever. Waar zou ik haar van moeten kennen? Wat heb je nog meer gedaan?'

Een jonge agente had de foto's en het losgeldbriefje opgehaald. Prins had kopieën achtergehouden. Hij had haar verteld dat de documenten ergens die ochtend in de brievenbus van het raadskantoor waren geschoven.

'Dat was niet bepaald slim, Wim. De politie zal de beelden van de bewakingscamera willen bekijken. Als ze beseffen dat er niemand op te zien is... wat ga je dan zeggen?'

'Jansen is vanochtend ontsnapt. De Groot heeft belangrijker zaken aan zijn hoofd.'

Ze pakte de kopieën op, keek de foto's vluchtig door en stopte bij de foto van Katja in haar ondergoed, die in elkaar dook voor iemand die buiten beeld bleef.

'Dit kan nog altijd een spelletje van haar zijn. Wat ga je nu doen?'

'Ik denk dat ik het geld wel bij elkaar kan schrapen. Als het moet. Ik wil...' Hij bracht een hand naar zijn slaap, voelde de druk daar. 'Ik wil Katja terug. Misschien kunnen we deze keer iets vinden wat wél werkt.'

'Hoe vaak heb je dat niet gezegd? Die verslaggeefster... heeft ze dat filmpje aan iemand anders laten zien?'

'Ze zei van niet,' antwoordde hij, en hij vroeg zich af hoe Margriet Willemsen erin was geslaagd hem zo makkelijk in de verdediging te drukken.

'Geloof je haar?'

Hij had zichzelf die vraag ook al gesteld.

'Ze is ambitieus. Ze wil een deal sluiten. Ze kan het verhaal nu niet schrijven doordat De Groot de berichtgeving heeft stopgezet. Als ik akkoord ga en haar een exclusief verhaal geef als alles achter de rug is, dan zal ze... begrip tonen.'

Willemsen knikte en dacht even na. 'Wat betekent dat je toegeeft dat wij een verhouding hebben, dat je teruggaat naar Liesbeth, hand in hand met je dochter, en je de stad vergiffenis vraagt?'

'Zo ongeveer...'

'Terwijl ik het etiket van slet krijg opgeplakt. Stookster in een goed huwelijk. Hoer. Denk je dat ik dat zal overleven?'

Hij schudde zijn hoofd. 'Misschien valt er met haar te onderhandelen...'

'Ze heeft een filmpje van ons samen in bed, Wim. Denk je nou echt dat ze dat niet zal gebruiken?'

Daar had hij geen antwoord op.

Margriet Willemsen haalde haar telefoon tevoorschijn en belde Alex Hendriks. Toen ze de verbinding had verbroken keek ze Prins aan en zei: 'Luister. We kunnen dit allebei overleven. Er misschien zelfs sterker uitkomen. Maar je moet me vertrouwen. Je moet doen wat ik zeg. Ga mee met alles wat er nu gebeurt. Ik was niet van plan om dit vandaag ter sprake te brengen, maar dat secreet van de krant dwingt ons tot handelen.'

Hij wilde lachen, maar dat kon hij niet. Er glipte hem iets door de vingers.

Ze keek op haar horloge. Zei niets tot Hendriks verscheen. Samen met Danny Smit, waarnemend leider van Prins' partij De Progressieven, een zenuwachtige, magere, jonge boekhouder uit de voorstad. Te verlegen en te dom om uit eigen beweging te handelen.

'Danny,' zei Prins toen ze gingen zitten. 'Alex. Wat komen jullie doen?'

Willemsen keek hem strak aan. 'Ik heb Danny in vertrouwen genomen. Over Katja en het politieonderzoek.'

'Je wordt bedankt,' zei hij.

'Je hebt onder zware druk gestaan vanwege De Nachtwacht. Dat is iedereen duidelijk,' vervolgde ze. 'Of niet soms?'

Danny Smit knikte gehoorzaam.

'Nu... door het politieonderzoek...'

Er ging Prins een licht op. 'Ho even. Jullie kunnen deze zaken niet bespreken zonder...'

'Dat kunnen we wel,' onderbrak Hendriks hem. 'En dat moeten we ook. Je hebt verantwoordelijkheden jegens je gezin. Dat begrijpen we. Maar wij hebben ook verplichtingen jegens de gemeenteraad. Het is belangrijk dat we stappen ondernemen voordat de boel uit de hand loopt, Wim. Dat is ons in de afgelopen vierentwintig uur duidelijk geworden.'

Een alarmbel rinkelde in Prins' hoofd.

Hij wees naar Willemsen.

'Gisteren nog probeerde ze me ertoe te brengen je te ontslaan. Wat zullen we nou...?'

'Dat gesprek kan ik me niet herinneren,' viel Willemsen hem in de rede. 'Waar vond dat plaats dan? Wanneer?'

Prins deed zijn ogen dicht en lachte. 'God nog an toe. Is dit een machtsgreep of zo?'

Hendriks had een documentenmap bij zich. Hij haalde er een vel papier uit en legde het op het bureau.

'Het is voor ieders bestwil,' zei Willemsen. 'Jij trekt je terug als locoburgemeester, om privéredenen. Je behoudt je zetel in de raad. Je kunt je op je gezin concentreren. Als de thuissituatie weer rustiger is, kom je terug. Dan zoeken we een goede plek voor...'

'En De Nachtwacht?'

Danny Smit vond eindelijk zijn stem.

'De consensus in de groep is dat we misschien een beetje te ver zijn gegaan. De ideeën die je najoeg waren ambitieuzer dan we oorspronkelijk overeengekomen waren.'

'Wie heeft je onder druk gezet, Danny?' snauwde Prins. 'Menzo? Jansen? Een andere criminele oplichter die de Wallen overspoelt met hoeren en drugsdealers?'

Smit reageerde verontwaardigd. 'Dit is ook voor jouw bestwil. We vinden allemaal dat het het beste zou zijn als je een tijdje een stapje terug doet. Margriet zal de leiding overnemen.'

Prins barstte in lachen uit.

'Ik word haar waarnemer,' voegde Smit eraan toe. 'Dan, over een halfjaar, als ik genoeg ervaring heb opgedaan, neem ik het roer van haar over. Tenzij jij je goed genoeg voelt om terug te komen.'

'Denk je?' vroeg Prins.

Smit keek hem verontwaardigd aan.

'Je moet aan je gezin denken. Dat doen wij ook.'

Hendriks schoof het vel papier dichter naar Prins toe. 'Het is een formaliteit,' zei hij. 'De beslissing is al genomen. We hebben je handtekening niet nodig. Het is in ieders belang dat er geen ophef komt. De Groot verwacht je op bureau Marnixstraat. Daar hoor je nu te zijn. We zijn in gedachten bij je. We hopen...'

'Krijg de klere,' snauwde Prins. 'Jullie kunnen allemaal de klere krijgen.'

'We kunnen je wel even de tijd geven om je spullen te pakken,' voegde Hendriks eraan toe.

'Nee, dat kunnen we niet,' zei Margriet Willemsen onmiddellijk. 'Je moet gaan, Wim. Geen ophef, alsjeblieft. Wij nemen van nu af aan de media voor onze rekening.'

Ze staarden hem alle drie aan.

'Ik haal liever niet de bewaking erbij,' voegde Margriet er na een poosje aan toe. 'Maak deze lastige situatie alsjeblieft niet nog lastiger.'

Prins lachte. Stond op. Keek de drie om de beurt aan. Sloeg met zijn vuist op de stoel. 'Ik wil deze terug.'

Margriet knikte en zei: 'Er is later nog genoeg tijd om daarover te praten. Als de gemoederen tot bedaren zijn gekomen.'

Danny Smit zag eruit alsof hij een lach onderdrukte. Zonder nog een woord te zeggen liep Prins de kamer uit.

Een lange stilte.

'Krijg ik nu je kantoor?' vroeg Smit. 'Vandaag nog?'

Margriet liep om het bureau heen en ging op de grote leren stoel bij het raam zitten. Ze liet hem een keer ronddraaiden.

'Nee. Morgen. Jij kunt nu ook gaan.'

Smit overwoog om tegen te sputteren, maar stond op. Net als Hendriks.

'Jij niet, Alex.'

Margriet Willemsen wachtte tot de jonge politicus was vertrokken.

'Ik had geen idee dat we hem zo vlug al hiermee zouden overvallen,' zei Hendriks. 'Ik had verwacht dat hij zich heviger zou verzetten.'

'Echt waar?' Ze rommelde in haar aktetas.

'Wat doen we met de afspraken in zijn agenda?' vroeg hij. 'De besprekingen over De Nachtwacht. De zakenlui. De vakbonden. Wil je dat ik alles afzeg?'

'Ik neem de afspraken over. De zaken gaan gewoon door. Zorg dat iedereen op de hoogte wordt gebracht. Wim neemt tijdelijk verlof wegens familieomstandigheden. Dat is het verhaal.'

Hij had zijn iPad tevoorschijn gehaald en checkte zijn mails terwijl ze sprak.

'Je bent echt gek op je speeltjes, hè?' zei ze glimlachend.

Hendriks lachte. 'Ja. Eigenlijk wel.'

Ze haalde het videocameraatje dat ze in de slaapkamer had aangetroffen tevoorschijn. 'Wat denk je hiervan?'

Hij pakte het kleine zwarte apparaatje van haar aan en bekeek het van alle kanten.

Alex Hendriks aarzelde even. Keek haar aan en grijnsde. 'Mooi dingetje,' zei hij toen. 'Vind je niet?'

15

Ze zaten voor het Poppenhuis in witte overals van de forensische dienst patat met saus te eten uit puntzakjes.

Van der Bergs blik ging steeds naar de kroeg aan de overkant van de gracht. Hij keek Vos vluchtig aan, maar die zei: 'Vergeet het maar.'

Toen ze uitgegeten waren, verzamelde de rechercheur hun zakjes en servetjes, gooide ze in een afvalbak en stak een sigaret op. Hij sloeg nauwelijks acht op Bakker toen die de rook wegwuifde.

'Lekkere patat, Vos,' zei ze.

Hij haalde zijn schouders op. 'Er zijn betere patatzaken. Vlaams Friteshuis Vleminckx, bijvoorbeeld, als je het niet erg vindt om in de rij te staan...'

'Ik wil het eigenlijk niet over patat hebben. Waar wachten we op?'

'Wachten,' zei Van der Berg. 'Wat zou het leven zijn zonder wachten?'

'Interessanter, misschien?' zei ze.

Hij lachte.

'Afwachting, meisje. Dat moet je leren waarderen.'

'Ik wacht op een flauw grapje over koeien,' voegde ze eraan toe.

'Koeien?' vroeg Van der Berg niet-begrijpend.

'Laat maar...'

Een forensisch medewerker kwam naar buiten en zei dat ze zover waren.

'Niet in de weg lopen,' beval Vos. 'Goed kijken. Doe wat ze zeggen.'

Ze liepen de trap op naar de kamer op de eerste verdieping. Twee medewerkers van het forensisch team stonden bij het raam met een dikke lap plastic om het licht buiten te houden. Drie anderen hadden een niet-brandende tl-lamp in de hand. De leider van het team had een camera in elke hand, een om te fotograferen en een om te filmen. Hij knikte. De dikke lap plastic ging omhoog. De tl-buizen gingen aan.

'Dertig seconden,' zei Van der Berg. 'Hooguit een minuut. Dan weten we of er hier iets is.'

De tl-lampen wierpen hun licht op de vloer achter in de kamer. Niets.

Toen het midden van de kamer. Niets.

Aan de voorkant, onder het kleine raam, werd een blauwe vlek zichtbaar. De camera's stortten zich erop.

'Baas,' zei iemand.

'Ik ben bezig,' antwoordde de man met de camera's.

'Dit moet je zien.'

Vos liep erheen. Op de muur zat een grotere blauwe vlek.

'Goed,' zei de man met de camera's toen hij naast hen verscheen en de plek fotografeerde en filmde.

Helderblauw. Bijna levend in het tl-licht.

Vos bleef naast hen staan terwijl ze aan het werk waren.

'Niet veel,' zei de teamleider. 'Kan gewoon een vechtpartij zijn geweest. Iemand die in elkaar geslagen is. Misschien zelfs een ongelukje.'

Hij bleef filmen en foto's maken. De mannen met de tl-lampen liepen eromheen, de lampen als wapens voor zich uitgestoken.

Geen blauwe vlekken meer, en de vlekken die ze hadden gevonden waren al verbleekt.

De teamleider zei tegen Vos: 'Ik zei toch dat we dit op mijn manier hadden moeten doen. In een andere volgorde.'

Hij gaf de camera's aan een van zijn ondergeschikten en liet de lap plastic voor het raam weghalen.

Een lange stilte. Toen voegde hij eraan toe: 'Dit is oud bloed. Het kan niet van Katja Prins zijn. Het is niet recent. Volgens mij is deze kamer in geen jaren gebruikt.'

'Op een paar maanden na drie jaar,' zei Vos. 'Dat vertelde de Thaise vrouw ons. Ze was op vakantie. Toen ze terugkwam, was de tent dicht, en ze heeft niet eens overwogen om de zaak te heropenen.' Hij zweeg even. 'Dat was augustus. Toen...'

Hij hoefde zijn zin niet af te maken.

'We gaan een DNA-test doen,' zei de man. 'Met spoed. Zodra ik de uitslag heb, laat ik het je weten.'

'DNA,' mompelde Vos. 'Oké.'

Hij liep de trap af, ging naar buiten, pakte zijn telefoon en checkte zijn berichten. Niets nieuws.

Van der Berg volgde hem. Enkele duiven sloegen hen gade toen Bakker verscheen, die al lopend iets opschreef in haar notitieboekje.

'Je zou je eigenlijk uit de zaak moeten terugtrekken, Pieter,' zei Van der Berg. 'Het komt te dichtbij. Zo. Ik heb het gezegd.'

'Katja Prins wordt vermist.'

'Is Katje de enige naar wie je zoekt?' Bakker keek hem aan en wachtte op een antwoord.

'Ze moet ergens zijn,' zei Vos.

'Ik zie geen verband tussen haar en dit huis,' zei Van der Berg. 'Jij wel?'
'Nee,' gaf Vos toe. Hij keek Bakker aan. 'Wat nu?'
'We gaan terug naar de Warmoesstraat,' stelde ze voor. 'Daar is ze het laatst gezien. En dat meisje. Til Stamm.'
'Waarom?' vroeg Vos.
'Er klopte daar iets niet,' zei ze. 'Dat zei ik toch. Ze loog tegen ons.'
Vos' telefoon ging. Ze zwegen terwijl hij luisterde naar de bulderende stem van De Groot.
'De Warmoesstraat kan wel wachten,' zei hij toen hij de verbinding had verbroken.

16

Margriet Willemsen lachte. Ze besefte dat Hendriks erg in zijn nopjes was met het verloop van de zaak, dus misschien moest zij dat ook maar zijn.

'Ik vind dat je je speeltjes nu maar op moet bergen, Alex. We hebben wel wat beters te doen.'

Hendriks haalde zijn schouders op, verzamelde zijn telefoons en tablet en stopte alles in zijn koffertje.

'Hoe lang heeft de camera tussen die boeken gestaan?'

'Doet dat er iets toe?' vroeg hij.

'Ja.'

'Lang genoeg. Kijk dan...'

Hij stond op en liep naar het raam. Ze kwam bij hem staan.

'Wat Prins wilde was krankzinnig,' zei hij. 'Er zouden slachtoffers vallen. En waarvoor? Je kunt de klok niet terugdraaien. Ik wilde gewoon wat munitie. Ik ben niet van plan die te gebruiken.'

'Waar heb je het in godsnaam over?'

'Waar het om gaat...' Hij knikte naar de grijze stad achter het glas. 'De mensen daar. Onze mensen. Pas wat zuiveringsmaatregelen toe. Ik zal je helpen. Maar we zijn de taliban niet. Laten we maar niet al te veroordelend te werk gaan.' Een flauw lachje. 'Dat zou ons geen van beiden goeddoen.'

Ze zwaaide met een vermanend vingertje voor zijn kalme, bleke gezicht.

'Er is al een filmpje gelekt,' zei ze. 'Die verslaggeefster heeft een kopie van Prins en mij van gisteren.'

Hendriks kneep zijn ogen tot spleetjes en zei: 'Onmogelijk.'

'Ze heeft hem. Wim heeft hem gezien.'

Hij trok wit weg.

'Ik heb niemand iets gestuurd. Als Wim zou doorgaan met die onzin... als hij zou proberen me te ontslaan... dan zou ik hem ermee hebben geconfronteerd. Ik heb niet...'

'Genoeg,' onderbrak ze. 'Geen gelul. Ik wil de waarheid. Die verslaggeefster...'

'Welke verslaggeefster?' vroeg hij.

Ze werd kwaad.

'Anna de Vries. Dat mens is hier geweest. Ze had het filmpje. Wim heeft het op haar iPad gezien.'

Hendriks leek stomverbaasd. 'Ze heeft het niet van mij. Ik was helemaal niet van plan het openbaar te maken.'

Willemsen ging weer op de grote leren stoel zitten en gebaarde dat hij tegenover haar moest plaatsnemen. Ze pakte het spionagecameraatje en gooide het op zijn schoot.

'Ik wil dat je alles wist wat je hebt.'

'Tuurlijk. Maar...' Hendriks leek bang. 'Je moet me geloven, Margriet. Ik begrijp er niks van. Hoe kan dat filmpje zijn gelekt? Gaan ze iets publiceren?'

'De berichtgeving is stopgezet, weet je nog? Vanwege de dochter. Zodra dat voorbij is...' Ze krabbelde iets op het notitieblok dat voor haar lag. 'Ik handel het wel af. Doe jij nou maar precies wat ik je zeg.'

Hendriks werd zenuwachtig.

'Ik kan verklaren dat hij jou onder druk heeft gezet, als je dat wilt. Zodat je overkomt als slachtoffer.'

Willemsen kneep haar ogen tot spleetjes.

'Verdient een slachtoffer het om deze stad te runnen?'

Geen antwoord.

'Zoals ik al zei,' zei ze. 'Ik handel het wel af. Zorg jij nou maar dat je alles wat je hebt wist.'

17

Hendriks liep door de gang naar zijn kantoor, verifieerde de naam van de verslaggeefster bij zijn assistente, ging naar zijn bureau en zocht haar op op internet.

Anna de Vries. Achtentwintig. Misdaadverslaggeefster bij een van de Amsterdamse dagbladen. Voor zover hij kon zien geen connecties met het stadhuis. Geen belang bij de plaatselijke politiek.

Hij bewaarde al zijn privémateriaal in een cloudaccount, altijd en overal toegankelijk. Muziek, documenten, foto's. Er waren met de camera in de slaapkamer van Margriet Willemsen maar twee filmpjes opgenomen die de moeite waard waren. Eentje was duidelijk Prins van de dag daarvoor. De andere, van een week geleden... hij wist het niet precies. Het was later op de avond en ze deden het licht niet aan. In het donker was het niet goed te zien. Zo te zien was het Prins niet, maar hij kon het niet met zekerheid zeggen.

Hendriks was handig met computers. Het cloudaccount hield een toegangslog bij. Een tekstbestand in de rootmap. Hij keek om zich heen. Alleen de assistente was in de buurt. Er was een uitzendkracht geweest, een sjofele, jonge stagiaire, maar ze was nergens te bekennen.

Hij vond de log en opende hem.

Er hadden maar drie IP-adressen in moeten staan: zijn werk-pc, zijn iMac thuis en het mobiele account voor zijn iPad en telefoon. Hendriks zag nu ook een vierde. Hij kopieerde het en plakte het in het zoekbalkje op een site waar je IP-adressen kon opzoeken. Een van de grote telecombedrijven. Een bedrijf dat miljoenen huishoudens gebruikten voor telefonie en internet.

Maar hij niet.

Hij was gehackt.

Hendriks wiste met trillende vingers de inhoud van het account, ging naar de prullenbak en verwijderde alles definitief.

Hij probeerde zijn gedachten te ordenen.

Er was de laatste tijd niemand in zijn woning geweest. Hij was in geen jaren een telefoon kwijtgeraakt. De logica dicteerde dat de enige plek waar iemand zijn wachtwoord had kunnen stelen hier was, op kantoor. Van het bureau van de algemeen directeur van de gemeente, een plek die hij beschouwde – misschien onverstandig – als privé, als veilig.

Soms logde hij niet eens uit als hij wegliep van zijn bureau. Aan iemand die een beetje verstand had van computers bood hij daarmee toegang tot die privéopslag van informatie.

De assistente werkte er al jaren. Een saaie, trouwe, gehoorzame dienares van de raad.

Dan was daar nog de sjofele stagiaire. Ze was twee weken eerder gestuurd door een liefdadigheidsinstelling die mensen hielp werkervaring op te doen. Ze was slechts sporadisch komen opdagen. Hij zou haar de laan uit gestuurd hebben als dat niet zo'n slechte indruk zou hebben gemaakt.

Hendriks stond op en ging naar de assistente.

'Wat is er met dat meisje gebeurd dat we als stagiaire hebben aangenomen om die instelling een plezier te doen?'

Ze lachte. 'O, bedoelt u Til?'

'Heette ze zo?'

'Til Stamm. Ze kwam uit Limburg. Kon u dat niet horen?'

Hendriks schudde zijn hoofd. 'Ik heb maar weinig met haar gesproken. Waar is ze?'

De vrouw haalde glimlachend haar schouders op. 'Wie zal het zeggen? Ze is na de lunch niet meer teruggekomen.'

'Hebben we haar adres?'

Ze toetste iets in, vond het adres en printte het.

'Ik ga een poosje de deur uit,' zei Hendriks. 'Waarschijnlijk kom ik vandaag niet meer terug.'

'De persvoorlichting laat het bericht over Prins uitgaan,' zei ze.

Hij pakte zijn jas en zijn aktetas.

'Die verklaring is alles wat ze krijgen,' zei hij. 'Geen interviews. Geen woord meer.'

18

De kapper woonde in een piepkleine woning achter zijn zaak. Er was een deur die toegang gaf tot de steeg erachter. Jansen kon vanuit Suzi's hoge houten huis in het Begijnhof door een van de zijpoortjes de straat op glippen en dan zijn weg naar de kapperszaak van Maarten voor het grootste deel in de schaduwen afleggen.

Niet dat hij echt bang was om gezien te worden. Zonder de witte baard en het lange haar zou hij niet makkelijk herkend worden. Hij was in de gevangenis zwaarder geworden. Zijn buik was dikker, zijn spieren verslapt doordat hij geen gebruik had gemaakt van de sportfaciliteiten. De gevangenis was een eenzame, geestdodende ervaring geweest. Hij wilde niet meer terug.

Er was trouwens werk aan de winkel. Je bent geen ander mens, had Suzi gezegd, en zoals gewoonlijk had ze gelijk.

Het was bijna zes uur toen hij aanklopte bij Maartens achterdeur. De kapper deed open met een brandende sigaret in zijn hand. Hij had een bordje op de voordeur gehangen: WEGENS ZIEKTE GESLOTEN. Hij had de middag doorgebracht met telefoneren en de spullen verzamelen waar Jansen om had gevraagd: telefoons, geld, een wapen. En een paspoort. Belgisch, met een lege plek voor de foto.

Het eerste wat hij deed toen Jansen arriveerde was hem een biertje aanbieden. Het tweede was met een kleine digitale camera een foto van hem maken.

'Ik krijg het vanavond terug,' zei hij. Hij haalde het geheugenkaartje uit de camera en stopte het samen met het paspoort in een envelop. 'Je hoeft alleen maar te zeggen wanneer je wilt vertrekken.'

Jansen klopte hem op de schouder. 'Ik zal je rijkelijk belonen.'

De kapper schudde zijn hoofd. 'Dat is nergens voor nodig. Wat er met Rosie is gebeurd... Jezus. Ik kan het nog steeds niet geloven. Weet je zeker dat het Menzo was?'

'Wie anders? Wie zou het durven?' Hij keek naar het kleine pistool op tafel. Ernaast stonden twee doosjes met patronen. 'Wat is dit? Een kinderspeeltje?'

Maarten grinnikte. 'Ja. Ik vond hem ook nogal klein. Het is het eerste waar ik de hand op kon leggen. Beretta 9000.' Hij trok het magazijn eruit, laadde het met kogels. 'Twaalf schoten.' Hij haalde twee reservemagazijnen uit zijn zak. 'Die kerel zei dat je moest oppassen dat het vizier niet in je zak blijft haken als je het tevoorschijn haalt. Afgezien daarvan is het een prima wapen.'

Jansen pakte het pistool op, woog het in zijn hand.

'Het is lang geleden dat je je met dergelijke dingen hebt beziggehouden, Theo. Waarom laat je het niet aan iemand anders over?'

'Dit niet,' zei Jansen. 'Wat weten we?'

Maarten had strikte instructies gehad. Alleen praten met mensen die hij kon vertrouwen. Dat gold voor iedereen. Vooral degenen bij de politie die ze betaalden.

'Menzo is gisteren naar Oostende gevlogen. Zodat hij een alibi heeft.'

'Met wie?'

'Die zwarte vriendin van hem. Zijn meisje. Miriam Smith. Een van de velen. Maar hij schijnt gek op haar te zijn. Ze runt de zaken als hij de stad uit is.'

'En verder?'

'De politie zoekt naar de dochter van Wim Prins. Ze weten niet of ze Prins een streek levert of dat ze is ontvoerd. Er schijnt een losgeldeis te zijn. Een half miljoen euro. Vos houdt zich ermee bezig. Mulder behandelt nog steeds Rosies zaak.' Hij zweeg even. 'En nu ook die van jou.'

'Mulder,' bromde Jansen. Hij zag de lange rechercheur weer voor zich, zoals hij in de rechtszaal had gezeten met een sluwe grijns op zijn gezicht toen al die leugens die hij Jaap Zeeger had aangepraat voor waar werden aangenomen.

'Ze wachten op Menzo's terugkeer. Ze hebben niet genoeg om hem in Oostende te arresteren.'

'Lindeman...'

'Hij zegt...'

De kapper likte zijn lippen. Nerveus.

'Wat zegt hij?' vroeg Jansen.

'Hij zegt dat je stom bent geweest. Als je een dag of twee had gewacht, hadden ze je toch wel vrijgelaten. Die Nachtwacht-onzin die Prins probeerde door te voeren gaat niet gebeuren. Dat was op het nieuws. Prins heeft zich uit de raad teruggetrokken. Privéredenen. Hij denkt dat hij terugkomt. Hij heeft het mis. Daar leek Lindeman veel over te weten, maar mij heeft hij natuurlijk niks verteld.'

De kapper ging naar de koelkast om nog een biertje te pakken. Jansen schudde zijn hoofd en stond op om voor zichzelf koffie te zetten.

'Kijk even of je het telefoonnummer van Vos kunt achterhalen,' zei Jansen. 'Ik moet misschien met hem praten.'

De kapper maakte een aantekening.

'Hij is in dat pand aan de Prinsengracht geweest dat we als privéhuis gebruikten.'

'Jezus, Maarten. Verwacht je nou echt dat ik me elk pand herinner dat ik in de stad bezit?'

De kapper haalde zijn schouders op.

'Dat zal dan wel niet. We hebben ons er niet mee bemoeid. We hebben een Thaise hoer betaald om de zaak te runnen.'

'Ik wist niet eens dat we daar een privéhuis hadden. Wat heeft dat ermee te maken?' vroeg Jansen.

'Misschien niks. Het is niet meer van ons. Het schijnt dat Menzo de zaak heeft overgenomen. Haar heeft bewerkt. De tent was al een tijdje gesloten. Ik denk dat niemand de boel meer in de smiezen hield toen jij werd gearresteerd. Als je wilt kan ik...'

Jansen maakte een afwijzend gebaar. 'Wat moet ik ermee? Een rottig privéhuis. Ik heb genoeg geld om een miljoen privéhuizen te kopen.'

'Dat kan wel zo zijn, maar Vos is er om de een of andere reden in geïnteresseerd. Het Poppenhuis. Zo heette het vroeger. Zegt dat je iets?'

De forse man ging zitten en keek over de tafel heen naar de kapper. 'Poppen?'

'Ben je er nooit geweest?'

'Dat zei ik toch. Ik wist niet eens dat ik die tent had.'

Kapper Maarten schoof heen en weer op zijn stoel.

'Jij wel?' vroeg Jansen.

'Eén keer maar.' Hij trok een gezicht. 'Het waren kinderen. Het was geen tent voor ons.'

'Met wie rekende die Thaise af?'

'Niet met mij,' zei Maarten vlug. 'En ik heb niet gevraagd met wie wel.' Hij aarzelde. 'Het werd behoorlijk gewelddadig toen jij de lik in ging, Theo. Het was oorlog, en wij waren de verliezende partij.'

Voordat Jansen iets kon zeggen, ging het mobieltje van de kapper. Hij keek naar het nummer, knikte naar Jansen en zei: 'Ja?'

Een kort gesprek.

'Menzo's toestel wordt om zeven uur op het vliegveld van Lelystad verwacht,' zei Maarten toen hij de verbinding had verbroken. 'Waarschijnlijk is hij een uur later terug in de stad. Hij maakt meestal gebruik van een van zijn huizen vlak bij het station.'

Jansen pakte het pistool weer op en draaide het om in zijn hand. 'Hoeveel mensen weten dat ik hier ben?' vroeg hij.

'Niemand. Ik heb tegen iedereen gezegd dat ik niet weet waar je bent ondergedoken. Dat je me alleen maar belt als je iets nodig hebt.' Hij lachte. 'Dat is niet gelogen, toch?'

Het magazijn ging er makkelijk in en uit. Hij zag dat het vizier inderdaad uitstak. Jansen stak de Beretta in zijn broekzak, trok hem eruit, oefende een paar keer om het pistool met één soepele beweging tevoorschijn te kunnen halen.

'Heb je hulp nodig?' vroeg de kapper weinig enthousiast.

'Ik heb vervoer nodig,' zei Theo Jansen.

19

Vos liet het aan Van der Berg over om de Thaise te ondervragen. Bakker en hij gingen naar het kantoor van De Groot. Prins was daar met Liesbeth.

Op het bureau stonden koffie en biscuitjes, het welkom voor de politicus. Ze bleven onaangeroerd.

Frank de Groot stond over een doorzichtig plastic mapje gebogen dat naast de kopjes lag.

Vos liep erheen en las het losgeldbriefje, Bakker stond vlak achter hem. Toen bekeek hij de foto's.

'Zijn ze echt?' vroeg De Groot.

'Het is Katja,' zei Prins. 'Wat moeten we doen?'

'Je zorgt voor het geld!' beet Liesbeth hem toe.

Iedereen wachtte af.

'Ik zorg voor het geld,' zei Prins. 'Ik heb me teruggetrokken uit de raad...' Hij legde een zenuwachtige hand op zijn hoofd. 'Tot dit alles achter de rug is.'

Vos vroeg verbaasd: 'Waarom heb je dat gedaan?'

'Dat leek me het beste,' mompelde Prins. Hij wees naar het geprinte e-mailbericht en de foto's. 'Heeft ze dit in scène gezet of niet?'

'Wat denk je zelf?' vroeg Vos.

Aller ogen waren op dat moment op Prins gericht.

'Ik geloof dat ze me haat. Ik weet niet waarom.'

Meer zei hij niet.

'Ze hebben om geld gevraagd,' zei Vos. 'Ze nemen contact met je op over een tijd en een locatie. Die moeten we weten.'

'Vanzelfsprekend,' zei Prins.

'Wat ga je verder doen?' vroeg Liesbeth. 'Behalve criminelen laten ontsnappen.'

'Theo Jansen zou toch vrijgelaten zijn,' antwoordde Vos. 'Als we hem deze keer aanhouden, blijft hij tenminste in de gevangenis. Voor iets wat hij daadwerkelijk heeft gedaan.'

Terug naar Prins.

'Kun je verder nog iets bedenken waar we mogelijk iets aan hebben?' vroeg hij. 'Is je misschien iets opgevallen?'

'Zoals?'

'Weet ik veel. Iemand die zich vreemd gedraagt. Iemand op kantoor.' Hij keek naar het bericht dat op het bureau lag en schoof het mapje over het houten bureaublad. 'Een vreemde mail misschien.'

De politicus verstarde.

'Nee. Is dat alles? Kunnen we nu gaan?'

'Als je dat wilt,' antwoordde Vos.

'Wat ga je doen, Pieter?' vroeg Liesbeth nog eens.

'Dat zei ik al. We werken aan de zaak.' Hij keek Prins weer aan en zei: 'Heb je vandaag je privémail gecheckt?'

'Ik was op kantoor. Te druk. Hoezo?'

Vos liep om het bureau heen, ging op de stoel van De Groot zitten en bracht de computer tot leven. Toen haalde hij de USB-stick uit zijn zak.

'Ik, eh... moet je iets opbiechten. Ik ben vanochtend bij Liesbeth langsgegaan. Toen ze de kamer uit was, heb ik in je computer gekeken. Daar vond ik een e-mail.' Een geamuseerde frons. 'Normaal gesproken zou ik er niet naar hebben gekeken, maar de afzender was iemand die zich "Poppenmeester" noemt. Dat maakte me nieuwsgierig. Zegt die naam je iets?'

Prins knipperde met zijn ogen. 'Heb je mijn e-mail gelezen? Dat mag zomaar niet.'

Vos wuifde het weg en zei: 'Dat geldt voor een heleboel dingen. Je dochter wordt vermist. De zaak lijkt verband te houden met poppen. Een zekere Poppenmeester stuurt je een mail.' Hij glimlachte naar Liesbeth. 'Jij wilt dat ik iets doe. Doet het er iets toe?'

'Wat stond erin?' vroeg De Groot.

'Niks,' zei Vos. 'Helemaal niks. Alleen een bijlage.'

Hij stak de USB-stick in de computer, zocht het bestand op en opende het.

Een filmpje. Ze keken allemaal over Vos' schouder mee.

Een donkere kamer, twee bewegende gedaanten, de een boven op de ander. Geluiden. Beddenveren, gekraak van hout, gezucht.

'Dat ben ik niet,' riep Prins uit. 'Dat ben ik niet!'

Margriet Willemsen zat naakt boven op iemand die nauwelijks te zien was. Haar borsten deinden in een traag ritme op en neer. Zachte, bijna onhoorbare zuchten. Op het laatst een diep gebrom, en toen viel ze lachend over hem heen. Het beeld bevroor. Eind van het filmpje.

'Poppenmeester,' zei Vos. 'Ik vroeg je of je die naam kende. Je gaf geen antwoord.'

'Ik ken verdomme die naam helemaal niet!' schreeuwde Prins. 'Dat ben ik niet.'

'Ik heb helemaal niet gezegd dat jij het was, wel dan?' Vos wees naar het scherm. 'Volgens de datum van het bestand was dit vijf dagen geleden. Om acht uur 's avonds. Jij zat toen in Rotterdam voor een congres. Dat heb ik nagetrokken. Hoewel je de datum van bestanden kunt veranderen.' Hij haalde de USB-stick uit de computer, gaf hem aan Bakker en vroeg haar om hem aan de forensische dienst te geven, zodat ze konden proberen meer details zichtbaar te maken. 'Het is duidelijk Margriet Willemsen. Ik kan niet zien wie de man is. Misschien kan de forensische dienst het beeld helderder maken. Waarom het aan jou is opgestuurd...?'

Prins zat te zweten. Keek zenuwachtig om zich heen.

'Dit heeft te maken met De Nachtwacht, hè?' zei hij. 'Vanaf het moment dat ik zei dat ik die smeerlappen zou aanpakken, hebben ze het op mij gemunt. Jij!' Hij priemde met een vinger naar De Groot. 'Jij hoort ons hiertegen te beschermen.'

Bakker liep met de mail en de USB-stick het kantoor uit.

'Jij zorgt dus voor het geld?' vroeg Vos.

'Dat zei ik toch?'

'Laat het op de bank staan tot ik het zeg. Verder nog vragen?'

Zelfs Liesbeth kon niets meer bedenken. Prins en zij vertrokken. Frank de Groot stak een korte preek af over wat wel en niet geoorloofd was.

'Verdomme, Pieter. Zoiets is reden voor ontslag. Prins zou je voor de rechter kunnen slepen.'

Vos haalde zijn legitimatiebewijs uit zijn zak en legde het op het bureau. 'Alsjeblieft,' zei hij.

De Groot schoof de kaart naar Vos terug. 'Wees de volgende keer niet zo stom.'

'Waarom doe ik dit eigenlijk?' vroeg Vos. 'Wat heeft het voor zin?'

'Ik heb je nodig,' zei de commissaris. 'Is dat niet genoeg?'

'Niet echt. Je hebt Mulder.'

'Mulder heeft het druk met de jacht op Jansen en degene die zijn dochter heeft vermoord! Ik heb te weinig mankracht om...'

Er was iets wat De Groot niet wilde zeggen.

'Vooruit,' smeekte Vos. 'Voor de draad ermee, Frank. Dat gedraai is niks voor jou.'

'Vlak voor je binnenkwam kreeg ik een telefoontje uit het privéhuis. De forensische dienst vond dat ik het als eerste moest horen.'

Vos wachtte af. Toen De Groot bleef zwijgen zei hij: 'Er is daar niks wat Katja Prins met dat huis in verband brengt. Theo Jansen heeft het geld verstrekt om de zaak op te zetten. Ik vermoed dat Menzo de zaak heeft overgenomen nadat jij Jansen hebt laten opsluiten. Er ligt daar bloed. Ik weet het niet zeker, maar ik vermoed dat het van Anneliese is. Het DNA...'

'Ze hebben onder de vloerplanken haar buskaart gevonden. Met haar foto. Haar handtekening.'

Vos ging zitten en sloot zijn ogen.

'Het staat vast dat het haar bloed is,' voegde De Groot eraan toe. 'Ze hebben onmiddellijk een monster naar het lab gestuurd voor een DNA-test. Het schijnt dat ze om de een of andere reden de DNA-gegevens van Anneliese al tevoorschijn hadden gehaald.' De Groot legde een hand op Vos' schouder. 'Het spijt me, Pieter.'

Vos knikte.

'Er was niet veel bloed,' zei hij. 'Het betekent niet...' Dit klonk stom, maar ook reëel. 'Het betekent niet dat ze dood is.'

De Groot slaakte een zucht.

'Wanneer ga je het Liesbeth vertellen?'

'Nu niet. Wat deed ze in godsnaam in zo'n tent?'

'Zestien,' zei De Groot. 'Ze lopen niet aan een leiband. Je loopt niet de hele dag achter ze aan, hè?'

'Nee,' zei Vos.

Bakker stond in de gang op hem te wachten.

'Er is iets wat je moet weten...'

'Als het over de buskaart gaat...'

'Welke buskaart? Jimmy Menzo. Zijn vliegtuig is zojuist geland op Lelystad.'

Drie kwartier, hooguit een uur terug naar de stad. Menzo woonde in een pand schuin tegenover het Centraal Station. Tegenwoordig een in het oog lopende crimineel.

'Van der Berg kan het privéhuis uitkammen,' zei hij. 'Wij gaan onderweg even langs de Warmoesstraat.'

20

Jimmy Menzo parkeerde zijn Beechcraft in de grote hangar op de luchthaven van Lelystad. Hij liep naar buiten via de minimale beveiliging. Miriam Smith droeg hun weekendtas.

Er was niemand. Geen enkele politieagent. Dat had hij niet verwacht. Ze wachtten hem natuurlijk op in de stad.

Het was bewolkt en er viel een lichte regen. Ze liepen zwijgend naar de zilverkleurige Mercedes sedan. Er was een regel waar ze tijdens uitstapjes als dit nooit van afweken. Ze hielden zaken en plezier strikt gescheiden. Geen onnodige telefoontjes. Alleen lekker eten, goede wijn. En waar hij verder ook maar zin in had. Ze spraken niet over Amsterdam of Theo Jansen, ze keken geen tv. Eigenlijk hadden ze weinig méér gedaan dan drinken, blowen en neuken, nadat hij eenmaal had afgerekend met die Surinaamse jongens en het telefoontje had doorverbonden met de zus van die ene, op de Wallen.

Met haar was inmiddels ook afgerekend. Hij vond zichzelf een geduldig mens, hij nam nooit overhaaste besluiten. Hij wilde tijd om na te denken.

De Mercedes reed in de drukke avondspits, een kwartier van huis, toen Miriam Smith eindelijk op haar telefoon het nieuws bekeek.

'Wat is er?' vroeg Menzo toen ze binnensmonds vloekte.

'Jansen is ontsnapt,' zei ze. 'Ze wilden hem niet vrijlaten, dus is hij uitgebroken. Je had niet tegen iedereen moeten zeggen dat ze ons met rust moesten laten.'

'Ik wil me ook wel eens ontspannen,' snauwde hij.

Hij schakelde de radio van de rockzender naar het nieuws. Viel er halverwege in. Theo Jansen, gewezen bendeleider in Amsterdam, werd vermist na zijn ontsnapping uit een busje waarmee hij naar de gevangenis werd gebracht. Daarna een kort verslag van de moord op zijn dochter, dat haar lichaam was gevonden in een sloepje in de Prinsengracht, bij de woonboot van een voormalig rechercheur, kort na de aanslag op Jansens leven.

Menzo luisterde en zette na aan het eind van het bericht de radio af. Hij schudde zijn hoofd en lachte een beetje bij zichzelf.

'Het helpt als ik weet wat er speelt, Jimmy,' zei ze met een gespannen Antilliaans accent. 'Ik vind het irritant als ik in het duister moet tasten. Vooral als er oorlog komt.'

Het verkeer kroop met een slakkengangetje voort. Door de airco was het in de Mercedes zo koud dat Menzo zijn overhemd aan zijn huid voelde kleven. Dat vond hij prettig. Als kind in Paramaribo had hij in de tropische hitte te veel lange, slapeloze nachten zwetend doorgebracht.

'Hij wordt woest,' zei ze.

'Nee,' zei Menzo. 'Hij slaat op de vlucht. Theo is niet achterlijk. Hij begrijpt het als hij verloren heeft. Ze hebben een huis in Spanje. En in Florida. Hij vertrekt. En zal ik je eens wat zeggen?'

Hij bracht een vinger naar zijn mond. Ze kende het gebaar, stak een sigaret voor hem op en gaf hem die. Menzo nam een lange trek en hevelde de sigaret over naar zijn rechterhand.

'Ik ga niet achter hem aan,' zei hij. 'Gestopt is net zo goed als dood.'

Ze sloeg haar sterke armen over elkaar, leunde achterover en ademde diep in en uit. Dichter bij woede kwam ze nooit.

'Wat nu weer?' vroeg hij.

'Je hebt zo lang tegen die ouwe lul gevochten, en je begrijpt hem nog steeds niet.'

Een ijsblauwe Volkswagen Kever schoot in de ruimte voor de Mercedes. Menzo ramde op de claxon, schudde zijn vuist. Kreeg een venijnige blik en een verontschuldigende zwaai met de hand terug.

'Hoe bedoel je?' vroeg hij.

'Je hebt zijn dochter vermoord!' riep ze uit.

Ze naderden de rand van de stad. Nog even en ze waren thuis. Hij kon iets te eten bestellen. Een fles wijn opentrekken. Zich een paar dagen gedeisd houden.

De politie zou hen op staan wachten. Ze wisten vast en zeker dat hij terug was. Maar ze konden niets doen behalve vragen stellen en luisteren naar de stilte die volgde.

'Je hebt zijn dochter vermoord,' zei ze nog eens, en ze stampte met haar elegante glanzende schoenen op de vloer. 'Dat is niet zoals het hoort. De shit met die Vos. Haar dumpen naast zijn boot...'

'Jezus nog an toe, hou je klep even dicht. Ik probeer na te denken.'

Ze staarde hem aan. 'Ik hoor alles te weten, Jimmy. Hoe kan ik anders een oplossing zoeken voor al die shit als het verkeerd loopt?'

Hij zei niets.

'Nou?' vroeg ze.

'Ik had je willen vragen hoe het zit met Rosie.' Hij sloeg de weg naar het centrum in. Nog een half uur. Hooguit. 'Ik dacht...'

'Wat dacht je?'

'We hadden een deal,' zei Menzo. 'Rosie en ik. We konden goed met elkaar overweg. Ik had al eerder zaken met haar gedaan. Ik heb haar vorige week gesproken. Alles was geregeld. Als zij Jansen de lik uit kon krijgen en hem kon overhalen naar dat huis in Spanje te gaan, was alles koek en ei.'

Ze sloeg met haar handpalmen op het dashboard. 'Dat heb je me niet verteld.'

'Wat had dat voor zin?' vroeg Menzo met stemverheffing. Hij werd kwaad. 'Ze was er helemaal voor in. Maar toen...' Hij had er indertijd heel goed over nagedacht. Wilde echt dat het zou werken. Maar Jansen was niet iemand die zich gewonnen zou geven. 'Theo zou nooit akkoord zijn gegaan. Ik kon het niet riskeren.'

'Dat heb je me niet verteld!'

Een wit Ford-busje dook achter hem op, kwam zo dicht bij zijn achterbumper dat hij niet eens kon zien wie er aan het stuur zat.

'Wie ben je nou helemaal, Miriam? Een omhooggevallen hoer die doet wat haar wordt gezegd. Hou je bek of ik laat je weer vallen, en dan mag je een privéhuis in Utrecht runnen. Als je geluk hebt.'

Ze rechtte haar rug en schudde haar hoofd.

Hij vond het niet makkelijk om te rijden en tegelijkertijd na te denken.

'Bedoel je dat jij Rosie niet koud gemaakt hebt?' vroeg Menzo. 'Als cadeautje, een extraatje of zo?'

'Ik ga niet zomaar vrouwen lopen vermoorden. Niet zonder reden.'

Menzo draaide het raam open en gooide de sigaret naar buiten. Toen klikte hij het handschoenenvakje aan zijn kant open. Daarin lag de Walter PPS, gloednieuw, genoeg patronen.

'Wie heeft het dan in godsnaam gedaan?' vroeg hij zich hardop af.

En toen schoot hem nog iets te binnen.

'En waarom proberen ze Vos erbij te halen? Ik wil niet dat hij zich ermee bemoeit. Niet weer.'

Miriam Smith gaf geen antwoord. Ze zag er bang uit, en het was lang geleden dat hij dat had meegemaakt.

Menzo dacht even na. Hij zette zijn linkerknipperlicht aan.

'Waar ga je naartoe?' vroeg ze.

'Terug naar Lelystad,' zei hij. 'Het is tijd voor vakantie. Kroatië misschien. Cyprus.'

Ze reden op een brede weg. Vier rijbanen, twee in iedere richting. Het was daar verboden te keren, maar er was geen verkeerspolitie in de buurt.

Menzo zag zijn kans en draaide aan het stuur om een U-bocht te maken.

Op dat moment ramde het witte busje de Mercedes, hard en luid. Ze schoten naar voren en de veiligheidsgordels trokken strak.

Een ander geluid. Een geluid dat Menzo maar al te goed kende. Versplinterend glas. Er vloog iets langs zijn oor.

Jimmy Menzo sloeg met zijn vuist het glas uit de verbrijzelde voorruit tot hij weer iets kon zien, gaf plankgas en maakte met krijsende banden een bocht van honderdtachtig graden, in een poging het busje van zich af te schudden.

Hij kon nu zien dat er twee mannen in zaten. De bestuurder en daarnaast een kale man met een rood gezicht, woedend en vastberaden, die uit het raam hing met een pistool in zijn hand.

De Mercedes slipte op de gladde weg, de achterkant zwaaide uit en ramde een tegemoetkomende motor. Menzo haalde de Mercedes uit de slip en kreeg hem weer onder controle. De weg terug naar Lelystad was behoorlijk druk, weinig ruimte om in te voegen.

Het witte busje maakte ook een U-bocht en probeerde hen te volgen.

De man op de passagiersplaats van het busje was Theo Jansen. Hij zag er anders uit. Kwader dan Menzo hem ooit had gezien.

Menzo voegde in op de buitenste baan en gaf weer plankgas.

21

Zes straten van haar kantoor naar haar appartementje bij het Spui. Anna de Vries liep in gedachten verzonken door de drukke stad. De ontmoeting met Prins was minder goed verlopen dan ze had gehoopt. Nu trok hij zich terug uit de gemeenteraad. Dat was een politiek verhaal. Daar kon ze niets mee.

Wachten hoorde geen deel uit te maken van het werk. Een verhaal kwam aan het licht. Werd geschreven. Dan op naar het volgende. Maar wat ze die middag tegen Prins had gezegd, was waar: haar opties waren beperkt. Bureau Marnixstraat had contact opgenomen met elke krant, elk radio- en tv-station en elke nieuwswebsite in Nederland en ze voor een simpele keus gesteld: zich neerleggen bij de mediastilte over de ontvoering van Katja Prins of de consequenties onder ogen zien. Met de op handen zijnde bendeoorlog in de stad wilde niemand onschuldige slachtoffers op zijn geweten hebben. Niet dat Katja Prins het etiket 'onschuldig' droeg. De Vries had in de digitale bibliotheek genoeg krantenartikelen gelezen om te weten dat ze in de afgelopen twee jaar dikwijls met de politie in aanraking was gekomen en nooit voor de rechter was beland.

Invloed. Wim Prins was een invloedrijk man geweest toen hij een vooraanstaand strafpleiter was. Als locoburgemeester...

Die tijd zou nog komen. Het was een kwestie van geduld. Ongeacht hoe ze het Prins-verhaal zou brengen na de doorbraak – of Katja wel of niet levend werd teruggevonden – Wim Prins zou te gronde gaan. Hij kon de berouwvolle vader en echtgenoot spelen zo veel hij wilde, maar het filmpje van hem in bed met Margriet Willemsen vertelde zijn eigen verhaal, een verhaal dat geen script behoefde.

De Vries liep een rustig cafeetje binnen en bestelde een broodje. Ze woonde alleen. Ze had geen eten in huis. Geen tijd om boodschappen te doen. Het deed er niet toe, niet met het verhaal dat ze te pakken had, het grootste in jaren.

En Margriet Willemsen...

De ijskoningin van de rechtse EU-haters. Gereserveerd, strak gezicht, altijd haar oordeel klaar. Haar onderuithalen zou een genoegen zijn. De Vries kon het applaus al bijna horen. Misschien zou ze er zelfs een onderscheiding mee in de wacht slepen. En zo niet, dan nog...

Ze bestelde een biertje en lachte bij zichzelf. De man naast haar, lang, van middelbare leeftijd, ernstig gezicht, glimlachte en bood aan het te betalen.

'Ik kan mijn eigen drankjes betalen,' zei ze, en ze keek hem zo vernietigend aan dat hij zijn schouders ophaalde en wegliep.

Geen tijd voor afleiding. Ze had hard moeten knokken om een baan bij de krant te krijgen. Nog harder om misdaadverslaggever te worden. En de strijd was nog maar net begonnen.

Halverwege het biertje ging de telefoon in haar jaszak. De Vries haalde het toestel tevoorschijn en keek naar het scherm. Een sms. Naam: Wim Prins. Hij schreef: *We moeten praten. Café Singel. Half uur.*

Een klein bruin café, een paar minuten lopen, niet ver van haar appartementje. Vreemd dat Prins haar daar wilde treffen. Op zo'n openbare plek.

Laat het de moeite waard zijn, sms'te ze terug.

Geen antwoord. Anna de Vries keek in haar tas. De iPad zat erin. Ze gaf er een klopje op, glimlachte en liep de avond in.

22

De Mercedes raasde over de snelweg in de richting van Lelystad, zigzaggend door het verkeer. Jimmy Menzo keek om de haverklap in de achteruitkijkspiegel. Hij had de voorruit er voor het grootste deel uit geslagen. Koude aprillucht stroomde de auto in, ijskoude regen geselde hun ogen.

Miriam Smith keek om. Het witte busje volgde hen, zwenkte tussen de auto's achter hen door, volgde hun bewegingen enkele seconden later.

Het zag er niet naar uit dat hun achtervolgers het zouden opgeven.

'Geef me het pistool,' zei ze.

Menzo gaf een ruk aan het stuur en reed rakelings langs een bus.

Links doemde een veld op, in felle kleuren, alsof een reus van een schilder het vanuit de lucht had beschilderd.

Tulpen. Rood, geel en paars, in stroken van een kwart kilometer breed. Ze waren de stad uit, op weg naar het vliegveld. Ze probeerde zich voor te stellen wat er op Lelystad zou kunnen gebeuren. Ze zouden weer door de beveiliging moeten. Voor elke internationale vlucht moest een vluchtplan worden ingediend.

Dit kon zo niet doorgaan.

'Geef me verdomme dat pistool, Jimmy!' riep ze.

Hij opende op de tast het handschoenenvakje, pakte het wapen en gooide het haar toe, gevolgd door een doos patronen.

Ze controleerde het magazijn: vol. Ze klikte haar veiligheidsgordel los. De waarschuwende piep klonk. Ze vloekte, kantelde de rugleuning van haar stoel zo ver mogelijk achterover en dook naar de achterbank. Haar hakken bleven haken in het leer en de gordel, haar benen maaiden. Enkele seconden later vonden haar knieën steun en zat ze in elkaar gedoken voor de achterruit. Ze richtte zich op.

Ze graaide naar de portiergrepen voor houvast om overeind te blijven. Het pistool viel. De patronen vlogen in het rond, over het leer, op de vloer. De Mercedes zwenkte weer scherp opzij. Banden krijsten. Jimmy Menzo vloekte en schreeuwde achter het stuur.

Haar hoofd sloeg tegen het linkerportier. Toen gaf Menzo een ruk aan het stuur de andere kant op, en ze vloog tegen het rechterportier.

Een kort moment van duizeligheid. Het gevoel dat niets van dit alles echt kon zijn. Haar rok was opgekropen tot halverwege haar dijen. Haar mond deed pijn, de zoute smaak van bloed achter haar lippen.

Ze bukte zich en maaide met haar handen over de vloer. Eindelijk vonden haar vingers het pistool.

Ze richtte zich op en keek door de achterruit.

Het busje reed op een afstand van twee autolengtes achter hen en leek aan de Mercedes vast te zitten. Twee mannen achter de voorruit. De man met het pistool was Theo Jansen, zonder de baard en het lange witte haar. De Kerstman leek voorgoed verdwenen. En hij bleef haar strak aankijken.

'Godverdomme!' zei Miriam Smith, en toen schoot ze dwars door de achterruit.

Ze schudde haar jasje van zich af, wikkelde het om haar vuist en probeerde een gat te slaan in het gecraqueleerde glas.

Na enkele seconden hard beuken kon ze er net doorheen kijken.

Het witte busje was er nog steeds. Ongehavend. Meedogenloos. Het denderde op hen af, langs de velden van rood, geel en paars.

'Wij hebben het niet gedaan!' gilde ze, hoewel ze wist dat ze haar niet konden horen.

Een tweede schot door het verbrijzelde glas. Ze bleven komen.

'Wij hebben het niet gedaan,' fluisterde ze, en ze probeerde zichzelf tot kalmte te dwingen. Ze zette zich schrap op de leren achterbank. Richtte. Niet op Jansen. Dat was niet genoeg.

De bestuurder, dacht ze, maar toen ze de trekker wilde overhalen, voelde ze aan de beweging onder zich dat er iets veranderde.

23

Er was niemand in het huis bij de Warmoesstraat behalve de slome, versufte junkies met de hasjpijp in de voorkamer.

Laura Bakker wierp een minachtende blik op hen en zei: 'Apestoned.'

Til Stamm was er niet. Jaap Zeeger werd nog steeds vermist.

Ze snuffelden toch maar even rond, gingen naar boven en namen een wat grondiger kijkje in de kamers. De Groot belde vanuit bureau Marnixstraat. Al hun pogingen om Theo Jansen op te sporen waren op niets uitgedraaid. Niet één van hun huidige informanten had enig idee waar hij zou kunnen zijn.

'Misschien is hij de stad uit,' opperde de commissaris.

'Geloof je dat echt?' vroeg Vos, terwijl hij rondkeek in een smerige badkamer en de producten op de planken bekeek. Het leken de spullen van één vrouw te zijn. Dit was een huis dat door mannen werd gerund en bewoond.

'Ik mag toch hoop hebben?' antwoordde De Groot. 'Ga je nog langs bij onze Surinaamse vriend?'

Vos beaamde dat, hoewel ze niets concreets hadden om Menzo in verband te brengen met de dood van Rosie Jansen. Of met de aanslag op haar vader. Of met Katja Prins.

'Waarom wil je dan met hem praten?' vroeg De Groot.

'Ik wil zijn gezicht zien,' antwoordde Vos, en dat was het einde van het gesprek.

Ze waren op de eerste verdieping toen ze een stem hoorden bij de voordeur. Een man. Hij vroeg naar Til Stamm.

Bakker was er als eerste en ze pakte hem stevig vast toen hij zich omdraaide om te vertrekken. Ze ging voor hem staan om hem elke ontsnappingskans te ontnemen.

Vos kwam naar buiten, het zwakke zonlicht in. De aprilavonden leken langzaam in te zetten, alsof de stad de dag niet wilde laten gaan.

'Ik ken jou,' zei hij.

De man was van middelbare leeftijd, tenger, verzorgd, een intellectueel.

Zo ongeveer de laatste die je rondsnuffelend zou verwachten bij een drugspand op de Wallen.

'O ja?' zei de man.

Bakker toonde de man haar legitimatiebewijs en vroeg hem dat van hem te laten zien. De kaart kwam langzaam tevoorschijn.

Alex Hendriks.

'Jij werkt voor Wim Prins,' zei Vos. 'Je runt de gemeenteraad.'

'Ik ben een medewerker. Meer niet. Prins runt de raad. Beter gezegd, dat deed hij. En dat gaat hij weer doen wanneer hij terugkomt.' Hendriks leek niet in het minst verontrust door hun aanwezigheid. 'Wat is er aan de hand?'

'We zoeken een paar mensen. Onder wie Til Stamm. Net als jij,' zei Bakker.

Hendriks kwam met het verhaal voor de dag. Til Stamm was een tijdelijke medewerkster op het gemeentehuis. Ze werkte op zijn kantoor als onderdeel van een programma dat jonge mensen hielp een plaatsje in de maatschappij te krijgen. Ze was die dag niet teruggekomen na de lunch.

Ze wachtten af. Meer kwam er niet.

'Is het normaal dat een hoge ome van de gemeenteraad mensen naloopt die een vrije dag nemen?' vroeg Bakker.

Hendriks schudde zijn hoofd. 'Dit maakt deel uit van een sociaal programma. We geven om deze jongeren. We willen dat ze de drugs laten staan en aan het werk gaan.' Hij keek haar aan, en toen Vos. 'Jullie niet?'

Alex Hendriks wachtte op antwoord. Vos' telefoon ging.

Het was weer De Groot. Er was iets aan de hand ten oosten van de stad. Ze hadden een melding gekregen dat de Mercedes van Jimmy Menzo en een gestolen wit busje als gekken over de snelweg reden. De twee voertuigen reden in de richting van Lelystad.

'Stuur me een wagen,' zei Vos.

Hendriks stond nog steeds te wachten toen Vos de verbinding verbrak.

'Als je iets hoort van Til Stamm,' zei Vos, 'wil je dan zo vriendelijk zijn dat aan ons door te geven?'

'Waarom zoeken jullie haar?' vroeg Hendriks.

Vos dacht even na en knikte toen naar het groezelige pand.

'Katja Prins is hier voor het laatst gezien. Til Stamm kende haar.'

Het was niet makkelijk om de uitdrukking op het gezicht van Alex Hendriks te interpreteren.

'Maar dat wist je al, nietwaar?' vroeg Vos.

'Natuurlijk niet,' zei Hendriks. 'Is dat alles?'

Twee minuten later kwam er een witte BMW met zwaailicht de hoek om. Vos en Bakker stapten achterin.

24

Jimmy Menzo wist niet waarom hij vanaf de snelweg de smalle eenbaansweg op was gereden. Hij had geen idee waar die naartoe leidde. Toen het asfalt na een halve kilometer overging in grind en daarna in glibberige modder, besefte hij dat het geen doorgaande weg was, maar een toegangsweg tot de hen omringende tulpenvelden, bloemen voor de bloemenmarkt en de export, kleuren die, hoewel zo dichtbij, slechts vaag te zien waren in de invallende schemering.

Het was een stom idee. Net zo stom als naar Oostende gaan toen hij thuis had moeten blijven om zich bezig te houden met de naweeën van de mislukte aanslag die de nekslag had moeten zijn, de laatste moord die hem een ijzeren greep op het criminele hart van Amsterdam had moeten geven.

Aan alles kwam een einde. Aan carrières en koninkrijken. Aan levens en smalle landweggetjes.

Vóór hem doemde een hek op dat het eind van het weggetje aangaf. Ervoor stond een tractor. Te smal om makkelijk te keren, zelfs als daar tijd voor zou zijn. Ze reden op een smal, afgelegen, doodlopend weggetje en konden niet meer terug.

'Schiet hem dood,' beval Menzo zonder om te kijken. 'Schiet hem dood!' schreeuwde hij.

'Dat probeer ik...'

Miriam Smith loste een schot door de verbrijzelde achterruit. Metaal op de grille van het witte busje verboog. Ergens kwam stoom vandaan. Het busje bleef komen.

'Toe nou...' zei Menzo tegen de overblijfselen van de voorruit.

Toe nou wat?

Zorg dat ik hier wegkom, dacht hij.

Weer een schot vanaf de achterbank. Weer een vloek. Hij kon zich niet herinneren dat ze erg vaak een pistool had gebruikt. Richten door een snel bewegende ruit op de hotsende cabine van een busje, hoe dichtbij ook...

Dat lukt nooit, dacht Menzo, en hij gaf een harde ruk aan het stuur, trapte de rem in, voelde het ABS protesterend terugpompen.

Er was een kleine uitvoegstrook die het dichtstbijzijnde tulpenveld in liep. Hij stuurde erop af, maar de Mercedes reed zo hard dat hij het metalen hek niet kon ontwijken. De sedan knalde er dwars doorheen, vloog de lucht in, landde in de zee van bloemen en boorde zich in de aardwal van een irrigatiekanaal.

Een doordringende gil, iets zwarts vloog langs hem heen en door het gat waar de voorruit had gezeten. Een explosie. De airbags bliezen zich op, links en rechts van hem, en die uit het stuur sloeg tegen zijn borst met een klap als de vuistslag van een reus.

Hij zag het geknakte lichaam van Miriam Smith op de gedeukte zilverkleurige motorkap smakken, ervanaf stuiteren en de bloemenzee in vliegen, stelen en hun mooie bloemkoppen meenemen in zijn val, en uit het zicht rollen.

Geuren.

Zweet, bloed en diesel. De zoete, weeë geur van bloemen.

Geluiden. Het gefluit van de airbag. Het geknars van de auto.

Menzo keek in de binnenspiegel, nauwelijks in staat zich te bewegen. Miriam Smith had het enige wapen dat hij bij zich had gehad. Hij zat in de val, weerloos.

Daar was het witte busje, er kringelde rook uit de grille. Twee mannen stapten uit.

Hij worstelde met de airbag en de veiligheidsgordel. Gaf het op.

Een gezicht bij het raam, pistool in de hand.

'Theo?' vroeg Menzo. Hij kneep zijn ogen tot spleetjes.

De man zag er heel anders uit. Alles wat hem eerder had gekenschetst – de volle baard, het golvende haar, de glimlach – was verdwenen.

Geen antwoord.

'Ik heb haar niet vermoord,' zei Menzo. 'Rosie. Dat zou ik nooit doen.'

De andere man was het veld geknakte tulpen in gelopen. Hij kwam terug met een bebloed, gehavend lichaam. Hij opende het achterportier en gooide het geknakte lichaam van Miriam Smith op de achterbank. Menzo keek. Haar mond open. Haar ogen ook, maar ze waren dood en leeg.

'Shit,' mompelde hij, nog steeds worstelend met de veiligheidsgordel.

Theo Jansen schoot een kogel door de airbag. Het ding knalde uit elkaar. De kogel verdween ergens tussen de pedalen. Menzo ademde een keer diep en angstig in en uit.

De tweede man was naar het busje gelopen en kwam terug met iets. Een plastic jerrycan. Hij haalde de dop eraf.

Een bekende lucht. Benzine verdrong de geur van het veld.

'Ik heb Rosie niet vermoord. Dat zweer ik...'

Jansen schoot een kogel door Menzo's rechterknie. De Surinaamse gangster gilde het uit van de pijn. Toen schoot de tweede man een kogel door Menzo's linkerknie.

Bloed en gegil. De pijn was zo scherp dat die zijn doodsbange geest verlamde.

De benzinelucht werd sterker. Menzo slaagde erin zijn hoofd om te draaien en zag dat de tweede man de inhoud van de jerrycan uitgoot over Miriams lichaam, de zittingen, het tapijt.

En als laatste over hem.

'Ik heb het niet...' mompelde Menzo. De wereld sloot hem in, stinkend naar benzine en tulpen, met de kleur van bloed en bloemen.

Theo Jansen liep bij het portier vandaan. Toen hij tussen de hoge bloemen stond, stak hij een sigaret op. De tweede man gooide de jerrycan op de passagiersplaats en verdween uit Menzo's gezichtsveld.

Jimmy Menzo zag de aansteker naar Theo Jansens mond gaan en daar een klein rood vlammetje voortbrengen.

Hij zag dat Theo Jansen de onopgerookte sigaret met een knip van zijn vingers wegschoot, en zag die door de lucht buitelend op zich afkomen.

25

Anna de Vries stond al een half uur in het café. Wim Prins kwam niet opdagen. Ze stuurde hem een sms'je.

Drie woorden: *Waar* BLIJF *je?*

Ze hield het schermpje in de gaten. Niets. Wat een treurnis. Alsof ze wachtte op een ontrouw vriendje. Ze wist ook hoe dát voelde.

De Vries vond het heerlijk om verslaggever te zijn. Het was werk dat haar alert hield. Elke dag bracht iets nieuws, vooral sinds ze op de misdaadredactie werkte. Dat betekende omgaan met bijzondere mensen. Advocaten. Rechercheurs. Criminelen van tijd tot tijd.

Wat ze het interessantst vond was dat als je hun beroep buiten beschouwing liet, ze over het algemeen allemaal hetzelfde leken. Mannen die iets zochten wat betekenis gaf aan hun nietige leventje.

En ja, dacht ze. Altijd mannen. Zelfs bij de politie bleven vrouwen doorgaans uit de buurt van de harde, gevaarlijke kant van de stad. De kant waar de verhalen lagen en altijd zouden liggen.

Een kwartier later. Nog steeds geen reactie. Anna de Vries begon zich te vervelen. Ze trok zich terug in een rustig, donker hoekje, haalde haar iPad tevoorschijn en bekeek het filmpje dat die ochtend in haar inbox was opgedoken.

Prins en die Willemsen in bed. Zo te zien had zij de leiding. Eindelijk een vrouw die het voortouw nam, al was het maar door de baas genot te verschaffen.

Ze zette de iPad uit. De Vries had de bestanden die ze had ontvangen naar haar privéaccount gestuurd en met shift-delete verwijderd van haar werkmail. Bij de krant was niets meer te vinden. De bestanden waren van haar en van haar alleen, gestuurd vanaf een nepadres naar het e-mailadres van de krant dat onder aan al haar artikelen werd afgedrukt.

Wanneer het meisje terecht was, levend of dood, zou ze Wim Prins enkele momenten van rust geven en hem dan een ultimatum stellen: een exclusief verhaal waarin alles werd onthuld, de verhouding, zijn toekomst, de stand van zaken in zijn huwelijk. Zo niet, dan zou Anna de Vries de wredere optie kiezen en alles, inclusief het filmpje, op internet zetten.

Ze lachte bij zichzelf.

Dat zou toch wel gebeuren. Alleen niet door haar toedoen. Niet rechtstreeks.

Uiteindelijk kregen ze hun verdiende loon.

Een blik op haar horloge. Weer vijf minuten voorbij. Die lul kwam gewoon niet opdagen.

Haar telefoon piepte en trilde.

'Dat werd tijd,' zei Anna de Vries, en ze keek naar het fotobericht op het scherm.

Ze knipperde met haar ogen in een poging te begrijpen wat ze zag.

Ze kende de jonge vrouw die vanaf het schermpje naar haar keek, bleek, afgetobd, bang. Ze had haar foto in de dossiers gezien. Het was Katja Prins.

Onder de foto stond een kort bericht.

Kun je me horen gillen, Pieter? Doet je dat niks?

Met trillende vingers, onhandig door de drank, toetste Anna de Vries snel een antwoord in.

Katja. Ik ben een vriendin van Pieter. Ik kan je helpen. Waar ben je?

En ze wachtte af.

26

Terug in het hoge houten huis aan het Begijnhof was het eerste wat Theo Jansen deed een douche nemen. Hij stonk naar zweet en bloed, rook en bloemen. Het witte busje was een uitgebrand wrak een paar kilometer bij het veld vandaan waar ze Menzo hadden achtergelaten. Maarten had nieuw vervoer geregeld. De auto hadden ze achtergelaten in een ondergrondse parkeergarage in de stad.

Toen ze de deur voor hem had opengedaan, had ze hem aangekeken, maar niets gezegd.

Ze had hem handdoeken gegeven toen hij daarom vroeg. Kleren, die middag gekocht.

Jansen had de goedkope blauwe katoenen broek, het overhemd en de trui aangetrokken en zijn oude kleren in een vuilniszak gepropt. Toen was hij de avond in geglipt, het rustige Begijnhof uit, en door de schaduwen van de straat gelopen. Hij vond een afvalcontainer achter een restaurant en gooide de vuilniszak erin.

Toen hij terugkwam, vroeg ze: 'Wil je iets eten?'

Hij schudde zijn hoofd, zonder haar aan te kijken, ging zitten en zette de tv aan.

Niets op het nieuws, behalve de melding van een incident aan de rand van de stad. Een auto-ongeluk in een afgelegen veld. Dodelijke slachtoffers.

Jansen zette de tv uit. Het was nog te vroeg. De politie zou er zo langzamerhand wel zijn en zich afvragen hoe ze Jimmy Menzo en zijn vriendin uit de restanten van de sedan moesten schrapen. Over een uur zou het nieuws bekend zijn.

Ze bracht hem een biertje en ging op de kruk naast hem zitten. Na een tijdje vroeg ze: 'Voel je je nu beter?'

Geen antwoord.

'Heb je het gevoel dat je iets hebt afgesloten, Theo?'

'Je weet niet waar ik ben geweest. Wat ik heb gedaan,' zei hij. Hij dacht terug aan de tijd toen ze nog samen waren en ze hem ook altijd die shit voor de voeten gooide. 'Dat heb je nooit geweten en dat wilde je ook niet.'

Hij keek haar aan en wist dat er op dat moment geen sprake was van genegenheid, bij geen van beiden.

'Maar je wilde altijd maar wat graag meeprofiteren, of niet soms?'

Ze knipperde niet eens met haar ogen. Glimlachte noch fronste. Ze wreef alleen over de oude tatoeage op haar pols. Misschien deed bidden dit met je, dacht hij. Misschien verdwenen daarmee de woede, de hartstocht, de honger. Werden die vervangen door een soort levende dood. Een gevoel van aanvaarding. Een rustige, vrome erkenning dat je verslagen was.

'Toentertijd wel,' zei ze eindelijk. 'Nu niet. Ik wil helemaal niets. Behalve...' Ze speelde met haar lange bruine haar. Het was mooi geverfd. Het zag er bijna natuurlijk uit, dezelfde kleur die hij zo prachtig had gevonden toen ze allebei in de twintig waren. 'Ik wil dat je jezelf vergeeft. Zelfs als je mij niet kunt vergeven. Of wie dan ook, wat dat betreft.'

Hij hield zichzelf voor dat hij geen woord begreep van wat ze zei. Dat het het gebazel was van een katholieke vrouw die naar de schoot van de kerk was teruggelokt, opgeslokt door valse beloften en sprookjesachtige illusies.

Dat opgesloten zitten achter de deuren van deze kleine woning in een oud, hoog houten toevluchtsoord dat het Houten Huys heette, het makkelijk maakte om op dromen te leven.

'Heb je Skype?' vroeg hij.

Kapper Maarten had het nummer gevonden waar hij om had gevraagd.

'Ik bel af en toe met vrienden in Italië,' zei ze, en ze liep naar een la en haalde daar een goedkope USB-telefoon uit.

Jansen stond op, glimlachte en legde een grote hand op haar magere arm. 'Ik blijf niet lang. Niet langer dan nodig is.'

'Dat baart me nou juist zorgen,' zei ze.

Hij pakte de telefoon aan en stak het snoer in de USB-poort in de computer. Hij had recentelijk enkele trucjes geleerd. Hij zou alleen persoonlijk met Maarten praten en het aan de kapper overlaten om contact te zoeken met anderen. En zelfs Maarten wist niet waar hij verbleef en kon alleen met hem communiceren via een mobieltje met een gestolen simkaart.

Maar telefoons konden je verraden. Het eerste wat de politie tegenwoordig deed, voordat ze uit angst voor de regen een stap buiten de deur zetten, was via de zendmasten de locatie van verdachte telefoontjes natrekken. Maar Pieter Vos niet. Die was anders. De anderen...

Jansen vroeg zich af of de anderen bij bureau Marnixstraat enig idee hadden wat er de dag daarvoor was gebeurd. Hoe sterk ze zich hadden ingespannen. Rosie was dood. Hij leefde nog en was voortvluchtig. In zekere zin was hij een beter, een makkelijker doelwit.

Skype was geen echte telefoon. Ze konden achterhalen welke internetprovider was gebruikt om de verbinding tot stand te brengen. Misschien zelfs een stad. Maar meer niet, tenzij ze de computer zelf te pakken kregen, en dat viel ook te omzeilen.

Die trucjes had hij in de gevangenis geleerd, van een van zijn trawanten die een straf uitzat wegens creditcardzwendel.

Het was een goedkope laptop, recent model. Jansen maakte een nieuw account aan, logde in, startte Skype op en typte de valse accountdetails in die hij van tijd tot tijd had gebruikt toen hij nog een vrij man was. Nog een tegoed van negen euro. Genoeg.

Hij bekeek de lijst met nummers die Maarten hem had bezorgd.

Het nummer dat hij nodig had stond boven aan de lijst. Jansen toetste het in en luisterde.

Een zachte, bedachtzame stem, bijna jong, nam op, zei eerst iets tegen iemand anders en toen in de telefoon: 'Hallo?'

'Theo Jansen, Vos. We moeten praten.'

27

Het telefoontje kwam toen hij naast Laura Bakker in een door schijnwerpers verlicht tulpenveld stond. Het stonk er naar rook en verkoold vlees, vermengd met de vage geur van bloemen. Vos knipte met zijn vingers naar haar toen hij Jansens stem hoorde, wees naar de telefoon en vormde geluidloos met zijn mond het woord 'traceren'.

Hij wachtte even en vroeg toen: 'Heb je je biertje gehad? Te vroeg voor nieuwe haring, Theo. Sorry.'

Er was een forensisch team aan het werk in het uitgebrande geraamte van Menzo's Mercedes. In hun witte plastic pakken leken ze net bedrijvige spoken die heen en weer vlogen in een tot werkelijkheid gemaakte nachtmerrie.

'Doe geen moeite,' zei Jansen. 'Je kunt me niet traceren. Zo stom ben ik niet.'

'Je bent gisteren ontsnapt. Waarschijnlijk zouden we je voor het eind van de week hebben vrijgelaten. Hoe stom is dat?'

Woest gebrul in zijn oor. Hij zag dat Bakker telefoneerde met de centrale.

'Als je gaat schreeuwen,' zei Vos toen het gebrul bedaarde, 'kunnen we net zo goed ophangen. Ik heb het druk. Maar dat weet je waarschijnlijk al.'

'Druk met uitzoeken wie Rosie heeft vermoord?' vroeg Jansen.

Vos liep bij de auto vandaan. Ze gingen nu de lichamen eruit halen. Het was geen prettig gezicht. Er waren dingen die hij niet wilde of hoefde te zien.

'Nee,' zei Vos. 'Dat is Mulders taak. Ik dacht dat ik dat duidelijk had gemaakt. Het zijn hectische tijden. Ze lijken steeds hectischer...'

'Die mafkees heeft me laten opsluiten! Denk je dat hij de smeerlap zal vinden die mijn dochter heeft vermoord?'

'Mulder is niet de enige...'

'Gisterochtend. Het enige waarover je wilde praten was jouw dochter. En die meid van Prins. Niet over mij. Niet over mijn dochter.'

Vos dacht terug aan het gesprek en besefte dat dat waar was. 'Sorry. Ik was er niet helemaal bij. Ik ben er al een tijdje uit. Het valt niet mee.'

Vos streek over zijn haar. Het was nu te lang, naar zijn gevoel. Het werk.

slorpte hem met elke minuut die verstreek verder op. Hij kon niet nog eens die truc uithalen en zijn legitimatie naar De Groot gooien. Niemand zou hem geloven. Hij zou het zelf niet eens geloven.

'Ik heb het moeilijk,' zei hij, en hij deed een stap achteruit om een forensisch team door te laten dat met twee brancards sjouwde. Bakker was klaar met bellen en schudde haar hoofd. Geen wonder dat Jansen de tijd nam voor een babbeltje. Hij liet zich niet traceren via een simpel telefoontje. 'Jij niet?'

Stilte. Misschien had Jansen opgehangen. Bakker kwam naar hem toe en fluisterde iets in zijn oor.

'Theo?' vroeg Vos. 'Ik hoor net dat er een paar kilometer hiervandaan een uitgebrand wit busje is gevonden. Er is een forensisch team mee bezig. We hebben de vliegvelden en de grensbewaking gewaarschuwd. Je komt de stad niet uit...'

'Wie zegt dat ik weg wil?'

'We moeten ergens afspreken,' vervolgde Vos. 'Alleen wij tweeën. Ik trakteer je op een biertje. Zo veel biertjes als je maar wilt. Dan laten we een auto komen. Je mag Michiel Lindeman meebrengen als je wilt. Ik zal ervoor zorgen dat je in de Bijlmerbajes behoorlijk wordt ondergebracht.'

Niets.

'Niemand is rouwig om Jimmy Menzo,' voegde Vos eraan toe. 'Genoeg mensen zullen zeggen dat je de stad een dienst hebt bewezen. Misschien zelfs Wim Prins.'

'Heeft Jimmy ook de dochter van Prins ontvoerd?'

Vos zocht naar een antwoord. 'Dat geloof ik niet. Ik hoop van niet. Als hij dat heeft gedaan zijn we echt de sjaak, nietwaar?'

Jansen bromde iets en zei toen: 'Hij zei dat hij Rosie met geen vinger heeft aangeraakt. Dat hij er niks mee te maken had.'

'Heeft hij nog meer gezegd?'

'Daar had hij de tijd niet voor.'

'Dat is jammer, vind je niet?'

Een lange stilte, en toen zei Theo Jansen: 'Jij gelooft niet dat hij haar heeft vermoord, hè?'

Vos liep terug naar het smalle weggetje. De lichamen werden nu weggedragen. Langs de rij politieauto's en -busjes knikten de tulpenkoppen langzaam in de schijnwerpers en de bries, als verbijsterde getuigen van een onverklaarbare tragedie in hun midden.

'Geef je aan, Theo. Laat me je op dat biertje trakteren.'

'Waarom?' snauwde Jansen, en Vos wist dat hij hem kwijt was. 'Omdat we zo veel hebben om over te praten? We zijn nu hetzelfde. Dat zei je zelf. Dus misschien bel ik je nog eens. Misschien ook niet.'

Toen hing hij op.

28

Anna de Vries wachtte vlak bij het café op het Singel. Ze had het filmpje en Wim Prins tijdelijk uit haar hoofd gezet. Dit was in alle opzichten een veel beter verhaal. De tot schande vervallen voortvluchtige dochter van een politicus die om hulp smeekte.

Waarom?

Ze kende de verhalen over Katja, dat ze een dom Amsterdams schoolmeisje zou zijn dat was ontspoord nadat haar moeder zelfmoord had gepleegd.

Er waren in de stad genoeg plekken om je te verbergen als je niet gevonden wilde worden. Anna de Vries zag haar artikel al voor zich. Pagina's groot. Het enige wat ze hoefde te doen was Katja vinden, met haar praten, haar naar een veilige plek brengen, de advocaten van de krant erbij halen en die met de politie laten onderhandelen.

Zodra het artikel was geschreven. Zodra het exclusieve verhaal ter perse was gegaan.

De Vries stond in de kou bij de gracht, ze werd gek van het wachten.

Ze zou foto's nodig hebben. Een betrouwbare fotograaf. Ze kende er een die dikwijls op freelancebasis voor de krant werkte. Een rustige, discrete man die als bijverdienste paparazzifoto's maakte. Ze belde hem, hoorde dat hij op het ogenblik niets omhanden had en vroeg hem zich paraat te houden.

'Waar?' vroeg de fotograaf. 'Wanneer?'

'Ik bel je over een paar minuten,' beloofde De Vries. 'Ik moet eerst met iemand praten. Als dat gesprek goed verloopt, bel ik je.'

Dat beviel hem niet, maar hij wilde de klus, dus legde hij zich erbij neer.

Twintig minuten na het eerste bericht begon de sms-wisseling.

Katja schreef: *Wie ben je?*

Anna schreef: *Pieters vriendin. Hij maakt zich zorgen om je. Hij wil je helpen. Kunnen we elkaar ergens ontmoeten?*

Katja: *Durf niet.*

Anna: *We kunnen je ergens naartoe brengen waar je veilig bent.*

Katja: *Dan vermoorden ze me.*

De vrouw in de dunne regenjas huiverde en vroeg zich af waar ze in verzeild raakte.

Anna: *Niemand zal je iets doen, Katja. Dat beloof ik.*

Ze leunde tegen de vochtige, vieze muur. Ze was opgewonden. Ook een beetje bang. Misdaadverslaggeving was leuk werk. Het leverde haar heel wat voorpaginaverhalen op. Bracht haar in contact met mensen aan alle kanten van de wet. Maar voornamelijk op klaarlichte dag en niet in de avondschaduwen van de regenachtige stad.

Katja: *Slaperssteeg. Voorbij de Oude Kerk. Loop door naar het einde.*

Anna: *Hoe vind ik je?*

Katja: *Ik vind jou wel.*

Anna borg de telefoon op en ging op weg. Ze overwoog om nog een sms'je te sturen en de voor de hand liggende vraag te stellen: *Hoe dan?*

Maar ze had haar besluit al genomen. Dat louche deel van de Wallen was nog geen tien minuten lopen. Het was geen plek waar ze normaliter in het donker naartoe zou gaan, maar dit was haar verhaal en het lag daar voor het grijpen. Net als Katja Prins.

29

Om half tien 's avonds waren ze terug op bureau Marnixstraat. Vos drong erop aan dat ze naar huis zou gaan om te slapen. Bakker voelde daar niets voor.

Vos vroeg: 'Heb je honger?'

'Na wat we zojuist hebben gezien...'

'Waar woon je eigenlijk?'

'Je hebt het gevraagd! Je hebt het eindelijk gevraagd!'

Hij knikte en wachtte.

'Bij de Westermarkt.'

'Klinkt chic.'

'Je weet niet hoe het er daar uitziet...'

'Ik heb een hond die uitgelaten moet worden.' Hij trok aan zijn haar. 'Sofia zal een tijdje op hem moeten passen.'

Mulders team had geen nieuws over Theo Jansen. Er waren geen nieuwe ontwikkelingen in de zaak rond de moord op Rosie, noch in de zaak-Katja Prins sinds de losgeldeis.

'In ruil voor een biertje en een broodje,' zei ze, 'zal ik meelopen als je Sam uitlaat.'

'Dat lijkt me wel wat,' zei Vos.

Ze fietsten naast elkaar in de miezerige motregen over de Elandsgracht. In het begin praatte hij opgewekt over de Jordaan en de jaren dat hij in die buurt had gewoond. Maar toen ze zijn woonboot naderden, die maar tien minuten van haar huis lag, werden Pieter Vos' antwoorden steeds korter, tot hij nauwelijks nog op haar vragen reageerde.

In plaats van naar het café, reed hij naar de gracht en zette daar zijn fiets op slot. Het wrakkige sloepje werd door een forensisch team onderhanden genomen. Het werd langzaam uit elkaar gehaald, met weinig resultaat. Het team was klaar met zijn boot, wat net zo weinig had opgeleverd. Boven aan het trapje stonden twee agenten in uniform. Vos sprak met hen en zei dat ze terug konden gaan naar de Marnixstraat.

Ze wandelden tien minuten zwijgend met Sam over de Prinsengracht. Toen ze terugkwamen, gingen ze onder de poster van *Casablanca* zitten: twee biertjes, een paar koude gekookte eieren, een zoutvaatje, twee kaastosti's, ham en chips. Ze keek hoofdschuddend naar het eenvoudige, goedkope eten.

'Wat is er?' vroeg Vos.

'Eet je weleens in een restaurant?'

'Waarom zou ik?'

'Om iets... lekkers te eten?'

Hij pakte een ei, strooide er zout op, nam een grote hap en zei: 'Je bent in Dokkum zeker verwend.'

'Nee hoor... meestal doorzoeken we het afval voor iets eetbaars en leven we van dieren die worden doodgereden.'

Sam zat aan zijn voeten en keek de hele tijd naar hem op, een beetje verbaasd. Vos gaf haar een standje toen ze Sam chips voerde.

'Dat is niet goed voor een hond.'

Maar de ham mocht wel, dus gaf ze hem die. Toen vroeg ze: 'Wat weten we eigenlijk?'

De bar was leeg, maar toch keek hij om zich heen om zich ervan te verzekeren dat hun gesprek niet werd afgeluisterd.

'We weten dat Theo Jansen Menzo en zijn vriendin heeft vermoord. Hij dacht dat ze verantwoordelijk waren voor Rosies dood. Aanvankelijk althans.'

'Gelooft hij dat nog steeds?'

'Niet nadat we elkaar hebben gesproken.'

'En dat was genoeg? Eén woord van Pieter Vos, meer is er niet voor nodig?'

Zijn ogen schitterden even.

'Ik vermoed dat Theo het al wist. Hij is impulsief. Een heethoofd. Gewelddadig. Maar in zekere zin bewonderenswaardig...'

'Bewonderenswaardig? Die man is een moordenaar en een crimineel.'

Vos knikte.

'En nog veel meer. Maar hij leeft volgens een soort ethische code. Hij is Amsterdammer. Een praktisch man. Hij weet dat er altijd criminelen zullen zijn. Hij vindt alleen dat die beter van eigen bodem kunnen komen.'

Hij rolde een plakje ham op en gaf het aan de hond.

'Menzo zou Rosie nooit hebben vermoord.'

'Waarom niet?' vroeg ze.

'Je zei het vanochtend zelf. Niets te winnen en veel te verliezen. Een ander soort bloed zorgt voor verstoring van de balans, en daardoor wordt uiteindelijk iedereen ermee besmeurd. Menzo was niet gek.'

'Het klinkt heel logisch als je het zo zegt.'

De opmerking verbaasde hem. 'Dat is het ook. We hebben hier te maken met intelligente kerels. Zakenlui. Alleen zijn hun zaken...' Hij schudde zijn hoofd. 'Hun zaken zijn het tegenovergestelde van die van ons. Zij "organiseren" op hun eigen voorwaarden, terwijl wij mensen bepaalde zaken proberen te verbieden.'

'Wij zijn niet verkeerd bezig, Vos.'

Hij schudde zijn hoofd. 'Soms wel. Soms gaan we ons boekje te buiten, zoals Wim Prins met zijn idiote plan. Wat overigens puur om macht draait...'

'Zijn dochter wordt vermist!' riep ze uit, te hard.

Sofia Albers wierp hun van achter de bar een strenge blik toe.

'Zijn dochter wordt vermist,' zei ze nu zacht, bijna fluisterend.

'Dat besef ik,' zei Vos met een treurig schouderophalen. 'Geloof jij dat Menzo daarvoor verantwoordelijk was? Of voor de moord op Rosie Jansen? Of misschien iemand die werkt voor Theo, een man die op het punt stond uit de gevangenis vrijgelaten te worden na een onterechte straf?'

Ze dronk haar glas leeg. 'Ik zou het niet weten. Wat denk jij?'

'Geen flauw idee,' zei hij onmiddellijk. 'Maar we weten wat we níét weten. Dat is een begin.'

Er was iets wat hij wilde zeggen, maar voor zich hield.

'Wat is er?' vroeg ze.

'We moeten verder kijken dan onze neus lang is,' zei Vos, en ook hij dronk zijn glas leeg. 'Stel dat deze ogenschijnlijke wraakactie... in scène gezet is?'

Zijn blik werd onscherp, vermoeid.

'Ik weet het echt niet. Mijn reputatie is aangedikt en in hoge mate onverdiend.'

'Laat Frank de Groot dat maar niet horen. Hij rekent op je.' Ze aarzelde even. 'En ik ook.'

'Waarvoor?'

'Ik wil van je leren,' zei ze.

Dat zette Vos aan het denken. Hij stond op, knikte, liep naar de bar, vroeg Sofia Albers of Sam nog een nachtje bij haar mocht blijven en rekende af.

Hij keek Bakker in de ogen, zijn blik weer scherp.

'Als ik je van de zaak afhaal en je morgen terugstuur naar de Marnixstraat om parkeerbonnen te sorteren...'

Ze slaakte een kreetje. De hond staarde naar hen. Net als de vrouw achter de bar.

'Als ik dat zou doen...' zei Vos.

'Alsjeblieft niet! Dan kunnen ze me net zo goed meteen ontslaan.'

'Dan zou je terug kunnen gaan naar huis, naar Dokkum.'

'Dat wil ik niet! Ik wil hier blijven.' Ze stampte met haar schoenen op de houten vloer, om de beurt. 'Hier!'

'Best. Dan moet ik je iets laten zien. Op mijn boot,' zei hij.
Zonder een woord te zeggen liep ze achter hem aan de avond in.

30

Een smalle doodlopende steeg. Dichtgetimmerde ramen. Een bord in het Engels boven de ingang: NO SEX.

Aan de grachtzijde van de steeg flikkerde een straatlantaarn. Voor een kroeg stond een groepje dronken buitenlanders. Een stelletje rookte wiet, gearmd, alsof ze op huwelijksreis waren. Om de hoek stond de grote oude kerk. Maar in dit deel van de Wallen tierde het rosse leven welig. Kronkelende lichamen voor de met rode tl-buizen verlichte ramen van peeskamers. Coffeeshops. Kroegen en goedkope restaurantjes.

En in de Slapersteeg... niets.

Anna de Vries liep de groezelige steeg door, helemaal tot aan het eind, waar die achter de Warmoesstraat doodliep. Haar hoofd tolde van het bier. Ze had trek in behoorlijk eten. Ze was moe. Het was moeilijk om helder te denken na de lange, veelbewogen dag.

Ze trok haar schoudertas steviger tegen zich aan en dacht aan de waardevolle iPad die erin zat. Straatroof was in dit deel van de Wallen niet aan de orde van de dag, maar het kwam wel voor.

Ze haalde haar telefoon tevoorschijn, stuurde nog een sms.

Katja? Waar zit je? Ik ben er. Waar je zei.

Ze keek naar het scherm. Wachtte. Niets. Toen vervaagden de letters, alsof ze zich verveelden.

'Ook goed,' mompelde De Vries. 'Ik ga naar huis.'

Iemand had haar voor de gek gehouden. Geen twijfel mogelijk.

Toen ging de telefoon, en ze schrok zo van het geluid dat ze het toestel bijna op de vuile straatstenen liet vallen.

Ze vloekte. Ze keek naar de naam op het scherm en nam op.

'Het is niks geworden,' zei ze tegen de fotograaf. 'Sorry.' De onvermijdelijke vraag. 'Nee. Je krijgt niks betaald. Leuk geprobeerd.'

Toen ze de verbinding had verbroken, hoorde ze voetstappen. De straatlantaarn flikkerde. Ze deed een stap achteruit. Een man. Heel even was ze verstijfd van angst.

Toen zag De Vries zijn gezicht, en ze lachte opgelucht en zei: 'Jezus. Wat doe jíj hier? Ik deed het bijna in mijn broek...'

Ze dacht erover na.

'Aha.' Ze stak een vinger in de lucht. 'Dus Katja heeft jou ook gebeld. Natuurlijk. Sorry. Logisch eigenlijk...'

Ze keek nog eens naar hem. Hij had plastic zakken om zijn handen. Plastic zakken om zijn schoenen.

In de donkere, nauwe Slaperssteeg schudde Anna de Vries haar hoofd. Hij hield iets voor zich uit dat glinsterde in het wasachtig gele licht.

31

De woonboot was netter dan in haar herinnering. En aandoenlijk, als een tienerkamer, behangen met posters en overal stapeltjes spijkerbroeken en sokken, keurig opgevouwen. De mannen van de forensische dienst hadden waarschijnlijk opgeruimd nadat ze de boot hadden doorzocht en niets hadden gevonden waaruit ze konden opmaken wie er had ingebroken en een oude jazz-cd had opgezet. En een lijk naast zijn boot had gedumpt, iets wat bedoeld leek te zijn om hem terug te halen naar bureau Marnixstraat en een moordonderzoek.

Bakker was bekaf, maar het idee om naar huis te gaan trok haar niet aan. Het piepkleine eenkamerwoninkje bij de Westermarkt was een miserabel hok, het enige wat ze zich kon veroorloven. Sommige buren bleven laat op en draaiden harde muziek. Ze keken op haar neer vanwege haar werk, haar Friese accent. Omdat ze anders was dan zij en dat altijd zou blijven.

Maar ze wilde weten hoe deze stad werkte. Ze wilde leren. Pieter Vos leek haar een goed begin.

Hij rommelde rond in de boeg, waar twee grote deuren iets afsloten wat leek op een opslagruimte. Bakker ging naar hem toe en hielp hem een paar oude meubels opzij te schuiven terwijl hij achter in de ruimte iets zocht.

'Ik kan me dit niet herinneren,' zei Vos.

'Deze puinhoop?'

Hij draaide zich om en keek haar aan.

'Ik kan me niet herinneren dat het zo netjes was.' Toen schoof hij een oude pick-up opzij en zei: 'Aha...'

Bakker deed onwillekeurig een paar stappen achteruit, zocht een stoel en plofte erop neer.

Het voorwerp dat Pieter Vos haar wilde laten zien was een poppenhuis. Een meter hoog, misschien wel meer. Een exacte kopie van het poppenhuis van Petronella Oortman, tot en met de open kamers met de piepkleine meubeltjes en miniatuurpoppetjes.

'Wat is dit?' fluisterde ze. De koude rillingen liepen haar over de rug in de warme, benauwde hut.

'Kun je even helpen? Het is nogal zwaar.'

Ze wurmde zich naast hem in de boeg en samen probeerden ze greep te krijgen op de stoffige houten muren van het miniatuurhuis. Eindelijk lukte het Vos om het half rollend, half wippend zijwaarts uit de opslagruimte te krijgen. Ze stak haar vingers onder het dak en samen tilden ze het over de rand van de afgescheiden ruimte de hut in.

'Wat is dit?' vroeg ze nog eens.

'Het was van Anneliese,' zei hij, alsof ze dat had kunnen raden. 'Ik heb het laten maken voor haar tiende verjaardag.' Hij grijnsde. 'Ze was er drie weken lang helemaal weg van. Toen was het kinderachtig en keek ze er niet meer naar om.'

Vos veegde met zijn elleboog het stof van het dak en keek naar binnen.

'Ik heb het om de een of andere reden gehouden toen we uit elkaar gingen. Ik weet niet waarom.' Hij haalde zijn schouders op. 'Dat doe je nu eenmaal met poppen, hè?'

Laura Bakker raakte vluchtig zijn mouw aan. 'Pieter. Je moet het loslaten.'

'Waarom?' vroeg hij verbaasd.

Daarop had Bakker geen antwoord.

'Weet je,' vervolgde hij, 'het leven is ook zo. Een reeks kamers. Je maakt er een open. Je loopt erdoorheen.' Op de benedenverdieping raapte hij een piepklein poppetje van de vloer en zette het op het rieten stoeltje. 'Je denkt altijd te weten wat je kunt verwachten, maar soms ga je de volgende deur door en...'

Vos legde zijn hoofd in zijn nek en slaakte een zucht.

'Sorry.'

Hij stond op en liep naar zijn aktetas.

'Dit moet je zien.' Hij haalde een envelop uit de tas. Er zat een stempel van de forensische dienst op. 'Je mag er niet over praten. Ik wil proberen te begrijpen...'

Het waren twee rapporten, elk over DNA-monsters. Een van Katja Prins. Het tweede van Anneliese.

Bakker las ze. En nog eens. Legde ze neer. Keek hem aan en zei: 'Dus daarom kwam de uitslag vanmiddag zo snel terug? Van het forensisch onderzoek in het Poppenhuis? Je had er al om gevraagd.'

Hij speelde weer met de spulletjes in het poppenhuis, zette de tafel recht, de poppetjes op hun plaats.

'Betekent dit wat ik denk dat het betekent?' vroeg ze.

'Anneliese en Katja hebben dezelfde vader,' zei Vos. 'Wim Prins. Liesbeth werkte voor hem toen ik haar leerde kennen. Ze heeft in de loop der jaren een heleboel tijdelijke baantjes gehad. Een tijdlang werkte ze als vrijwilliger bij een rechtsbijstandskantoor waar hij dikwijls kwam. Ik heb nooit...'

Hij zweeg even en leek niet verder te willen gaan.

'We waren zo... gelukkig. Zo normaal. Zo... saai en voorspelbaar, denk ik. Ik tenminste.'

'Je hebt vanmiddag om die rapporten gevraagd. Je moet hebben vermoed...'

'Ik heb nooit het idee gehad dat we anders dan anders waren. Gewoon een gezin dat probeerde te leven zoals het hoort. Uiteindelijk verlies je alles, nietwaar? Alles... iedereen van wie je houdt. Ze worden je afgenomen, op wat voor manier dan ook.'

Dit was belangrijk. Dat besefte ze. Ze begreep ook dat Vos het niet echt kon bevatten.

'Je moet een vermoeden hebben gehad, Pieter,' zei ze. 'Waarom wilde je het anders nagaan?'

Vos was nu bezig alles op zijn plaats te zetten in de kamertjes op de eerste verdieping.

'Dat zei ik toch. Op een dag maak je een deur open en dan weet je wat erachter ligt. Dat wéét je gewoon. Maar in werkelijkheid is het alleen maar een illusie. Een hoop leugens. Alles. Echt alles.'

Hij zette nog een minuscuul poppetje rechtop op een stoeltje.

'En het ergste is... als je tegen jezelf liegt.'

Ze wachtte af, zei niets.

'Ik werkte dag en nacht omdat ik mezelf voorhield dat ik daarvoor werd betaald.' Een schouderophalen, die glimlach. 'Dat was niet waar. Niet echt. Ik deed het om niet bij haar te hoeven zijn. Ik moet hebben geweten dat er iets mis was. Ik wilde het niet zien. Het niet onder ogen zien. Ik had niet door dat ik daarmee ook bij Anneliese wegbleef.'

Hij knikte, alsof hij beaamde dat zijn woorden klopten.

'Ik loog tegen mezelf omdat dat makkelijker was. Als Anneliese ouder was, hadden we er misschien een oplossing voor kunnen zoeken. Maar misschien ook niet.' Hij lachte zachtjes. 'Ik ben niet erg volwassen, hè? In Dokkum zou je die spelletjes niet spelen.'

'Overal spelen mensen die spelletjes. Maak jezelf niks wijs. Wat ga je nu doen?'

'Ik ga morgen met Liesbeth praten. Over het bloed. Over... Anneliese.' Hij keek haar in de ogen. 'Dit blijft voorlopig onder ons.'

'Je kunt dit niet voor je houden.'

'Dat weet ik. Daarom heb ik het jou verteld.'

Ze stond op, trok haar jas om zich heen. Had behoefte aan frisse lucht.

'Van der Berg vindt dat je je beter uit de zaak terug kunt trekken,' zei ze. 'Misschien heeft hij wel gelijk.'

'Zou Liesbeth me dat in dank afnemen? Ik wil Katja Prins vinden. Liever dan wat dan ook.'

'Zodat je haar kunt vragen waarom je dochter... waarom Anneliese is gestorven in een Amsterdams bordeel?'

'Ze wás mijn dochter,' zei Vos stellig. 'DNA heeft daar niks mee te maken. Wij hebben haar grootgebracht. Ik ben haar vader. En het staat voor mij niet vast dat ze dood is. Nog niet.'

'Niet als... Niet als jij dat zegt.'

Laura Bakker deed er het zwijgen toe. Het was alsof ze er niet eens was. Vos werd nu geheel in beslag genomen door de grote slaapkamer op de tweede verdieping. Hij vroeg haar een paar forensische handschoenen uit zijn aktetas te halen. Toen stak hij, met de voorzichtigheid van een chirurg, zijn hand de kamer in, sloeg de piepkleine lakentjes open en trok er iets onder vandaan.

Een foto. Twee jonge meisjes, gelukkig, gezond, glimlachend voor de camera. Deze keer niet in het Vondelpark. Ze stonden voor een hoog pand met vitrage voor de ramen.

Anneliese en Katja Prins poseerden voor het privéhuis dat het Poppenhuis werd genoemd. Voordat de bom insloeg.

'De forensische dienst heeft goed werk geleverd, hè?'

'Zeg dat wel,' zei Vos.

'Iemand probeert je iets duidelijk te maken, Pieter.'

Hij knikte en keek haar aan, verbaasd misschien.

'Ja,' zei Vos. 'Maar wat?'

32

Anna de Vries keek. Kon zich niet verroeren.

Het voorwerp in zijn handen was een mes. Hij moest het uit het zicht hebben gehouden tot hij grijnzend voor haar stond.

Het was een mes en het voelde koud en wreed aan toen de scherpe punt haar de adem afsneed.

De telefoon gleed uit haar hand en hij leek het niet te merken. Hij werd te zeer in beslag genomen door zijn eigen handeling: het lemmet in haar lichaam steken, met zo veel kracht dat ze niet eens kon gillen.

De Wallen. De rosse buurt. Geen plek om 's avonds rond te lopen. Dat had ze al die tijd geweten.

En dit was een soort straatroof. Maar dan wel door de laatste man in Amsterdam van wie ze dat zou hebben verwacht.

DEEL 3

Woensdag 19 april

I

Jaap Zeeger liep even na achten bureau Marnixstraat binnen, vroeg naar 'meneer Vos' en ging geduldig zitten wachten, met zijn handen op zijn knieën.

Vos en Bakker kwamen naar beneden en namen hem mee naar een verhoorkamer, waar Bakker de recorder aanzette.

'Dit is de eerste keer dat ik tegenover u zit zonder dat u me op mijn rechten wijst, meneer Vos,' zei Zeeger met een grijns.

Bakker had het dossier meegebracht. Zeeger was vierendertig. Een reeks kleine veroordelingen, voor het grootste deel drugsgerelateerd. Gevangenisstraf. Behandeling in een afkickcentrum.

Vos herkende de man nauwelijks. Mager, schoon donker haar, een pokdalig gezicht, maar gezonder dan vroeger. Hij zag er heel gewoon uit. Heel wat anders dan de bedroevende, ziekelijke voetsoldaat die hij was geweest toen hij een van Jansens loopjongens was. Zeeger droeg een zwartleren jasje, zwarte spijkerbroek, schone glimmende schoenen. Hij zei dat hij parttime voor een koeriersbedrijf werkte en hoopte dat hij daar binnenkort een vaste aanstelling zou krijgen. Hij was op vakantie geweest in een caravan op Texel. Was de avond daarvoor teruggekomen. Had van Til Stamm gehoord dat de politie hem zocht.

Nu was Til naar Texel, naar dezelfde caravan die hij had gebruikt. Die was van het Gele Huis, de afkickkliniek waarover ze het had gehad en waarvan ze had gezegd dat zij er niets mee te maken had.

Bakker vroeg Zeeger daarnaar. Hij reageerde nijdig.

'Til is een aardige meid. Ze loog niet. Ik mocht die caravan gratis gebruiken en ik heb het gevraagd. Zij mocht er ook naartoe.'

Hij haalde een kauwgom uit de zak van zijn jasje en stopte die in zijn mond.

'Rook je niet meer?' vroeg Vos.

'Gestopt. Ik ben gestopt met alle rotzooi die ik gebruikte. En weet je waar ik die heb leren gebruiken? In de gevangenis. Waar jullie me naartoe hebben gestuurd.'

'We zijn soms verschrikkelijk,' zei Vos. 'Waar is Katja?'

'Weet ik veel. Ik ben een week geleden naar Texel vertrokken. Toen was ze er nog. Er leek niks aan de hand te zijn.'

'Wat weet je over het privéhuis aan de Prinsengracht?' vroeg Bakker. 'Het Poppenhuis? Dé plek voor jonge meisjes.'

Zeeger wapperde met een magere hand naar haar.

'Daar kwam ik nooit. Het enige wat ik voor meneer Jansen deed was zijn stuff en pillen rondbrengen en van tijd tot tijd geld ophalen. Dat zou hij jullie ook verteld hebben als jullie hem niet hadden laten ontsnappen. Dat bordeelverhaal was niks voor mij. Bovendien...'

Voor het eerst leek hij onoprecht.

'Bovendien wat?' vroeg Vos.

'Ik hoorde de geruchten. Foute boel. Jonge meisjes. Ik geloof niet dat meneer Jansen het wist. Hij was echt fatsoenlijk wat dat soort dingen betrof. Toen ging de tent dicht en werd de Thaise dame die de zaak runde uitgekocht door Jimmy Menzo. Bij hem ben ik altijd uit de buurt gebleven. Zelfs toen ik doodziek was.'

Hij balde zijn vuist en sloeg ermee op tafel. Zo hard dat de recorder opsprong.

'En ik was echt ziek. Geen slechterik, zoals jullie zeiden. Ik was ziek en heb me laten genezen. Dat is de waarheid. Het kan me niks meer schelen wat meneer Mulder zegt. Hoe vaak hij me ook klappen verkoopt en me mishandelt voor al die dingen die ik nooit heb gedaan. Dat..'

'Waar is Katja?' vroeg Vos nog eens.

De magere, in het zwart geklede man schoof zijn stoel bij de tafel vandaan. Zei dat hij trek had in koffie. Bakker ging drie plastic bekertjes koffie halen. Vos wachtte, dacht na. Zei niets.

Hij snoerde Laura Bakker de mond toen ze weer vragen op Zeeger begon af te vuren.

Zeeger wilde gehoord worden. Dat was wel duidelijk. Wilde iets vertellen op zijn eigen manier, zijn eigen moment.

'Ik had niks te maken met uw dochter, meneer Vos,' zei Zeeger toen hij een slok koffie had genomen. 'Dat gelooft u toch wel?'

Vos knikte.

'Ik weet niet wie die spullen in mijn kamer heeft gelegd. Ik kwam thuis en ontdekte dat iemand een pakje voor me had achtergelaten. Een pop. Die kleren. Ik was toentertijd te ver heen om iets op te merken. Misschien was het een van Jansens andere mensen. Of van Menzo. Misschien...' Hij wierp een vluchtige blik op de deur. 'Misschien iemand hier. Hebt u daar wel eens aan gedacht?'

'We zijn niet geïnteresseerd in wat er destijds is gebeurd. We moeten Katja vinden,' zei Bakker.

'Ik kan jullie niet helpen,' zei hij hoofdschuddend. Hij werd zenuwachtig. 'Echt waar, ze was er nog toen ik wegging. Het ging zelfs goed met haar. We zijn die middag naar het Gele Huis gegaan. Kat en ik hadden de boel weer op de rails. Geen drugs meer. Geen drank.' Hij stak een vinger op alsof hij zich iets probeerde te herinneren wat hij had geleerd. 'We waren helder en clean. Helder en clean. Dat was het.'

Bakker vloekte binnensmonds. Ze droeg die ochtend een ander soort pak. Groene broek, een te felgekleurd geruit jasje, groene trui en het kruisje om haar hals. De kleren vloekten niet alleen, ze schreeuwden je tegemoet. Niets paste behoorlijk. Tante Maartje weer, vermoedde Vos. Niet dat zijn eigen kleding – schone spijkerbroek, weer een donkere trui over een poloshirt – iets was om over naar huis te schrijven.

'Waar...?' vroeg ze.

'Dat. Weet. Ik. Niet.' Hij haalde de kauwgom uit zijn mond, wikkelde die in een tissue en stak die in zijn zak. Stopte een nieuwe in zijn mond. 'Maar ik kan jullie één ding vertellen. Achteraf gezien geloof ik dat ze bang was.'

Vos keek op. 'Waarvoor?' vroeg hij.

'Voor wie, bedoelt u.'

Meer niet.

'We blijven net zo lang zitten tot je iets zegt,' zei Vos. 'Desnoods de hele dag.'

'Zie je wel! U bent net als Mulder, hè?' Zijn stem klonk schril, verontwaardigd. 'Het maakt niet uit dat ik mijn leven heb gebeterd, hè? Voor jullie ben ik gewoon een stuk straattuig dat je onder druk kunt zetten. Iemand die je overal de schuld van kunt geven...'

Laura Bakker sloeg kreunend haar handen voor haar gezicht.

Zeeger deed er het zwijgen toe.

Toen zette Laura Bakker haar ellebogen op tafel en keek hem strak aan.

'Het is heel simpel, Jaap. Katja wordt vermist. Het lijkt erop dat ze is ontvoerd. Net als de dochter van Vos drie jaar geleden. Ze kenden elkaar...'

Zijn bleke, sluwe gezicht vertrok. 'Echt waar?'

'Ze kenden elkaar,' vervolgde ze. 'En we willen niet dat Katja net als Anneliese van de aardbodem verdwijnt. Jij wel?'

Het bleef even stil. Toen zei hij: 'Waarom vraag je dat aan mij? Ik stel niks voor. Niet tegenover jullie. Niet tegenover al die hoge piefen...' Hij knikte naar het matglazen raam en het heldere zonlicht daarachter. 'Daarzo.'

Vos sloeg zijn armen over elkaar. Wierp een blik op zijn horloge.

'Ze praatte er niet over,' zei Zeeger. Hij keek hen aan alsof hij een geheim verklapte. 'Eén keer maar, en we mogen er niks over vertellen. Wat er tijdens een sessie wordt besproken blijft onder ons.'

'Wie maakt dat uit?'

'Mevrouw Jewell. Van het Gele huis. Je kunt alleen helder en clean worden als je de waarheid vertelt, hè? En je gaat de waarheid niet vertellen als je weet dat een ander het gaat rondbazuinen zodra je je hielen hebt gelicht.'

Bakker slaakte een lange, diepe zucht.

'Jullie hebben makkelijk praten!' riep, en op dat moment klonk hij als zijn vroegere zelf. 'Jullie hoeven niet bang te zijn dat ze opeens voor je deur staan.'

'Menzo is dood,' zei Laura Bakker. 'Jansen is op de vlucht geslagen. Als we hem vinden, gaat hij weer voor jaren de gevangenis in. Vinden we hem niet...'

'Voor die twee ben ik niet bang! Jezus. Kat liet zich niet in met meneer Jansen of die Surinaamse smeerlap. Jullie...' Hij schudde zijn hoofd. Streek met zijn magere vingers door zijn zwarte, gekamde haar. 'Jullie zien niet veel, hè? Jullie denken dat wij de enige slechteriken in de wereld zijn. Jullie kijken niet verder dan je bekakte neus lang is.'

Vos' interesse was gewekt. Die van Bakker nog meer.

'Vertel verder, Jaap,' zei ze.

'En dan ook vermoord worden?'

'Ik dacht dat Katja je vriendin was,' zei Bakker. 'Ze heeft je toch geholpen helder en clean te worden? Verdient ze het dan niet dat...'

'Kop dicht,' blafte hij haar toe. 'Allebei kop dicht.' Hij nam nog een slok koffie. Koud. Zeeger trok een vies gezicht. 'Ze was bang. Dat zei ik al. Dat gooide ze er een keer uit tijdens een sessie.'

'Met mevrouw Jewell?' vroeg Bakker.

Niets.

'Jaap,' zei ze. Ze deed haar best haar geduld te bewaren. 'Ik blijf het herhalen en jij blijft doen alsof je het niet hoort. Katja is al een week niet gezien. Er is een losgeldeis. Er zijn foto's van haar. Een filmpje...'

Hij reageerde niet.

'Wil je ze zien?' vroeg Vos.

Geen antwoord.

'Goed dan,' zei Bakker. Ze haalde haar smartphone tevoorschijn, legde het toestel op tafel en startte het filmpje dat met de pop bij het lichaam van Rosie Jansen was aangetroffen.

Donkere kamer. Katja op een stoel. Ze gilde. Zo te zien werd ze geslagen.

Zeeger kon zijn ogen niet van het schermpje houden.

'Stop!' gilde hij na een paar tellen. 'Zet het in godsnaam af.'

Bakker zette het beeld stil. Katja's gezicht bleef op het schermpje staan, haar mond bevroren in een langgerekte, gepijnigde kreet.

'Jullie weten niks,' jammerde Jaap Zeeger.

'Dat klopt,' beaamde Vos. 'Praat ons maar bij.'

Zeeger schudde zijn hoofd.

'Wij zorgen dat je niks overkomt, Jaap,' voegde Bakker eraan toe.

Daar moest hij om lachen. Maar na een poosje stak hij van wal. Bakker knipperde met haar ogen, controleerde de recorder en verzekerde zich ervan dat die alles opnam.

Toen hij twintig minuten later was uitverteld, stond Vos op en schudde hem de hand.

'Nu moet je een verklaring afleggen, Jaap. Je moet alles nog een keer vertellen en dan je handtekening eronder zetten.'

'Ik heb toch...'

Vos glimlachte.

'Zo werkt het nu eenmaal. Dat weet je. Je staat voor de verandering aan de goede kant.'

Ze lieten hem achter in de verhoorkamer en riepen twee agenten op om Zeegers verklaring op te nemen. Zwijgend bleven ze even op de gang staan.

'Wat nu?' vroeg Bakker.

Vos wachtte af.

'Halen we Wim Prins naar het bureau?' stelde ze voor.

'Nee. Eerst bekijken we de dossiers over zijn vrouw. Ik was...'

Het hele verhaal had plaatsgevonden toen hij met ziekteverlof was en op het punt stond ontslag te nemen. Hij had geen idee wie de dood van Bea Prins had behandeld. Een vermeende zelfmoord.

'Ik was toen niet hier.'

Hij deed een stap achteruit om de twee agenten in uniform met de getuigenverklaringsformulieren door te laten.

'Ik moet Frank op de hoogte brengen. Tot gisteren runde Wim Prins de stad. Als we hem van moord gaan beschuldigen...'

Vos gebaarde naar de lift. Het kantoor van De Groot was op de vierde verdieping, naast de directiekantoren en de afdeling die zich bezighield met computerinformatie en forensisch werk.

'Daar zit wat in,' beaamde Bakker.

Vos verroerde zich nog altijd niet.

'Wat nu?' vroeg ze.

'Je deed het daarbinnen goed, Laura,' zei hij. 'Heel goed.'

Bakker kreeg een kleur en mompelde iets. Toen stapten ze de lift in.

2

Een ontbijt in stilte. Liesbeth Prins had haar koffie en croissant op en stak een sigaret op. Ze wist dat hij zich daaraan ergerde. Prins zat ongeschoren, onverzorgd in een gekreukt blauw overhemd en een spijkerbroek die hij in geen jaren had gedragen over een kom cornflakes gebogen, maar at er nauwelijks van. Haar rook dreef over hem heen. Hij keek haar niet aan.

'Hoe laat was je thuis?' vroeg ze.

'Heb je dat dan niet gecheckt?'

'Half twaalf.'

Hij schoof de kom van zich af en ademde een keer diep in en uit.

'Waarom stel je een vraag als je het antwoord al weet?'

'De kranten hebben de hele avond gebeld. Ik wist niet wat ik moest zeggen.'

'Dat is opmerkelijk,' antwoordde Prins met een sarcastisch lachje.

Ze stak de half opgerookte sigaret in de overblijfselen van een croissant.

'Doet het je iets, Wim? Raakt het je? Geloof je nog steeds dat ze een spelletje met ons speelt?'

'Misschien,' antwoordde hij schouderophalend. 'Ik weet helemaal niks meer.'

'Waar was je gisteravond?'

'Ik heb een eind gelopen... een paar biertjes gedronken...'

'Een paar?'

'Niet genoeg.'

Hij had de kranten vluchtig doorgenomen. Twee verhalen. De moord op een Amsterdamse gangster en diens vriendin. En het plotselinge aftreden van de locoburgemeester. De officiële lezing was: het is slechts tijdelijk. Gevolgd door een theorie die dat onderuithaalde.

Iemand had zijn mond voorbijgepraat. Hij had zo'n idee dat hij wel wist wie.

'Neuk je haar? Die Willemsen?'

Hij lachte.

'Hoe kom je daar nou bij?'

'Door jouw stiekeme gedoe. Hoe je je gedraagt als zij in de buurt is. Je kunt slecht liegen.'

Dat was grappig.

'Wíj hebben Bea en Vos lang genoeg voor de gek kunnen houden.'

'Je geeft geen antwoord op mijn vraag.'

Hij schokschouderde.

'Even wel, ja. Het was stom. Het is verleden tijd.' Hij begreep niet waar ze zich zo druk over maakte. 'Waar het om gaat is... als je in die positie verkeert, draait het om politiek en ik ben nooit echt een politicus geweest. Je moet niet vergeten dat het niet echt is. Ik heb niet...'

Hij kreeg een kop hete koffie in zijn gezicht. Toen vloog ze hem aan, klauwend met haar nagels, vloekend, krijsend.

Scherpe pijn aan zijn wang, serviesgoed op de vloer. Kruimels en cornflakes vlogen over de geometrische zwart-witte keukentegels.

Hij ontsnapte aan haar klauwende nagels door haar polsen vast te pakken en wachtte tot haar razernij wat bedaarde.

'Daarvóór waren jij en Bea de enigen,' zei Prins. 'Ik ben niet zo'n rokkenjager. Ik denk dat ik het daarom heb gedaan. Ik dacht altijd...'

De spanning verdween uit haar armen en het gekrijs verstomde.

'Ik denk dat ik het stiekeme miste. Je had er niks op tegen toen wij het deden.'

'Lul...'

Dit was bespottelijk, en dat zei hij ook. Hun pact was gesmeed tussen onechtelijke lakens, tijdens gestolen momenten. Ze waren twee keer samen naar Aruba geweest. Prins had tegen Bea gezegd dat hij aan het huis ging werken, Liesbeth had beweerd dat ze met een vriendin op vakantie ging.

Liesbeth rukte haar polsen los. Hij pakte een servet van tafel en veegde de koffie van zijn gezicht. Betastte zijn wang. Pijn en een diepe schram. Prins streek er met een vinger overheen en liet haar die vinger zien.

Bloed op zijn vingertop. Hij keek naar zijn spiegelbeeld in het raam, omlijst door de lichtgroene linden in de binnentuin. Een streep over zijn rechterwang. Die zou voorlopig niet wegtrekken.

'Waag dat nooit meer,' zei hij zacht, op ijskoude toon. 'We zijn geen heiligen. Geen van beiden.'

'Ik heb dat ook nooit gepretendeerd, of wel soms?'

De deurbel ging. Ze liep naar beneden. Prins keek haar na. Haar haar in de war, haar ochtendjas stevig om zich heen getrokken. Het was heel anders geweest toen ze er in het begin samen tussenuit knepen, vervuld van hartstocht.

'Post,' zei ze toen ze weer boven kwam en een grote bruine envelop openscheurde, een spoedbestelling.

'Lees je nu ook al mijn post?' vroeg hij toen hij naar de naam keek, die er met een dikke zwarte viltstift op was geschreven.

'Er valt toch niks meer te verbergen?'

Prins schudde zijn hoofd, liep naar het koffiezetapparaat en zette een verse pot. De ochtendroutine. Dat was het leven geworden. Een reeks automatische handelingen en gebaren die nergens toe leidden, niets opleverden.

Liesbeth was nu stil. Het was een stilte die hij kende. Een stilte die iets van hem eiste.

Het koffiezetapparaat stopte met malen en begon te brommen.

'En?' vroeg hij, en hij liep naar de tafel.

Eén vel wit papier. Dikke zwarte viltstiftletters. Het handschrift leek het slordige gekrabbel van een schoolkind.

Er stond: *Hoek Zeedijk Stormsteeg. 11.30 vanochtend. Tumi-diplomatenkoffertje. Geld. Wacht daar.*

Ze zei geen woord.

Wim Prins ging terug naar het koffiezetapparaat, schonk voor zichzelf een kop in en nam een slokje. Toen las hij de boodschap nog eens.

Hij keek op de klok. Bijna negen uur.

'De bank zal dit pas om tien uur in behandeling kunnen nemen. Ze geven me niet veel tijd, hè?'

'Bedoel je dat je het niet op tijd kunt regelen?'

Hij dacht na.

'Ik zal een paspoort of zoiets moeten meenemen. Je kunt niet zo veel geld uit een geldautomaat trekken.'

'Kun je eraan komen?'

'Ja,' zei hij beslist. 'Maar ik heb tijd nodig. En ruimte.' Hij keek haar dringend aan. 'Je mag het pas over een uur aan Vos vertellen. Oké?'

Ze knikte paniekerig.

'Verpest het alsjeblieft niet, Wim. Dit gaat om Katja, niet om jou...'

Toen verloor hij zijn zelfbeheersing. Hij greep haar bij de magere schouders en schudde haar door elkaar. Hij keek haar woedend in de ogen, overmand door razernij.

Bijna had hij haar een dreun verkocht, wat hem net zo hevig geschokt zou hebben als haar.

Prins liet haar los. Nog steeds woedend. Had moeite om zich te beheersen.

'Ik moet de koffie van mijn gezicht wassen. Proberen er een beetje menselijk uit te zien. Proberen te bedenken hoe ik bij de bank meer geld los kan krijgen dan ik ooit bij elkaar heb gezien, het in een belachelijk koffertje stoppen en als een geile toerist die op zoek is naar een hoer in de Chinese buurt gaan rondlopen. Maak het niet nog moeilijker dan het al is. Waag het niet.'

Hij vertrok. Badkamer. Toen de slaapkamer. Hij kwam terug met een pleister op zijn wang, felgekleurde trui, makkelijke broek, bruine schoenen. Als een man op vakantie of op weg daarnaartoe.

Toen ging hij naar zijn werkkamer om wat spullen te pakken.

Liesbeth bleef in de keuken, als een hoopje ellende zitten roken aan tafel. Zitten staren naar het briefje.

Om tien over negen trok hij zijn jasje en overjas aan, liet haar zweren dat ze tot tien uur haar mond zou houden en vertrok.

Liesbeth Prins vroeg zich af waarom ze naar hem luisterde. Waarom ze niet meteen Pieter Vos zou bellen. Ze wilde hem dolgraag zien. Ze miste zijn rustige, gemoedelijke gezelschap. Wat ooit sleur en saai was geweest, kwam haar nu warm en zorgzaam voor.

Dat alles had niet gespeeld toen ze stiekem wegsloop naar het bed van Wim Prins.

Ze wierp nog een blik op het briefje. Ze zou niet bellen. Niet voor tienen, zoals hij van haar had geëist.

In één ding had hij gelijk gehad. Ze waren geen heiligen. Doen alsof had geen zin.

3

Frank de Groot zag eruit alsof hij niet had geslapen. Hij stond bij het raam van zijn kantoor op de bovenste verdieping van bureau Marnixstraat en keek naar buiten. Er werd gewerkt aan de brug over de Lijnbaansgracht. Mannen met drilboren braken het wegdek open, voetgangers zochten moeizaam hun weg door de chaos. Het lawaai drong het kantoor van De Groot binnen. Het kwam zijn humeur niet ten goede.

Hij hoorde aan hoe Vos samenvatte wat Jaap Zeeger hun had verteld en zei onmiddellijk: 'Vergeet het maar.'

'Vergeet het maar?' riep Bakker uit. 'Zeeger heeft ons verteld...'

'Zeeger is een veroordeelde crimineel. Een dief. Een drugsdealer. Wil je zijn woord tegen dat van een verkozen politicus zetten? Een advocaat nota bene?'

Vos hoestte in zijn vuist en nam plaats op een stoel voor het bureau van de commissaris. De Groot begreep de boodschap en ging tegenover hem zitten. Bakker sloeg haar armen over elkaar en leunde tegen de scheidingswand, nukkig als een tiener met een chagrijnige bui.

'We moeten het onderzoeken, Frank,' zei Vos. 'Hij heeft een verklaring afgelegd.'

'Bea Prins heeft zichzelf doodgeschoten in de Beursplein-parkeergarage. Ze was verslaafd. Genoeg getuigen die dat bevestigd hebben. Ik ga de zaak niet heropenen op grond van informatie uit de tweede hand, van een crimineel.'

Het bleef even stil en toen vroeg Vos: 'Heb jij de zaak behandeld?'

'Ja!' bulderde De Groot. 'Ik. En nee, ik was niet de juiste man voor die taak. Als jij bij je volle verstand was geweest, had ik jou erop gezet. Maar dat was je niet.' Toen rustiger: 'En ik begrijp waarom. We waren allemaal de wanhoop nabij. We hadden drie maanden naar Anneliese gezocht zonder dat dat ook maar iets had opgeleverd.' Een harde blik over het bureau heen. 'Ik weet dat je het zwaar had. Je was niet de enige.'

'Ik moet die dossiers inzien.'

'Mij best. En als je iets vindt, laat het me dan weten. Maar ga niet Prins in zijn kraag vatten alleen maar omdat Jaap Zeeger keurig uitgedost binnen kwam lopen, en besloot een paar onzinverhalen op te hangen. We hebben Theo Jansen in de gevangenis opgesloten op grond van de leugens van dat ettertje en moet je zien waar dat op uitgedraaid is. Waarom zouden we hem in godsnaam geloven?'

'Vanaf het begin heeft Prins geprobeerd zich verre te houden van de zaak,' onderbrak Bakker hem. 'Hij heeft zich nooit gedragen als een man die zijn dochter heeft verloren. Volgens Zeeger is Katja ingestort omdat ze vermoedde dat Prins Bea had vermoord... en dat wist hij. Sluit dat niet aan bij wat we hebben gezien?'

'Je hebt meer nodig dan het woord van een crimineel, die er ook nog eens rond voor uitkomt dat hij een leugenaar is,' zei de commissaris nog eens. 'Tot je dat kunt aantonen...'

'Geef me dan meer mensen,' zei Vos. 'Ik heb Bakker, toegang tot forensische rapporten en Van der Berg. Ik kan niet...'

De Groot werd weer kwaad en gooide een computeruitdraai op het bureau. 'Heb je dit gezien? Het laatste nieuws gehoord?'

Vos pakte het vel papier op. Misdaadmelding. Binnengekomen om vier minuten over half zeven die ochtend. Lichaam gevonden in het water van de Oudezijds Voorburgwal, vlak bij de Oude Kerk. Amsterdamse van achtentwintig. Steekwond in de buik. Uit het water gevist nadat een groep straatvegers haar bij het eerste daglicht had ontdekt. Het team agenten dat op de melding had gereageerd dacht aan een uit de hand gelopen straatroof. Ze was verslaggeefster bij een van de grote Amsterdamse kranten. Ze is geïdentificeerd aan de hand van haar telefoon, die was gevonden in de steeg waar ze was aangevallen.

'Ik heb die vrouw een paar keer gesproken,' zei De Groot. 'Ze is na jouw vertrek bij de misdaadredactie gekomen. Ik zit dus met een ontsnapte Jansen en iedereen die daarover tegen me tekeergaat, Menzo en zijn vriendin die gisteravond zijn vermoord en nu dit...'

Bakker zei: 'Katja Prins wordt vermist. Ze geloofde dat haar vader haar moeder heeft vermoord. Op de een of andere manier lijkt er ook een verband te zijn met de zaak van Vos' dochter. Misschien...'

'Misschien wat?' vroeg De Groot. 'Zeg op.' Hij priemde met een dikke wijsvinger in haar richting. 'Geef me iets waar ik wat mee kan. Iets wat ik kan laten zien aan de mensen die het hier voor het zeggen hebben en waar ik over kan zeggen: "Kijk. Dit is waarom ik de agenten heb teruggehaald die jacht maakten op een moordzuchtige schurk die vrij rondloopt in Amsterdam." Jullie weten niet of het om een echte ontvoering gaat. Of dat Prins gelijk heeft en die meid weer een rotgeintje uithaalt.'

'Dat is waar,' gaf Vos toe.

'Vraag maar om meer mankracht als je me kunt laten zien waarom je die nodig hebt. Niet nu, Pieter. Je weet dat ik je nu niet kan helpen.'

Vos haalde zijn schouders op. Bakker deed er het zwijgen toe.

'Waar wacht je nog op?' vroeg De Groot.

In de gang bleef Vos voor het raam staan. Hij keek over de stad uit in de richting van de Westerkerk.

'Wat een idioot,' mopperde Bakker. 'Waarom...?'

Ze zweeg toen ze de blik in zijn ogen zag.

'Hij is geen idioot. Hij heeft gelijk. Het is informatie uit de tweede hand. Zelfs dat maar amper.' Hij keek op zijn horloge. 'Frank behandelde nooit moordzaken. Alleen maar als hij niet anders kon.'

Voetstappen in de gang. Van der Berg kwam aanlopen met een blauwe map met de naam BEATRIX PRINS op het omslag. Hij deed het raam open en liet de frisse voorjaarslucht binnen. Glimlachte, met een wazige blik in zijn ogen. Er hing zelfs op dit vroege uur een dranklucht om hem heen.

'Heb jij destijds aan deze zaak gewerkt, Dirk?' vroeg Vos.

'Helaas niet, baas. Ik was op vakantie met moeder de vrouw.' Hij kneep zijn ogen tot spleetjes. 'Biertour door Engeland. Een hoop regen gehad.' Hij trok een gezicht. 'Ik had een verzetje nodig na alle ellende die we hier hadden doorgemaakt.'

Vos tikte met zijn vingers op de map.

'Ik wil dat je er rustig bij gaat zitten. Lees het dossier woord voor woord door. Vergeet de conclusies die anderen hebben getrokken. Bekijk de zaak met een frisse blik.'

'Met welke bedoeling?'

'Ik wil weten of het klopt.'

Van der Berg knikte en liep naar de lift.

'Zal het hem uit de kroeg houden?' vroeg Bakker toen hij weg was.

'De beste moordrechercheur die ik ooit heb gehad,' zei Vos. 'Je moet mensen niet beoordelen op hun voorkomen.'

Ze salueerde ironisch.

Vos schudde zijn hoofd.

'En waar gaan wij naartoe... baas?'

Hij wachtte af.

'Het Gele Huis,' zei ze toen Vos geen antwoord gaf. 'O, en laat me raden. We pakken de fiets.'

4

'Er is een kapel beneden, Theo. Wil je die zien?'

Een stralende ochtend. Een paar toeristen in het voor iedereen toegankelijke deel van de Begijnhoftuin.

Hij had hoofdpijn. Hij had alle vier de flesjes bier die ze had gehaald opgedronken en was om een uur of twee op de bank gaan liggen en in slaap gevallen. Zelfs na nog een douche en schone kleren voelde hij zich vies en stom.

Op het nieuws was niets wat hem verontrustte. En geen bericht van Maarten. Hij had tegen de kapper gezegd dat hij zich gedeisd moest houden. Hem niet lastig moest vallen tenzij dat echt nodig was. Toch voelde hij zich eenzaam, en beschaamd. Hij had Menzo geloofd toen die zei dat hij Rosie niet had vermoord. Dat had Pieter Vos niet hoeven bevestigen. En toch had hij de man levend verbrand, met zijn dode liefje op de achterbank.

Vroeger zou hij daar niet over ingezeten hebben. Nu zat het hem dwars.

'Wil je dat ik ga bidden?' vroeg hij, half gekscherend.

Ze droeg een wijde grijze jurk die bijna tot op haar enkels viel. Een witte blouse met een rond kraagje. Haar gezicht leek te weinig gerimpeld van ouderdom. Suzi leefde in vrede, wat ze met hem nooit had gedaan.

'Nee,' zei ze. 'Ik dacht gewoon...'

Die flauwe glimlach. Afkeurend. Daar had hij altijd een hekel aan gehad.

'Ik dacht gewoon dat je misschien even het huis uit zou willen. Niemand ziet je daar.' Haar blik was vast. Ze bleef hem strak aankijken. 'Niemand zou je herkennen. Niet zoals je er nu uitziet.'

Ze liep naar hem toe en raakte zijn rasperige wang aan.

'Het staat je goed. Ik heb een scheermes en scheerschuim voor je gekocht. Ze staan in de badkamer. Je zou je twee keer per dag moeten scheren. En dit.' Ze liep naar een boodschappentas bij het raam en haalde er een doos uit met een tondeuse. 'Die moet je ook gebruiken.' Ze zwaaide vermanend met een vinger voor zijn gezicht. 'Zodat de oude jij niet terugkomt.'

Jansen dronk een kop koffie. At een croissant en een paar bitterballen met mosterd uit de koelkast. Toen ging hij naar de badkamer en deed wat ze hem had gezegd.

Toen hij terugkwam, had ze haar jas aan en hield een nieuw jasje voor hem op.

'Als je hier geld voor wilt...' begon hij.

'Ik wil jouw geld niet. Kunnen we nu gaan?'

Meer toeristen buiten, een grote groep geleid door een Japanse vrouw die een lange stok met een vlaggetje in haar hand had. Ze maakten foto's, zonder zich te storen aan het bord dat hun vroeg dat niet te doen. Ze waren rumoerig, wat misplaatst leek in dit vredige toevluchtsoord vlak achter het drukke Spui.

Hij ging naast Suzi op een bank zitten in het besloten deel van de tuin. Ze keek hem boos aan toen hij vroeg of hij een sigaret mocht opsteken. Dus stak hij als een stout kind zijn handen in zijn zakken. Hij was zowel blij als geïrriteerd dat ze niet probeerde een gesprek op gang te brengen.

Toen de groep toeristen de tuin verliet, stond ze op en liep met hem naar de kapel. Ze vertelde een verhaal over een non uit de zeventiende eeuw die buiten in de goot was begraven omdat ze vond dat de kerk ontheiligd was door de aanwezigheid van presbyterianen.

'In het geloof heb je dus ook bendes?' mompelde Jansen toen ze door de lage deuropening naar binnen gingen.

Rechts was een bescheiden souvenirwinkeltje. Links een kapelletje. Niets wat hem echt interesseerde.

'Er zijn altijd conflicten, Theo,' zei ze, terwijl ze naar hem glimlachte. 'Dat kan ik niet ontkennen.' Suzi tikte op zijn borst. 'Vanbinnen of aan de buitenkant. Daar komen we nooit vanaf.'

'Probeer me niet te veranderen,' zei hij. 'Ik ben een hopeloos geval.'

Ze zei niets.

'En ik word ook in de goot begraven,' voegde Jansen eraan toe. 'Daar kom ik vandaan. Ik ga gewoon terug naar af.'

'Je vader was een eerbaar man. Hij heeft zijn leven lang gewerkt...'

'Hij heeft zich afgebeuld voor een hongerloontje. Het huis waar hij woonde was niet eens zijn eigendom. Hij...'

Zijn vader was een trotse, in zichzelf gekeerde lopendebandwerker bij de Heineken-brouwerij geweest. Jansens moeder was gestorven toen hij zeven was. Zijn vader bezweek aan keelkanker op de dag dat Jansen dertig werd. Hij had nooit een woord gezegd over het werk dat zijn zoon deed. Het was alsof alles in een andere wereld plaatsvond.

'Sst...'

Ze legde een zachte vinger tegen zijn ruwe lippen. Jansen was te hard gaan praten voor de donkere, stille Begijnhofkapel.

'Je bidt nu zeker voor mij?' fluisterde hij. Hij wilde wanhopig graag de kapel uit.

'Nee,' zei ze luchtig. 'Ik bid voor iedereen. Ik zou nooit iets...'

Ze kwam voor hem staan en sloeg haar armen over elkaar. Op dat moment kon hij zich hen tweeën voorstellen, jong en sterk, de lichamen verstrengeld op het bed in zijn flatje, voordat het geld zijn leven binnenstroomde.

Toen was het leven niet ingewikkeld geweest. Elke dag was een strijd die gewonnen of verloren werd. Hij had gehunkerd naar de overwinning omdat hij wist dat het alternatief de nederlaag, schande en de dood was. Hij had zich nooit kunnen voorstellen dat haar verliezen de prijs voor die zege zou zijn.

'Ik kan niets bedenken wat ik je zou kunnen bieden,' zei ze. 'Maar neem wat je wilt. Blijf zo lang als nodig is. Vraag om alles wat je wilt hebben, het maakt niet uit wat. Je kunt alles van me krijgen.'

Ze sloot haar ogen. Hij zag tranen in de hoeken, als minuscule, transparante pareltjes.

'Er is genoeg pijn tussen ons. Laten we dat alsjeblieft niet nog erger maken.'

Zijn goedkope telefoon ging. In de duisternis van de kleine, benauwde Begijnhof-kapel waren alle ogen op hem gericht. Op deze plek hoorde hij niet thuis.

Jansen liep naar buiten en nam op.

Maarten. Hij wilde weten wat hij moest doen.

'Waaraan?' vroeg Jansen. Hij was zich ervan bewust dat ze langs hem heen was gelopen, de voorjaarsochtend in, omdat ze niets van het gesprek wilde horen.

'Iedereen wil het weten, Theo. Zijn we terug? Ik ben zelfs gebeld door een stel Surinamers. Ze willen geen oorlog meer. Niet nu Jimmy er niet meer is.'

Jansen voelde zich stom. Hij had nooit stilgestaan bij de gevolgen van de moord op Menzo. Er was geen voor de hand liggende leider om Menzo's zaken over te nemen. De man had geheerst als een ouderwetse despoot. Miriam Smith was in feite zijn rechterhand geweest en zij was ook dood. Er zou oorlog komen. Dat kon niet anders. Maar niet nu. Er waren distributiekanalen die in stand gehouden moesten worden. Schulden die ingevorderd moesten worden. Rekeningen die betaald moesten worden. Levens die geleid moesten worden.

'Wat wordt er gezegd?' vroeg hij.

'Ze willen je terug...'

'Bureau Marnixstraat blijft naar me zoeken tot ze me vinden, Maarten. Je weet dat ik niet terug kan komen.'

'Wel als we je de stad uit kunnen krijgen. Je kunt alles runnen vanuit het buitenland. Je...'

Jansen luisterde niet. Suzi keek naar hem met die wetende, verdrietige ogen. Ze had altijd de intriges in de wereld van de misdaad doorzien. Soms zelfs beter dan hij. Ze had waarschijnlijk geraden dat dit zou gebeuren.

'We moeten elkaar treffen,' zei de kapper. 'Jij en Jimmy's mensen. Michiel Lindeman zegt dat hij ook komt. Hij kan... bemiddelen.'

Een advocaat die bereid was te praten met een man die op de vlucht was. Dat was een interessant denkbeeld.

'Regel maar iets,' zei Jansen. 'Bel me daarna.'

Hij liep samen met Suzi vanuit het openbare deel van het Begijnhof naar de privétuin en vandaar naar het hoge houten huis en haar bescheiden woning.

'Ik ga straks boodschappen doen. Wat wil je voor de lunch?' vroeg ze toen ze de deur achter hen dichtdeed.

'Haring,' zei hij. 'Lekker brood. Een biertje. Eentje maar.'

Een kwartier later belde Maarten weer. Hij had een bijeenkomst geregeld. Op korte termijn.

'Laat dat eten maar zitten,' zei Jansen tegen haar toen hij de verbinding had verbroken. 'Ik ben er niet met de lunch. Ik haal zelf wel iets.'

5

Het was wel geel, maar geen huis. Gewoon een naoorlogs gebouw in de straat achter de bloemenkramen en de bloembollenzaakjes van de bloemenmarkt. Ingeklemd tussen een restaurant en een café, okergele verf, reusachtige zonnebloemen die tot aan de glanzend schone ramen kwamen, leek het merkwaardig fris en misplaatst tussen de grauwe gebouwen rondom de bloemenmarkt.

Op het bord op de deur stond: HET GELE HUIS, DIRECTEUR BARBARA JEWELL.

Vos en Bakker zetten hun fiets met een kettingslot vast aan het hekwerk, meldden zich bij de kleurloze receptioniste in de kleurloze ontvangstruimte en werden zonder discussie of aarzeling doorgelaten naar het kantoor van Barbara Jewell.

Overal hingen schilderijen van Van Gogh. Citaten van allerlei goeroes, variërend van soefimystici tot Steve Jobs. Jewell zat achter een grote iMac en tikte op het toetsenbord terwijl ze naar hen luisterde. Ze was een stevig gebouwde Amerikaanse van een jaar of veertig met kort, oranje geverfd haar en doordringende blauwe ogen. Ze droeg een bijpassend blauw mantelpakje dat er duur uitzag. Ze sprak op resolute toon in het Engels.

Bakker vroeg wat ze deden.

'We genezen mensen,' antwoordde Jewell met een openhartige, belangstellende glimlach. 'Als dat in ons vermogen ligt.'

'Hebben jullie Katja Prins genezen?' vroeg Vos.

Jewell haalde haar forse schouders op. 'Ik geloof van wel. Hebt u reden om daaraan te twijfelen?'

'Heeft Til Stamm het u niet verteld?' vroeg Bakker. 'Toen ze de sleutels van uw caravan kwam halen?'

De Amerikaanse glimlachte verwonderd.

'Wat had ze me moeten vertellen?'

Vos bracht haar op de hoogte. Ze leek geschokt, bezorgd. Toen ging ze weer op het toetsenbord zitten tikken.

Bakker werd zo langzamerhand kwaad.

'Kunt u daar misschien even mee wachten?'

'Ik kijk even na wanneer Katja hier voor het laatst is geweest,' antwoordde Jewell. 'Ik dacht dat u dat wel zou willen weten.'

Ze vond iets en drukte op een toets. Een printer aan de rand van het bureau begon te brommen. Barbara Jewell overhandigde hun het vel papier dat eruit kwam. Een afspraak voor elf uur 's ochtends voor een drie uur durende 'sessietraining'.

Bakker vroeg wat dat inhield.

'Het betekent dat we overwogen om Katja over een tijdje in dienst te nemen. Een docent moet haar leerstof beheersen. Katja kent die beter dan menigeen. Drugs. Drank.' Ze aarzelde even. 'Huiselijk geweld.'

'Bedoelt u door haar vader?' vroeg Bakker.

De Amerikaanse slaakte een zucht en keek haar verontschuldigend aan. 'Dit is pijnlijk,' zei ze. 'Ik wil u wel helpen, maar ik moet de vertrouwelijkheid in acht nemen.'

'U bent geen priester,' zei Bakker.

'Nee. Maar ik ben wel iemand die geheimen hoort die mensen niet onthuld willen zien. Als u me in vertrouwen iets zou vertellen, zou u dan willen dat ik dat doorvertel?'

'Ik zou er geen bezwaar tegen hebben als daarmee een leven werd gered,' zei Bakker. 'U hebt een plicht...'

'Hoeveel heeft Wim Prins u betaald?' onderbrak Vos haar.

Ze pakte een brochure van haar bureau en gaf die hem.

'We draaien op donaties. Als mensen zich een bijdrage kunnen veroorloven, dan is die welkom. Kunnen ze dat niet... of willen ze dat niet... dan is dat ook prima.' Een vluchtige, ironische glimlach. 'Niemand wordt hier rijk van, als u dat soms bedoelt.'

Ze wachtte. Vos en Bakker dachten even na over de vragen die ze verder konden stellen. Toen vroeg Vos: 'Wie heeft haar die laatste keer gezien?'

'Dat was mijn sessie. Katja was een geweldige patiënt. Oplettend en gemotiveerd. Ze heeft bij ons veel weten te overwinnen. Ik had hoge verwachtingen van haar.'

'Wie waren haar vrienden?'

Barbara Jewell fronste haar voorhoofd. 'Het gaat bij ons om gezondheid en genezing. Helder...'

'Helder en clean zijn,' zei Bakker. 'Ja. Dat weten we. Wie waren haar vrienden?'

Een schouderophalen. 'Ze kon het erg goed vinden met Jaap Zeeger. Ze zaten in dezelfde groep. Afgezien daarvan...'

Bakker krabbelde iets op haar blocnote en vroeg toen: 'Heeft ze gezegd waar ze naartoe ging?'

'Naar huis, nam ik aan. Ze huurde een kamer vlak bij de Warmoesstraat. Ik geloof dat ze Jaap daar ook een kamer heeft bezorgd. Hij had goedkoop onderdak nodig.'

'U lijkt niet in het minst verontrust te zijn over het feit dat Katja Prins wordt vermist,' zei Bakker.

Heel even verdween de kalmte van Barbara Jewells gezicht en trok er een geërgerde uitdrukking overheen.

'De mensen hier komen en gaan. Ik denk niet onmiddellijk dat...'

Vos vertelde haar wat meer over Katja's verdwijning. 'Ze is óf ontvoerd, óf ze doet alsof,' voegde hij eraan toe.

'Wat wilt u precies?'

'Uw dossiers over Katja en Zeeger.'

Ze aarzelde even en schudde toen haar hoofd. 'Het spijt me. Dat is onmogelijk.'

'Ergens zit een jonge vrouw in ernstige moeilijkheden,' zei Vos. 'Ik ken de omstandigheden niet. Ik weet wel dat ze in gevaar verkeert. Mijn dochter is verdwenen...'

'Aha!' Ze stak een mollige vinger op. 'Dat bent u. Katja heeft het over u gehad.' Haar vingers dansten weer over het toetsenbord. 'En over uw dochter. Ze waren vriendinnen. Dat wist u toch wel?'

Vos deed zijn ogen even dicht. Bakker werd kwaad.

'Ik zou u voor de rechter kunnen slepen,' zei Vos. 'Ik zou het Gele Huis lam kunnen leggen.'

Dat vond Barbara Jewell niet leuk.

'We zijn een liefdadigheidsinstelling. We werken hand in hand met de overheid, met de gemeenteraad. De vrijwilligersorganisaties. Ik hoef niet aan te horen wat u...'

'Jaap Zeeger heeft ons toch al verteld wat Katja Prins heeft gezegd,' onderbrak Bakker haar. 'We willen het graag ook van u horen. Anders zullen we u moeten...' Ze dacht even na. 'Zullen we u moeten arresteren vanwege het verspillen van de tijd van de politie.'

'Hij heeft op bureau Marnixstraat een verklaring afgelegd en ondertekend,' voegde Vos eraan toe. 'Als het niet meer is dan gefantaseer, dan kunnen we hem vanmiddag nog voor de rechter brengen. Wim Prins is een man die rekening moet houden met de mogelijkheid dat het om ontvoering gaat. Onder die omstandigheden geef ik Zeeger weinig kans...'

Jewell staarde hen aan en zei: 'Jezus. Is het een wonder dat deze mensen het zo moeilijk vinden om hun leven weer op het rechte spoor te krijgen?'

Ze rammelde weer op het draadloze toetsenbord.

'Dit hebben jullie niet van mij. Oké?'

De printer begon opnieuw te brommen. Een verslag van wat het Gele Huis een 'doorbraakgroep' noemde. Alles kwam ter tafel, hoe beschamend ook. Hoe diep de littekens ook waren.

'Katja is een zwaar getroebleerd meisje,' zei Jewell. 'Tegen het autistische aan, en ik geloof niet dat ze daar ooit voor is behandeld. Ik kon zien dat er iets was, maar ik heb elk woord uit haar moeten trekken. Alsof je gif uit een wond zuigt. Ze had het nodig.'

Ze waren maar met z'n drieën in het vertrek geweest: Jewell, Katja en Jaap Zeeger. Alles wat hij had gezegd werd bevestigd. Katja was ervan overtuigd dat Prins haar moeder had vermoord. Dat dat de oorzaak was van haar inzinking na Bea's dood.

'En het is niet bij u opgekomen om bureau Marnixstraat te bellen?' vroeg Bakker stomverbaasd.

'Zouden jullie haar hebben geloofd?' vroeg Jewell. 'Het woord van een junkie? Niet de slimste? Bekend bij de politie? Haar woord tegen dat van een man als Wim Prins?'

Ze waren uitgepraat.

Buiten, in het geroezemoes van de toeristen op de bloemenmarkt, wilde Vos net het bureau bellen om Prins te laten oppakken toen zijn telefoon ging.

De Groot. Liesbeth had geprobeerd hem te bellen. Er was een losgeldbrief. Prins was naar de bank om het geld te halen.

'Waar is hij?' vroeg Vos.

'Dat weet ze niet. Hij neemt zijn telefoon niet op,' zei De Groot. 'Aangezien jij er niet was, heb ik Mulder erop gezet. Hoek Zeedijk-Stormsteeg. Half twaalf. Wij gaan daarheen. Pieter?'

Vos dacht na.

'Ik kom eraan,' zei hij.

Bakker stond tegen de reusachtige zonnebloemen geleund die op de muur waren geschilderd. Verbluft, niet geïrriteerd zoals ze de dag daarvoor zou zijn geweest.

'Uiteindelijk ging het toch makkelijk, hè?' zei ze.

'Het werd tijd. Bedankt dat je op het idee kwam om over Zeeger te beginnen. Ik wist even niet hoe ik verder moest.'

Dat vrolijkte haar op.

'Ik neem aan dat er een reden is waarom je De Groot niet hebt verteld dat de vrouw in dat gekkenhuis zojuist alles heeft bevestigd wat Zeeger zei over die fijne Wim.'

'Onze fijne Wim heeft een losgeldbrief ontvangen. We hebben maar een uur de tijd om een surveillance- en arrestatieteam voor de Chinese buurt te formeren,' zei Vos. 'Dit loopt niet weg.'

6

Tien minuten later, na een snelle rit op de fiets, liepen Vos en Bakker bureau Marnixstraat binnen. De Groot had iedereen ontboden voor een briefing op de vierde etage. Koeman hield hen tegen toen ze door de lange gang liepen.

'Geen tijd,' zei Vos, en hij probeerde hem opzij te duwen.

'Dan maak je maar tijd,' drong Koeman aan.

Hij versperde hen de weg tot hij had verteld wat hij wilde zeggen. Anna de Vries, de vermoorde verslaggeefster, had de voorgaande middag een bezoek gebracht aan Wim Prins op zijn kantoor.

'Waarom?' vroeg Bakker.

'Dat weet ik niet,' zei Koeman. 'En nog iets. Niemand weet waar Wim Prins gisteravond was. Noch de mensen in de raad, noch zijn vrouw. Hij heeft tegen haar gezegd dat hij in zijn eentje een paar biertjes had gedronken. Kwam pas om half twaalf thuis. We denken dat de vrouw ongeveer een uur daarvoor is vermoord.' Koeman huiverde. 'Een van de tippelaarsters zegt dat ze omstreeks die tijd een gil heeft gehoord. Uiteraard heeft ze niks gedaan.'

'Straks,' zei Vos, die weer probeerde langs hem heen te glippen.

'Dat is nog niet alles,' zei Koeman, en hij haalde een paar foto's uit een plastic mapje. 'De telefoon van De Vries is in de goot gevallen in de steeg waar ze is doodgestoken. We hebben hem terug. Er staat een sms'je op, schijnbaar van Prins, waarin hij haar vraagt hem te treffen in Café Singel. Hij is niet komen opdagen. Dat heb ik gecheckt. Een ander sms'je, schijnbaar van Katja Prins. Ze noemde jouw naam...'

Koeman hield een vel papier voor Vos' gezicht en wees op de derde regel van boven.

Kun je me horen gillen, Pieter? Doet je dat niks?

Vos kon geen woord uitbrengen.

'Jij hebt ook zo'n berichtje gekregen. Ogenschijnlijk van Anneliese,' zei Koeman. 'Dat staat in het dossier. Behalve dat die je "vader" noemde. Niet "Pieter". Hoeveel mensen weten dat? Behalve de smeerlap die je dat berichtje stuurde?'

Te veel mogelijkheden. Te veel herinneringen.

'Die sms'jes zijn allemaal nep,' vervolgde Koeman. 'Prepaid simkaarten. De berichten zijn via dezelfde mast verzonden, dus is het een en dezelfde persoon met twee telefoons. Iemand heeft die vrouw binnengehengeld als een vis aan de lijn. We moeten Wim Prins hierheen halen. Uitzoeken waar hij gisteravond is geweest. Jezus...'

Hij krabde aan zijn bruine walrussnor.

'Ik heb haar een paar keer gesproken. Ze was best aardig, voor een broodschrijver.'

Vos tikte op het blad met sms-berichten.

'Als dit het werk van Prins is... zou hij dan zijn eigen naam gebruiken?'

'Weet ik veel,' zei Koeman. 'Zou ze zijn gegaan als hij zich Donald Duck had genoemd? Laten we het hem maar vragen.'

'Jij hebt gewoon een hekel aan politici,' zei Vos, en nu lukte het hem om langs de man heen te glippen.

Een hoge, woedende stem kwam door de gang achter hem aan. 'Wie niet?' riep Koeman.

7

Wim Prins gebruikte al bijna vijfentwintig jaar dezelfde bank. Een kleine privébank gevestigd in een herenhuis in het Museumkwartier. Voor het grootste deel van die tijd was Kees Alberts zijn accountmanager geweest, een onbuigzame oudgediende die goed thuis was in de internationale belastingwetgeving en beleggingsmogelijkheden. Prins had via deze man de villa op Aruba gekocht, door het zorgvuldig doorsluizen van een deel van zijn inkomsten uit het advocatenkantoor dat Michiel Lindeman onder de partners telde. Er waren ook andere buitenlandse beleggingen. Een villa in Griekenland. Onroerend goed in Florida. Aandelenportefeuilles in diverse Caribische belastingparadijzen.

Prins had zich nooit met geld beziggehouden. Zijn nettowaarde, alles meegerekend, liep tegen de tien miljoen euro. Maar het meeste geld zat vast in fondsen en onroerend goed. Hij had in geen jaren behoefte gehad aan een groot bedrag aan liquide middelen en had geen flauw idee of hij makkelijk een half miljoen euro kon opnemen.

Alberts hielp hem al snel uit de droom. Na het telefoontje van Prins de dag daarvoor was hij aan het rekenen geslagen. Prins kon onmiddellijk beschikken over 240.000 euro. Het geld lag op het bureau van de bankier, in een zwartleren Tumi-koffertje zoals hij had gevraagd. Vierhonderd euro voor het koffertje was al van het bedrag afgetrokken.

'Er moet meer zijn,' zei Prins dringend.

'Er is veel meer,' beaamde Alberts. 'Ik kan het alleen niet onmiddellijk omzetten in contanten op het moment dat jij met je vingers knipt. Geef me tot morgen de tijd, dan kan ik er waarschijnlijk een ton aan toevoegen. In een week kunnen we denkelijk een miljoen vrijmaken. Het meeste geld zit in onroerend goed, Wim. Dat kan als onderpand dienen voor leningen. Dure leningen. Maar niet van de ene dag op de andere. En...'

De bankier keek hem recht in de ogen.

'Ik moet vragen waarvoor je het geld nodig hebt. Er zijn tegenwoordig regels. In verband met witwassen...'

'Zie ik eruit als iemand die geld witwast?'

'De regels vragen niet hoe je eruitziet. Alleen wat je met het geld gaat doen. En waarom.'

Stilte.

'En waarom?' zei Alberts nog eens, vragend nu.

'Omdat het ernaar uitziet dat mijn dochter is ontvoerd. En tenzij ik de ontvoerder een half miljoen euro geef...' Hij wierp een blik op zijn horloge. '... kan ze over een uur dood zijn. Vraag maar na bij bureau Marnixstraat. De politie weet er alles van.'

De bankier trok wit weg.

'Je moest toch weten waar ik het geld voor nodig had?' zei Prins.

'Dit is een slechte tijd, hè? Gezien die verhalen in de kranten...'

'Vergeet de kranten. Hoe kom ik aan meer geld?'

Alberts haalde zijn schouders op.

'Niet via ons. Misschien kan de politie je helpen. Gemerkte briefjes. Een capsule met verf of zoiets. Daar zijn ze voor.'

'Geen tijd. En de politie hoef ik echt niet om een gunst te vragen.'

'Dit is de eenentwintigste eeuw, Wim. We houden geen grote sommen geld in voorraad. Voor wie? Wie heeft er tegenwoordig nog contant geld nodig?' Hij klopte op het koffertje. 'Het meeste wat hierin zit heb ik ergens anders vandaan gehaald.'

Prins wachtte af. Alberts zei niets meer.

'Als je het niet wilt...' begon Alberts, en hij stak zijn hand al uit naar het koffertje.

'Het is mijn geld, of niet soms?' snauwde Prins, en hij griste het koffertje onder Alberts' hand vandaan en liep de zonnige, koude dag in.

De Nachtwacht was zo'n simpel plan. Hij had het bedacht terwijl hij keek naar het kolossale schilderij van Rembrandt in het Rijksmuseum, op een paar minuten loopafstand van de bank. Een groep robuuste, voorname Amsterdammers, klaar om de stad in te gaan. Onder tromgeroffel. Wapens in de aanslag. Er stond ook een jong meisje bij met heldere ogen en goudblond haar, een dode kip om haar middel gebonden. Een of ander symbool, vermoedde hij. Hij wist het niet zeker. Hij was nooit geïnteresseerd geweest in de details. Dit was een doek van mannen die bereid waren om te vechten voor iets wat hun dierbaar was. De stad. Om die veilig te maken voor hun gezinnen. Om licht in de duisternis te brengen.

Was het ijdelheid die het schilderij voor hem zo aantrekkelijk maakte? Het grootste deel van zijn huwelijk was hij ontrouw geweest. Was hij vreemdgegaan met Liesbeth. Hoeveel van Rembrandts mannen in hun fraaie uitdossing, welgestelde burgers, trouwe kerkgangers, hadden dezelfde bedrieglijke streken uitgehaald? Wilde hij de stad zuiveren? Of zichzelf?

Prins keek naar het trage verkeer op de lange, rechte Weteringschans. Er kwam een taxi aanrijden. Prins had die ochtend in een souvenirwinkel bij het Leidseplein een goedkope zonnebril met een zwaar montuur gekocht. Toen de Mercedes voor hem stopte, zette hij de zonnebril op en ging op de achterbank zitten met zijn hand op het Tumi-koffertje.

Hij zei niets.

'Is dit een date of wil je ergens naartoe?' vroeg de chauffeur.

'Ik wil ergens naartoe,' zei Prins. 'Dat wil toch iedereen?'

De man haalde zijn schouders op en wachtte af.

Wim Prins keek naar zichzelf in de achteruitkijkspiegel. Een doodgewone man van middelbare leeftijd, grijs haar, zware zonnebril, groot en goedkoop, die een groot deel van zijn gezicht aan het oog onttrok.

'Schiphol,' zei hij, en hij legde het zwarte koffertje op zijn schoot.

Handbagage. Genoeg om hem naar de andere kant van de wereld te brengen.

8

Margriet Willemsen stond bij het raam toen Hendriks binnenkwam. Ze was gebeld door een rechercheur, Koeman. Had hem zo weinig mogelijk verteld. Alleen maar bevestigd wat hij al leek te weten.

Alex Hendriks was er niet blij mee.

'Die vermoorde verslaggeefster was gisteren hier. Ze had verdomme dat filmpje. Wat moeten we doen?'

'We distantiëren ons ervan,' zei ze. Ze kwam terug naar het bureau. 'We blijven rustig. We vertellen waar mogelijk de waarheid. Wachten af en zien wel wat er gebeurt. Dit heeft geen invloed op ons, Alex. Hou je hoofd koel.'

'Mijn hoofd koel houden?' Hij kneep zijn ogen tot spleetjes en vroeg zich af wat hij nog meer kon verwachten. 'We moeten met Prins praten. Aan ons verhaal werken.'

'Wim heeft hier voorlopig niks te zoeken,' zei ze. 'Laat hem maar aan mij over. Weet jij wat er is gebeurd?'

Hij moest het wel vertellen.

'Ik ben gehackt. Er was laatst een meisje. Een tijdelijke kracht van een instelling die afgekickte junkies helpt om werkervaring op te doen. Ze is spoorloos verdwenen. Ik weet haast zeker dat zij in mijn bestanden heeft zitten neuzen. Zij moet dat filmpje hebben doorgestuurd.'

'Weet je, Alex, als ik niet wist dat je gillend naar bureau Marnixstraat zou rennen, zou ik je op dit moment naakt de straat op sturen.'

Hendriks keek haar kwaad aan. 'Maar dat weet je wel,' zei hij. 'En ik heb je nodig. Ik wilde hem alleen maar tegenhouden. Meer niet. Waar is hij in godsnaam? Ik heb geprobeerd hem thuis te bellen. Zijn vrouw klonk...' Hendriks mocht Liesbeth Prins graag. Ze had iets pittigs, iets onafhankelijks over zich. Hij snapte niet wat ze zag in die droge, introverte man van haar. 'Ze klonk radeloos.'

'Ik weet niet waar hij is,' zei Willemsen. 'En wie kan het schelen? Bureau Marnixstraat heeft genoeg te doen. Als ze weer met vragen komen, verbind je ze maar door met mij.'

'Zo werkt het niet! Het is de politie. Ze kunnen doen wat ze willen.'

Ze knikte. 'En ik ben locoburgemeester. Mulder is onze tussenpersoon voor De Nachtwacht. Als er iemand van bureau Marnixstraat belt, zeg dan maar dat ze met hem moeten praten.'

Hendriks knikte. Er was nog een vraag. Hij moest hem stellen.

'Die verslaggeefster...'

'Ze denken aan een uit de hand gelopen straatroof,' zei ze.

'Je denkt toch niet... Wim... Jezus, hij was witheet toen we hem eruit schopten. Liesbeth zei dat hij gisteravond niet thuis was. Ze wist niet waar hij was geweest. Als ze...'

'Godallemachtig, Alex, hou daar mee op,' riep ze. 'Jij hebt deze nachtmerrie in gang gezet, waar of niet?'

'Niet echt,' snauwde Hendriks. 'Het enige wat ik heb gedaan is een beetje olie op het vuur gooien.'

Ze had er een hekel aan als mensen haar tegenspraken. Ze wist ook niet goed hoe ze erop moest reageren.

'Het is wel heel toevallig dat die vrouw het slachtoffer is geworden van een straatroof een paar uur nadat ze hier is geweest en hem de stuipen op het lijf heeft gejaagd,' vervolgde hij.

Toen glimlachte Margriet Willemsen. De glimlach van de verkiezingsposters. Breed en onoprecht.

'Puur toeval,' zei ze. 'Meer niet. We zitten in hetzelfde schuitje, Alex. We slaan ons er samen doorheen.' Ze gebaarde naar de deur. 'Je kunt nu gaan. Doe nou maar gewoon wat ik zeg. Alles komt goed.'

In de gang bromde zijn telefoon. Hendriks keek naar het schermpje. Een sms.

Til Stamm schreef: *je zoekt mij?*

Nou en of, dacht Hendriks. Hij had zo veel vragen.

Alex Hendriks schreef terug: *We moeten ergens afspreken. Waar? Wanneer?*

Een lange pauze. Hij dacht dat hij haar kwijt was. Vroeg zich af wat hij in dat geval moest doen. Toen...

Til Stamm: *hoek zeedijk & stormsteeg 1130*

Hendriks leunde tegen de ramen die uitkeken op de Wallen. Hij kende de stad zo goed dat hij die hoek voor zich zag. Twee oude, smalle klinkerstraatjes die elkaar kruisten op een plek die nooit bedoeld was voor modern verkeer. Chinese restaurants en een paar winkeltjes. Een bruine kroeg waar hij af en toe kwam, Café Oost-West.

Waarom zou een tijdelijke kracht, een junkie die zijn privébestanden had geplunderd, hem halverwege de ochtend in de Chinese buurt willen treffen?

Alex Hendriks schreef: *Kom maar naar kantoor. Alles is oké.*

Weer een pauze en hij dacht nu echt dat hij haar kwijt was. Toen...
niks is oké alex. is je dat niet opgevallen? zorg dat je er bent.

9

Negentien mannen en één vrouw in de briefingruimte van bureau Marnixstraat. Mulder stond voor de groep instructies uit te delen. Vos en Laura Bakker zaten op de eerste rij.

De Groot had vooraf de maatregelen in grote trekken uiteengezet. Mulder zou de actie leiden. Vos zou de eruit voortvloeiende verhoren afnemen. De logica leek onweerlegbaar. Vos was nog maar net terug en had te maken met mannen met wie hij niet recentelijk had gewerkt. Mulder was tijdens Vos' afwezigheid de leidinggevende rechercheur geweest en kende alle codes en modekreten.

Discussie gesloten nog voor die was begonnen.

Vos en Bakker luisterden naar het plan. Agenten in burger op straat. In kantoren die uitkeken op de kruising. Een paar in Café Oost-West. Auto's klaar om alle vluchtwegen af te sluiten. Een surveillancehelikopter die hoog boven de stad rondjes vloog en niet boven de kruising bleef hangen, want dat zou alleen maar argwaan wekken. Snelle verbindingen met alle masten voor mobiel telefoonverkeer, klaar om onmiddellijk inkomende en uitgaande telefoontjes te traceren.

Alles en iedereen in positie een kwartier voordat Prins werd verwacht. De man zelf had nog steeds niets van zich laten horen. Alleen zijn vrouw, die beneden bij de ontvangstbalie op nieuws zat te wachten.

Toen Vos dat hoorde, deed hij zijn ogen dicht en nam hij zich voor om met Bakker door de achterdeur naar buiten te glippen. Nadat Mulder de laatste instructies had uitgedeeld, vroeg Vos: 'En wij? Waar moeten wij naartoe?'

De lange rechercheur keek hem hoofdschuddend aan.

'Jullie wachten hier,' zei Mulder. 'We hebben een goed op elkaar ingespeeld team. Ik heb geen ruimte voor beginnelingen.'

Bakker liet een luid protest horen, maar werd de mond gesnoerd door een vinnig woord van Frank de Groot.

'We zijn een team, Vos,' zei Mulder nog eens. 'Jij weet niet hoe we werken en ik heb nu geen tijd om je dat te leren.' Hij wees naar een van de computers op een bureau aan de zijkant van het vertrek. 'We hebben tijdelijke bewakingscamera's geïnstalleerd. Als je een leeg bureau kunt vinden, kun je alles hiervandaan volgen. We rekenen de contactpersoon in. Als we erachter komen waar Katja Prins wordt vastgehouden, halen we haar daar weg.' Hij keek op zijn horloge. 'We hebben een half uur om onze posities in te nemen. Als iemand nog vragen heeft...'

Laura Bakker stak een vinger op, als een schoolmeisje dat iets wilde vragen.

'Ja?' vroeg Mulder.

'Wil je alsjeblieft ook Wim Prins inrekenen?' vroeg ze. 'We hebben nog een appeltje met hem te schillen.'

Mulder keek Vos aan.

'Ja,' zei Vos. 'Dat wil ik ook graag.'

10

Schiphol. Prins liep rechtstreeks naar de KLM-balie en betaalde een kleine vijfduizend euro voor een enkeltje businessclass naar Oranjestad op Aruba. De verwachte vertrektijd was kwart voor twaalf. Een vlucht van negen uur en vijftig minuten van het koude Amsterdam naar de warme Cariben. Dan een taxi naar Sint Nicolaas, een gehuurde boot om de zevenentwintig kilometer naar Venezuela te overbruggen, een makkelijk toevluchtsoord dat buiten de directe Nederlandse jurisdictie viel.

Daar kon hij het geld ergens veilig onderbrengen. Nadenken. Wachten. Drinken.

Misschien zelfs een blowtje pakken en een hoer zoeken. Dat deed iedereen. Waarom niet? Dit was een nieuwe tijd, een nieuwe wereld.

Alleen handbagage. De baliemedewerkster gaf hem een instapkaart. Met zijn elektronisch paspoort was hij binnen drie minuten de douane door. Hij hoefde niet eens een beambte in de ogen te kijken.

Op de luchthaven was het altijd druk, een uitgestrekt complex van gates en winkelgalerijen. Er was een businesslounge. Daar maakte hij geen gebruik van. Hij zou daar iemand kunnen treffen die hij kende. In plaats daarvan doodde Prins wat tijd met een gratis tentoonstelling van schilderijen uit het Rijksmuseum. Toen ging hij naar een achterafgelegen bar, nipte aan een biertje en at kieskauwend een hotdog. De hele tijd drukte hij het koffertje tegen zich aan en hield hij de zware zonnebril op.

Het was elf uur geweest. In de Chinese buurt zou het nu wemelen van de politie. Hij keek op zijn telefoon. Berichtjes van Liesbeth. Ze was naar bureau Marnixstraat gegaan, maar meer vertelde ze niet.

Waar ben je? Waarom bel je niet?

Hij dacht even na en sms'te een antwoord.

Alles oké. Heb geduld. We slaan ons hierdoorheen.

Ze sms'te onmiddellijk terug.

Ik moet met je praten, Wim.

Maar dat doe je niet, dacht hij. Al heel lang niet meer. Sinds ze getrouwd waren. Daardoor was alles veranderd. Voor die tijd, toen het nog een verhouding was, ongeoorloofd, geheim, gestolen, waren ze verbonden geweest door een onuitgesproken innerlijke hartstocht. Een onbesuisd vuur dat bijna van de ene op de andere dag was gedoofd door een trouwring, die het magische alledaags had gemaakt.

Ik bel zodra ik kan.

Uit Venezuela. Misschien Isla Margarita. Daar was hij een keer met Bea geweest. Ze had bijna de hele tijd in een cocaïneroes verkeerd.

Zo was Liesbeth niet. Nog niet. En hij zou haar echt bellen. Op een dag. Maar voorlopig niet.

Hij keek naar de telefoon. Als ze wilden, konden ze hem via de telefoon opsporen. Hij zette hem uit. Haalde de batterij eruit. Zoals hij daar in zijn eentje zat, voelde hij zich een crimineel. Het moment dat hij kon instappen, kon niet snel genoeg komen.

11

Vos en Bakker vonden een kantoor met een pc die was aangesloten op Mulders bewakingscamera's. Het was even na elven. Er was nog weinig te zien op de zes camera's op straat. Dat leek niet vreemd. Vos vroeg Bakker om Liesbeth en een paar bekers koffie te gaan halen en hen dan alleen te laten.

Twee minuten later was ze terug met Liesbeth Prins, die er doodongelukkig uitzag, en twee bekers koffie uit de beste automaat, eigendom van de forensische afdeling en zelden door anderen gebruikt. Laura Bakker kon bijzonder overtuigend zijn als ze dat wilde.

Ze vertrok om ergens anders een pc te zoeken die op de bewakingscamera's was aangesloten. Vos zette het computerscherm uit. Liesbeth ging bij het raam zitten en keek hem niet aan. Ze gaf geen antwoord toen hij vroeg of ze wist waar haar man de avond daarvoor was geweest. Waar hij nu was.

Na een reeks vragen waar ze nauwelijks op reageerde, zei ze: 'Hij heeft het geld. Dat zei hij tenminste. Wat had je dan verwacht?'

Voorzichtig vroeg hij weer naar Anneliese en Katja. Hoe ze elkaar hadden kunnen kennen. Of ze ooit iets had opgevangen over een huis aan de Prinsengracht waar ze in hun vrije tijd wel eens naartoe gingen. Hij was gewend om pijnlijke vragen te stellen, maar nooit zo persoonlijk en pijnlijk als deze.

'Ze was zestien,' zei Liesbeth mat. 'Jij was er nooit. Ik had ook mijn eigen leven. Denk je dat ik elke minuut van de dag wist wat ze deed?'

'Het huis aan de Prinsengracht waar ze naartoe ging was een bordeel,' zei Vos zonder zijn blik van haar af te wenden.

'Pardon?'

'Een privéhuis. Een soort club. Waarschijnlijk een waar de meisjes... erg jong waren. Waar ze de kneepjes van het vak leerden.'

Niets.

'We hebben haar bloed daar aangetroffen. Haar buskaart. Ze is daar geweest. Misschien met Katja. God weet met wie nog meer...'

Ze kneep heel even haar ogen stijf dicht, haar mond vertrok van woede en pijn.

'Liesbeth, we hebben bloed van Anneliese...' zei hij nog eens.

'Heb je nu je zin?' riep ze schel. 'Kun je nu de overlijdensakte tekenen? De zaak afsluiten?'

'Nee. Dat kan ik niet. Ik weet niet wat er is gebeurd. Daar probeer ik achter te komen.'

'Waarom gooi je mij deze shit voor de voeten? Ik heb mijn best gedaan. Ik was er toen jij er niet was. Niet elke minuut. Elke seconde. Maar ik was...'

'Dit gaat niet om wie schuld draagt,' zei hij. 'Ik voel me niet schuldig. Jij ook niet, volgens mij.'

Ze ontweek zijn blik. Nam een grote slok koffie.

'Waar gaat het dan wel om?'

'De waarheid. Eerlijkheid,' zei Vos met een schouderophalen. 'Iets anders hebben we toch niet?'

'Je lijkt Wim wel. Smeken om stemmen. In nietszeggende raadselen spreken...'

'Er is een procedure,' onderbrak hij.

'Wat voor procedure?' vroeg ze nijdig.

Hij sloeg zijn armen over elkaar en bleef haar aankijken.

'Iets wat we bij elke zaak natrekken. DNA. Het ligt voor de hand dat we Annelieses DNA hebben. Nu hebben we ook dat van Katja.'

Behalve de tranen die in haar ogen opwelden zag hij ook woede en angst.

'Het maakt niet uit wat een druppel bloed zegt,' vervolgde Vos. 'Ze is mijn dochter. Ónze dochter. Ik was altijd aan het werk. Dag en nacht. En behoorlijk saai als ik wél thuis was. En Wim... met al dat geld... een vrouw die niet van hem hield...'

In elkaar gedoken, de beker in haar handen geklemd, keek ze kwaad naar hem op.

'Ik ben bij jou gebleven omdat ik niet met hem kon trouwen,' zei ze. 'Is dat wat je wilt horen?'

'Niet echt.'

'En je hebt nooit iets vermoed, Pieter? Helemaal nooit. Als je het me had gevraagd... als het je was opgevallen dat ik er niet was als ik thuis hoorde te zijn...'

'Dan zou je bij me zijn weggegaan,' zei Vos, en hij moest zich wel afvragen: had hij het altijd al geweten? Had iets in hem dat verontruste, achterdochtige stemmetje het stilzwijgen opgelegd uit angst voor de consequenties die het zou hebben als hij ernaar zou luisteren?

'Waarschijnlijk wel.'

'Wisten ze dat ze halfzusjes waren?' vroeg hij. 'Had Anneliese enig idee dat Wim haar echte vader was? Dit kan belangrijk zijn. Ik probeer te begrijpen...'

'Nee.'

Hij wachtte af en toen ze niets meer zei, vroeg hij: 'Weet je dat zeker?'

'Ja.' Een aarzeling. 'Ik bedoel... ik heb het haar niet verteld. Jij kon het niet vertellen. Wim...'

'Wist hij het?'

De koffiebeker vloog de kamer door. Niet op hem gericht. Op de muur, de hele wereld.

'Christene zielen! Denk je dat dit voor mij makkelijk is? Ik heb het nooit geweten. Ik wilde het niet weten. Ze had net zo goed jouw dochter kunnen zijn. Was dat maar zo. Misschien zou alles dan anders zijn gelopen. Misschien...'

'Zou het kunnen dat Bea het wist?' vroeg hij. 'Kan Anneliese het van haar hebben gehoord?'

Ze haalde haar schouders op, keek hem aan.

'Je wilt het nu nóg niet onder ogen zien, hè? Ik weet niet wat Bea dacht. Ik heb me wel eens afgevraagd of ze iets vermoedde. Als ze me in dat rechtsbijstandskantoor aankeek...'

'Dit is belangrijk. Als Anneliese het wist...'

'Liese,' zei ze scherp. 'Zo heette ze. Ze was geen kind meer. Líése. Een tiener. Ze werd nieuwsgierig. Ze werd ook... sluw.'

'Liese.'

Hij had geen idee waarom hij haar naam nooit had afgekort. Dat had op de een of andere manier niet nodig geleken. En nu leek dat simpele verzuim hem te veroordelen. Hij was geen slechte vader. Alleen maar onoplettend en afwezig.

'Ik vond het niet...'

'Nee,' zei ze. 'Je had het veel te druk met het redden van andere mensen. Je bent er heel goed in om je te verdiepen in het leven van vreemden, hè? Maar je had geen oog voor wat er vlak voor je neus gebeurde. In je eigen huis.'

Hij zei niets.

'Of als je dat wel zag, had je niet de moed om er iets van te zeggen.'

Haar magere vingers raakten zijn borst aan.

'Als je iets had gezegd. Als ik had beseft dat ik je pijn had gedaan...'

Het bleef een hele tijd stil. Toen zei ze: 'Ik vond het verschrikkelijk dat je altijd aan het werk was. Daardoor voelde ik me klein en onbelangrijk. Als je wel thuis was, had je alleen maar aandacht voor haar. Nooit voor mij.'

'Het spijt me,' fluisterde hij. 'Ik ben nu eenmaal niet goed in gevoelens tonen...'

'Je had niks in de gaten, Pieter. Kom nou niet aan met smoesjes.'

'Misschien heb je wel gelijk. Als ik Katja kan vinden... Als we er daardoor achter kunnen komen wat er met Anne... met Liese is gebeurd...'

'Ze is dood,' zei Liesbeth mat, verslagen. 'Weet je dat niet? Voel je dat niet?'

'Nee.'

'Niet voordat je haar lijk hebt gezien? Je wilt er niet aan, hè? Ik heb lang geleden de hoop opgegeven dat ik haar ooit nog zou zien. Ik wilde niet gek worden. Niet worden zoals jij. Dat was te makkelijk.'

Hij knikte.

'Als er verder nog iets is wat ik moet weten...' zei Vos.

'Ik kon haar die zomer niet in de hand houden. Jij was nooit thuis. Ze ging niet naar school. Ik werkte hier parttime op de forensische afdeling. Jij had me dat baantje bezorgd, weet je nog? Ik wilde iets te doen hebben. Ik zei dat we het geld nodig hadden.' Ze lachte. 'Dat was gelogen. Ik verveelde me gewoon dood. Ik was het zat om te moederen over een ondankbare tiener en jou elke avond afgepeigerd thuis te zien komen, te moe om te praten.'

Vos herinnerde het zich weer. Ze had die zomer een paar maanden op bureau Marnixstraat gewerkt, archiveren en administratieve klusjes op de bovenste verdieping.

'Jij hebt het nooit gezien,' zei ze. 'Maar ze was niet te houden. Kwam altijd laat thuis. Wilde nooit zeggen waar ze was geweest. Of met wie.'

'Je had het me kunnen vertellen.'

Liesbeth Prins lachte, en dat was zo plotseling, zo onverwacht dat het geluid zijn bloed verkilde.

'Waarom? Jij zou haar geld hebben gegeven en gezegd hebben dat ze nieuwe kleren moest gaan kopen. Alsjeblieft...' Ze legde haar hand op zijn vingers. 'Je was een zacht ei. Altijd geweest. Tegenover haar. Tegenover mij ook, als ik de moeite nam je iets te vragen.'

Ze moest iets aan zijn gezicht hebben gezien.

'Ach, jee,' zei ze. 'Nu beneem ik je weer al je illusies. Hoe vaak moet ik het nog zeggen voor het tot je doordringt? We waren niet het volmaakte gezinnetje, Pieter. Dat zouden we ook niet zijn geweest als ik niet was vreemdgegaan met Wim. Zo is het leven nu eenmaal niet. Keurig netjes...'

'Nee,' zei hij, en hij trok zijn handen weg.

Ze beet op haar lip, dacht na over wat ze wilde zeggen.

'Op een dag zag ik haar met een meisje. Ze leken op elkaar. Het was alsof ik haar kende. Ik wist niet waarvan. Wim en ik... we waren altijd discreet. Ik ben nooit bij hem thuis geweest. Of in ons huis nu.' Ze haalde haar schouders op. 'Dus toen ben ik de meisjes gevolgd. Helemaal tot aan het Vondelpark. Zag dat ze een ijsje kochten. Gingen zitten. Ze waren... mooi en blij.'

Een verbitterde, wrange uitdrukking.

'Toen dook Bea op. Ze ging bij hen zitten. Niet zoals ik, een buitenstaander. De vijand. Het was alsof ze een van hen was. Een meisje. Dat erbij hoorde. Waarbij dan ook. Ik heb nooit geweten...' Haar vinger trok een kring in de gemorste koffie op tafel. 'Ik heb het nooit durven vragen. En een paar dagen later was Liese verdwenen.'

'Je had het me kunnen vertellen...' zei hij nog eens.

'Doe niet zo stom. Ik wilde die beerput echt niet opentrekken. Bovendien... Jullie zeiden allemaal dat het die gangsters waren die jou terug wilden pakken. Of een gek. Ik had niks te vertellen. Nog steeds niet.'

'Heeft Bea je gezien?'

Een vluchtig, grimmig lachje.

'O ja. Ik ging naar hen toe en stelde me voor. Liese wilde me niet eens aankijken. Maar Bea wel. Geschift wijf.'

'Je had het me kunnen vertellen.'

Ze keek hem vragend aan. 'Hoe dan? Waarom?'

Ze waren bijna twintig jaar samen geweest en nog steeds was er een kloof tussen hen. Onzichtbare muren, duistere geheimen.

'Dat huis waar we haar bloed hebben gevonden... het privéhuis... staat aan de Prinsengracht. Tegenover het Amstelveld. Ken je het?'

Ze schudde haar hoofd. 'Haar bloed?'

'Niet veel,' zei hij. 'Ik geloof niet dat ze daar is vermoord. Maar dat huis...'

'Ik ben haar niet gevolgd. Ik heb haar niet bespioneerd. Ze was een tiener. Wat zou ik ermee hebben bereikt? Ik ben anders dan jij. Jij zoekt altijd naar dingen om recht te zetten. De wereld is kapot. Die kun je niet lijmen. Dat kan niemand.'

Vos wist niet wat hij moest zeggen. Laura Bakker redde hem.

Ze kwam zonder te kloppen binnen, liep meteen door naar de computer, zette de monitor aan, drukte een paar toetsen in en zei: 'Dit moet je zien. Er gebeurt iets... Maar...'

'Maar wat?' vroeg hij toen ze haar zin niet afmaakte.

'Ik snap het niet.'

Ze keek naar Liesbeth Prins.

'Ik geloof dat jij nu moet gaan,' zei Bakker.

De beelden van de bewakingscamera's waren te zien. Op de kruising van de Zeedijk met de Stormsteeg krioelde het van de mensen. Nu en dan het geknetter van mobilofoons over het radiokanaal.

'Waar is Wim?' vroeg Liesbeth Prins. 'Ik zie hem nergens.'

Vos keek op zijn horloge. Tien voor half twaalf.

'Nog tien minuten,' zei hij.

'Hij is altijd te vroeg, nooit te laat,' fluisterde ze. Ze keek hem aan en zei: 'Het spijt me. Alles wat ik heb gedaan... gebeurde gewoon. Ik heb er nooit om gevraagd. Wilde het eigenlijk niet echt.'

'Je moet gaan!' zei Bakker, luider nu.

Maar Liesbeth Prins' blik was gefixeerd op het scherm.

'Daar is dat mannetje van de gemeenteraad,' zei ze, en ze wees naar een man die langzaam over de klinkers liep. 'Die voor Wim werkt.'

Vos keek niet naar het scherm. Hij krabbelde iets op een briefje, gaf het aan Bakker en zei dat ze het moest laten natrekken.

12

'Wat moet hij verdomme hier?' bromde Theo Jansen toen hij in de achterkamer van Maartens kapperszaak ging zitten.

De zaak was nog steeds gesloten. De kapper zag er gekweld en moe uit. Hij keek zenuwachtig naar de twee mannen die in de achterkamer aan hun oploskoffie nipten en tersluiks naar elkaar keken.

Michiel Lindeman was meteen bereid geweest om te komen toen Maarten hem belde. De onwil van de dag daarvoor was verdwenen. Daar had hij zijn redenen voor. Jimmy Menzo was dood. De controle over de hele stad stond op het spel.

'Hij is hier omdat ik hem heb uitgenodigd,' zei Lindeman rustig. 'Omdat we hem nodig hebben.'

Max Robles, klein, gespierd, een jaar of vijfendertig, donkere huid, sluwe ogen. Glimlachte te veel, lachte te veel. Hij had al eerder als tussenpersoon gefungeerd wanneer Jansen zaken deed met Menzo. Hij was zo betrouwbaar als een Surinaamse crimineel kon zijn.

'Ik weet eigenlijk niet of ik jou wel nodig heb,' zei Jansen tegen Lindeman. 'Types zoals hij...'

'Jezus, Theo. Een beetje dankbaarheid zou je niet misstaan,' antwoordde de advocaat. 'Je bent een voortvluchtige crimineel. Een moordenaar. Ze zouden ons kunnen oppakken puur vanwege het feit dat we bij jou in deze kamer zitten.'

Jansen snoof, zei niets.

'Vind je dat je onder deze omstandigheden kieskeurig kunt zijn?'

Maarten kwam tussenbeide. 'Heren, laten we rustig blijven. Er zijn zaken te bespreken. Praktische problemen die opgelost moeten worden. We moeten het hoofd koel houden.' Hij keek Jansen aan zoals hij hem nooit eerder had aangekeken. 'Wij allemaal. Oké?'

'Theo.' Robles keek hem met zijn gebruikelijke stralende glimlach aan. Grote witte tanden. Hij stak zijn hand uit over de tafel. 'Je hebt gisteravond mijn baas koud gemaakt. Ik ben gekomen zoals meneer Lindeman vroeg. Is dat geen teken van goede wil?'

'Zeg jij het maar,' antwoordde Jansen. Toen knikte hij naar Maarten. 'Heb je hem gefouilleerd op een wapen toen hij binnenkwam?'

Robles lachte. Maarten ook. Toen haalde de kapper een klein pistool uit zijn broekzak en liet het de aanwezigen zien.

'Waarom ben ik hier?' wilde Jansen weten. Toen luisterde hij.

Lindeman deed voornamelijk het woord. Hij sprak over de behoefte aan vrede. Over dringende beslissingen die genomen moesten worden in verband met geld en distributiekanalen. Zei dat Theo Jansen vanaf een afstand in naam de koning van Amsterdam kon blijven. Over een paar dagen, als de gemoederen bekoeld waren, konden ze hem in een auto naar België zetten. In Oostende een privévliegtuig regelen. Het vliegveld waar Jimmy Menzo de maandag daarvoor naartoe was gevlogen.

Daarna...

'Kun je ergens anders naartoe,' zei Maarten. 'Waar je maar wilt.'

Acht procent van de opbrengsten voor nietsdoen. Het dagelijkse werk zou worden uitgevoerd door de overgebleven mannen van Menzo, onder leiding van Max Robles, samen met eventuele bereidwillige mannen uit Jansens voormalige gelederen.

'Dat is een smak geld voor in de zon zitten,' zei Jansen.

'Zeker,' beaamde Robles. 'Maar wat is het alternatief?'

Niemand zei iets.

'Dat zal ik je vertellen,' vervolgde Robles. 'We gaan door met de strijd. Jij en ik. En dan mengen de Turken zich erin. De Serviërs. Joost mag weten wie nog meer. Die snuffelen al rond. Ze vinden zichzelf heel wat.' Hij tikte drie keer met zijn wijsvinger op tafel. 'Er is sprake van een zwart gat en iemand moet dat vullen. Of we maken ze duidelijk wat hun plaats is of we zijn er geweest.'

'Twee dagen geleden heb je geprobeerd me te vermoorden,' zei Jansen.

De donkere man tegenover hem knikte en zei: 'Ja. Dat was grof, hè? Maar denk er eens over na. Jimmy en Miriam zijn dood. Net als die twee jongens die de aanslag hebben gepleegd. Als we bereid zijn te vergeven en vergeten...'

'Iemand heeft mijn dochter vermoord,' onderbrak Jansen hem. 'Dat kan ik niet vergeven. En ook niet vergeten.'

'Nee,' zei Robles. 'Daar kan ik inkomen... eerlijk waar.' Hij stak Jansen weer zijn hand toe. 'Wij waren het niet. Wij hebben daar niks mee te maken. Jimmy praatte nooit tegen ons als hij met Miriam naar Oostende ging. Dat was hun privétijd. Volgens mij wist hij het niet eens tot hij terug was.'

De hand bleef uitgestoken, zonder te trillen.

'Geef me de vijf als je me gelooft,' zei Robles. 'Als je me niet gelooft, zitten we hier onze tijd te verspillen.'

Jansen verroerde zich niet en zei alleen maar: 'Iemand heeft haar vermoord.'

'Wij niet,' antwoordde Robles, en de opgewektheid was uit zijn stem verdwenen. 'Waarom zouden we? Jimmy wilde jóú dood hebben.' Hij keek de tafel rond, voor het eerst zenuwachtig. 'Ik zal je eerlijk zeggen hoe het zat. Hij en Rosie hadden een deal. Twee weken voordat je weer voor de rechter moest verschijnen hebben ze gepraat. Als jij na je vrijlating zou vertrekken en niet zou proberen je zaken weer op te pakken... dan was het afgelopen. Geen gezeik meer.'

'Waarom heeft hij dan geprobeerd me van kant te maken?' vroeg Jansen snuivend.

De grote, zwarte hand hing nog steeds boven de tafel.

'Omdat hij dacht dat je niet zou luisteren,' antwoordde Robles. 'Jimmy kon af en toe stom zijn. Maar wat dat betreft... volgens mij had hij het bij het rechte eind.' Hij zwaaide met zijn hand. 'Als ik mijn hand wegtrek, dan komt-ie niet meer terug. Dan wordt het een hoop ellende, voor ons allebei. Denk daar eens aan.'

Theo Jansen stond op en keek hem woedend aan, zijn gezicht werd rood.

'Wie heeft mijn dochter vermoord?' bulderde hij.

Lindeman was de eerste die iets zei. 'Degene die de dochter van Prins heeft ontvoerd,' zei hij. 'Ligt dat niet voor de hand?'

'Voor mij niet,' zei Jansen. 'Wie...?'

'Dat weet ik niet!' riep Lindeman. Zo hard dat het Jansen verbaasde. De advocaat was een van de rustigste, meest beheerste mannen die hij kende. Hij had hem nog nooit zijn stem horen verheffen.

'Iemand naait hier de boel,' voegde Lindeman eraan toe. 'Jou. Prins. Weet ik veel... ook Pieter Vos. Waarom hebben ze anders haar lijk in die boot naast die van hem gedumpt? Iemand probeert hem terug te halen en...'

'Rosie had niks te maken met de dochter van Prins,' viel Jansen hem in de rede. 'Wij geen van allen.' Hij keek Robles aan. 'Of wel?'

'Volgens mij niet,' zei de man uit Paramaribo.

Lindeman slaakte een zucht en sloeg zijn armen over elkaar, in afwachting van Jansens aandacht.

'Jimmy heeft die twee jongens naar dat privéhuis gestuurd,' bracht de advocaat naar voren. 'Hij moet iets hebben geweten...'

'Het was een verzekeringskwestie,' zei Robles. 'Hij wilde die jongens dood hebben én geld terugzien voor dat pand. Vanaf het moment dat hij het had gekocht, was het een kostenpost. Jimmy had geen belangstelling voor een privéhuis. Het leverde niet genoeg op.'

Jansen leek niet overtuigd.

'Het is de waarheid,' zei Robles. 'Geloof het of niet. De keus is aan jou.'

'De waarheid?' Jansen keek naar de drie mannen. 'Wat weten we vanuit bureau Marnixstraat? Ik had mijn mensen daar. Die zal Menzo ook wel hebben gehad. Misschien wel dezelfde...'

'Ze hebben het net zo moeilijk als wij,' zei Lindeman voorzichtig. 'Het ziet ernaar uit dat Prins iets op zijn geweten heeft. Ik weet niet wat.'

'Wim Prins?' vroeg Jansen. 'Mr Proper? Je vroegere partner?'

'Soms denk je dat je iemand kent,' zei Lindeman met een schouderophalen. 'Soms heb je het mis.'

Jansen bromde iets en pakte de hand die naar hem werd uitgestoken. Schudde die.

'Vind Rosies moordenaar voor me,' zei hij, 'en je kunt alles krijgen wat je maar wilt. Hou die acht procent. Voor mijn part verdelen jullie het onder elkaar.'

De drie mannen keken geïnteresseerd.

'Ik zal een paar mensen bellen,' zei Robles. 'Even praten.'

'Doe dat,' zei Jansen. Hij knikte naar de kapper. 'Maarten weet waar hij me kan bereiken als je iets voor me hebt.'

Toen Jansen weer buiten stond, snakte hij naar een biertje. Hij keek op zijn horloge. Eén minuut voor half twaalf. Er was een kroeg om de hoek, rustig en discreet.

Hij liep erheen. Verderop in de straat stonden twee agenten in uniform. Een van hen keek zijn kant op.

Theo Jansen stak de straat over en liep door, terug in de richting van de steeg die naar het Begijnhof leidde. Hij voelde zich een vreemdeling in zijn eigen stad en dat was nieuw voor hem.

13

Klaas Mulder zat in het bijna lege Café Oost-West en roerde suiker door een modderige dubbele espresso. Hij was tevreden met de instelling van zijn mannen. Minder blij met het feit dat hij zat opgescheept met Koeman, die nooit voldoende respect toonde voor zijn meerderen.

'Wat doen we als we degene hebben ingerekend die opduikt om het geld in ontvangst te nemen?' vroeg Koeman. 'Hoe vinden we die arme meid dan?'

'Die arme meid had allang achter slot en grendel moeten zitten,' antwoordde Mulder. 'We hebben hier niet te maken met een onschuldig schoolmeisje.'

Koeman trok aan zijn snor.

'Sorry. De relevantie van die opmerking ontgaat me even.'

Mulder liep naar het raam en liet zijn blik over het kruispunt gaan.

'En waar is Prins in godsnaam?' vroeg Koeman. Hij keek op zijn horloge. 'Hij heeft nog vijf minuten. Als het mijn dochter was, dan zou ik...'

'Het is jouw dochter niet,' zei Mulder. Hij staarde naar een kleine man van middelbare leeftijd in een nette bruine jas die voor het Chinese restaurant aan de overkant stond. 'Wie is dat in godsnaam? Maak een foto van hem. Trek hem na in de databank.'

Koeman kwam naar het raam toe.

'Alex Hendriks. Een hotemetoot in de gemeenteraad. Hij runt het kantoor of iets dergelijks. Ik heb hem vanochtend opgezocht in de knipselmap. Voordat ik ze belde. Hij werkt rechtstreeks voor Prins. Sorry... werkte.'

'Hoe kwam je erbij om dat te doen?'

Koeman vertelde hem dat de krant waarvoor Anna de Vries had gewerkt hem had gemeld dat ze de middag voordat ze werd vermoord op het kantoor van de gemeenteraad was geweest en daar Prins had gesproken.

'Hij is politicus,' zei Mulder. 'De pers praat zo vaak met hem. Het was een straatroof. We gaan ons wel met de doden bezighouden als we klaar zijn met de levenden.'

Koeman haalde geprikkeld zijn notitieboekje tevoorschijn en las de smsjes die op de telefoon van De Vries waren aangetroffen hardop voor.

‘Waarom wist ik dit niet?’ vroeg Mulder streng.

Koeman zwaaide met een vinger in de lucht en zei: ‘Misschien omdat je het druk had met het samenstellen van een arrestatieteam?’

‘Op een dag ga je te ver...’

‘Daar verheug ik me op.’ Koeman wierp een blik op zijn horloge en keek toen naar buiten. ‘Klokslag half twaalf. Geen spoor van Mr Proper. Alleen die Hendriks. Misschien moeten we hem oppakken. Misschien...’

Hij zweeg.

‘Wat is dat in godsnaam?’ vroeg Mulder, terwijl hij de Zeedijk in keek.

14

De beveiligingspoort op Schiphol was vlak voor de gate. Prins legde zijn telefoon in de bak, toen zijn riem en voor alle zekerheid zijn zwarte schoenen. De vrouw bij de scanner tikte op het Tumi-koffertje. 'Laptop?'

'Geen laptop.'

'Geen vloeistoffen? Scherpe voorwerpen? Geen...'

Hij hield de zonnebril op en glimlachte naar haar. 'Ik ben een echte saaie piet,' zei hij, en hij keek toe terwijl het koffertje de scanner in gleed. Toen liep hij door het poortje, geen gepiep, pakte het koffertje van de band en liep door.

De KLM-gate was even verderop. Geen rij voor de businessclass.

Hij keek naar het blauw met witte vliegtuig. Een van de oudste MD-11-toestellen. Overhandigde zijn instapkaart en ging aan boord.

Voorin waren drie rijen met twee stoelen. Hij zat links bij het raam. De businessclass was voor het grootste deel leeg.

Hij kreeg een glas champagne aangereikt, vergezeld van een flauwe glimlach van de stewardess.

Alles leek een felle tint blauw. Samen met de vroege alcohol bezorgde het hem hoofdpijn.

Prins nipte er toch maar aan. Wachtte, hoopte. Eindelijk hoorde hij de deuren dichtgaan, voelde hij het vliegtuig achteruitrijden.

Hij keek uit het raampje terwijl het toestel langzaam in de richting van de startbaan taxiede.

15

Vijf duivels op straat. Zwart, rood, oranje, blauw en felgroen. Ze zwiepten met hun staart en porden speels met hun hooivork naar voorbijgangers.

De grootste was van top tot teen in het zwart gehuld en zwart geschminkt. Hij had lange geitenhoorns en leek bijna naakt. Hij droeg een grote gettoblaster op zijn schouder en maakte net als de rest bokkensprongen op de maat van een oorverdovende popsong.

Zijn tanden waren rood geverfd en hij glimlachte voortdurend. Net als de andere vier.

Rode tanden. Felgekleurde kostuums. Vrijpostig.

Koeman pijnigde zijn hersens. Hij had dit stel eerder gezien.

'Daar zitten we echt op te wachten,' mopperde Mulder.

De kleinste, in een felrood kostuum, rende achter een van de agenten in burger aan. Hij kwetterde druk, porde met zijn vork en maakte apengeluiden, luid genoeg om tot het café door te dringen.

Het nummer werd herkenbaar.

Stevie Wonder. Een vrolijk nummer, in tegenstrijd met het zonderlinge, ietwat sinistere spektakel.

Het was luid en onmiskenbaar toen de vijf demonen dansten op het refrein.

'*Happy birthday...*' schalde het over de met klinkers bestrate kruising van de Zeedijk met de Stormsteeg.

'Happy birthday?' fluisterde Koeman. 'Wat zullen we nou...?'

Mulder was aan het bellen met de beveiligde telefoon. Koeman keek op zijn horloge. Vijf over half twaalf. Het was moeilijk voor te stellen dat een advocaat die politicus was geworden niet kwam opdagen voor de afgifte van het losgeld voor zijn eigen dochter.

Het was nog moeilijker voor te stellen dat een ontvoerder zich aan de afspraak zou houden met die idioten in de buurt.

Te veel toevalligheden.

'Hij komt niet,' mompelde Koeman bij zichzelf. 'Het is nooit de bedoeling geweest.'

Niet dat Mulder luisterde. De hoofdinspecteur blafte in de telefoon, in een poging iemand aan de lijn te krijgen. Vos zo te horen. Zonder succes.

Koeman liep naar hem toe, wachtte op een pauze in het verhitte eenrichtingsgesprek en zei: 'Hij komt niet, Mulder.'

De groep duivels kwam dichterbij en keek speurend om zich heen. De lange, zwart geschminkte demon haalde een vel papier tevoorschijn.

Koeman herkende nu het gezicht. Een groep bedelende straatmuzikanten van een van de anarchistische leefgemeenschappen. Ze paradeerden door de stad en voerden snelle straatshows uit, waarna ze met de hoed rondgingen bij toeristen die zo dom waren geweest om te blijven staan.

'Hij komt...'

'Dat weet ik...' begon Mulder.

Toen riep iemand gespannen, met een buitenlands accent: 'Prins! O Wim! Gefeliciteerd met je verjaardag, Wim!' De muziek werd luider. De duivels wervelden weer rond, zwaaiden met hun armen, klapten mee met de muziek. 'Happy birthday.'

Koeman snapte er niets van. Hij kon het niet geloven.

Wim Prins was er niet. Alleen de man van de gemeenteraad, Alex Hendriks, die als een verdwaasde idioot heen en weer liep.

'Ze kunnen me wat,' zei Koeman. 'Ik pak hem op.'

Hij wachtte niet om te horen wat Mulder daarvan vond en liep Café Oost-West uit, de drukke straat op.

Mensen staarden naar de demonen die met hoge stemmen krijsten: 'Wim! Wim! Waar ben je? O, Wim...'

Mulder volgde Koeman het café uit. Hij had agenten uit de omringende winkels en kantoren naar buiten geroepen. Het was een nutteloze onderneming geweest, van begin af aan. Er was nooit sprake geweest van losgeldoverdracht of een arrestatie, Prins of geen Prins. Ze waren voor de gek gehouden.

Het team verzamelde zich rond de entertainers. Een van hen stak zijn hand uit naar de gettoblaster en zette de muziek af. De duivels kregen door wat er aan de hand was. Amsterdam was een tolerante, relaxte stad. Normaliter zouden ze hier ongestraft mee weg zijn gekomen, hooguit met een waarschuwing.

Nu niet.

Het was Koeman inmiddels duidelijk hoe het zat. Iemand had de groep betaald om hiernaartoe te komen. Had gezegd dat een zekere Wim Prins jarig was. Dat hij om de hoek zou staan, klaar om verrast te worden.

Er zouden geen sporen terugleiden naar de opdrachtgever. Waarschijnlijk had die contant betaald. Zelfs als de dansende duivels wisten wie het was, zouden ze dat niet zeggen. Ze waren een stam, ze leefden los van de politie, van de rest van de stad. Andere wezens op een andere planeet.

Dus het enige wat ze hadden was Alex Hendriks, een bezadigde gemeenteambtenaar van middelbare leeftijd, die op de hoek van de Zeedijk en de Stormsteeg stond, verbijsterd en verloren. En behoorlijk bang.

Zeker dat laatste toen Koeman op hem toeliep, hem zijn legitimatiebewijs toonde en zich voorstelde.

Koeman glimlachte en wees naar de groep duivels. 'Hoe vind je de show, Alex?'

'Ik kwam toevallig langs...'

'Zeg dat niet!' Koeman bracht zijn hand tot vlak voor het gezicht van de man. 'Wat je ook doet, zeg dat niet. "Ik kwam toevallig langs." Nee. Dat is een grove belediging.'

De rechercheur keek om naar het café en knipoogde.

'We hebben daar het afgelopen kwartier binnen gezeten. Tien minuten heb ik naar jou zitten kijken, terwijl je hier stond alsof je het zowat in je broek deed.'

Een politiebusje kwam aanrijden, het zwaailicht flitste, de sirene loeide. De demonen werden ingeladen, hoe hard ze ook protesteerden.

'Ik moet terug naar kantoor,' zei Hendriks. Hij probeerde moed te verzamelen.

'Je vroegere baas had hier moeten zijn,' zei Koeman. 'Klokslag half twaalf. Om een half miljoen euro losgeld voor zijn dochter af te geven.' Een glimlach. 'Hij is niet komen opdagen. Jij wel. Samen met een stel dansende duivels die zijn naam riepen.'

Koeman stopte zijn legitimatiebewijs weg en keek de smalle straten op en neer. 'Zie ik eruit als een man die in toeval gelooft? Of alleen maar als een idioot?'

Hendriks stond inmiddels te trillen.

'We gaan naar bureau Marnixstraat,' zei Koeman. 'Voor een lang, interessant gesprek. De enige vraag is...'

Hij fronste zijn voorhoofd, haalde handboeien tevoorschijn en liet ze aan zijn rechterwijsvinger bungelen.

'Ga je uit vrije wil mee of moet ik je meesleuren?'

16

Op Aruba zou het zonnig en warm zijn. Hij stelde zich de rit van een half uur naar de kust voor. Onderhandelen met een van de vissers over het huren van een boot naar Venezuela. Dat zou minstens duizend euro kosten. En als hij de verkeerde uitkoos...

Prins' vingers dwaalden naar het koffertje dat in het bagagevak onder het raam was opgeborgen. Dat was alles wat hij nog had. Alles wat tussen hem en de vergetelheid in stond.

'Meneer...?'

De stewardess in de businessclass was een knappe jonge vrouw, met blonde krullen die waren weggestopt onder haar blauwe hoedje. Ze boog zich over hem heen om het glas te pakken. Prins keek om zich heen. Er zat nog één andere passagier in de cabine, helemaal aan de andere kant. De komende negenenhalf uur zouden rustig zijn. Misschien kon hij wel slapen. In dat geval zou hij het koffertje onder zijn voeten zetten.

'Ik moet uw glas opbergen voordat we opstijgen.'

Prins dronk het glas in één teug leeg en gaf het aan haar. Hij keek nog eens om zich heen. Eigenlijk vond hij het komisch. Zo was het leven in de kantoren van de gemeenteraad naast de opera. Als in een cocon. Afgeschermd van de buitenwereld. Zo was het ook in de advocatuur geweest, zelfs toen Michiel Lindeman nog koorddanste tussen de politie en de onderwereld. Niets van buitenaf had hem daar ooit geraakt. Niemand.

Hij keek uit het raam naar de vlakke weilanden die zich uitstrekten tot aan de lage, grijze horizon. Dit tweedimensionale land had hem altijd ingesloten, gevangengehouden. Was het raar om te denken dat hij eraan kon ontkomen? Dat een simpele vlucht hem als de truc van een goochelaar kon losmaken van het onbegrensde verleden?

Drinken telde hij niet tot zijn slechte gewoonten. Maar de komende uren...

Het vliegtuig reed langzaam over de taxibaan. Er stond een rij andere toestellen te wachten op het vertreksein. Uiteindelijk vertrok het vliegtuig voor hen. Hij trok zijn veiligheidsgordel strakker om zijn middel. Tastte nog eens naar het koffertje.

De stewardess zat tegenover hem, vastgesnoerd in haar veiligheidsgordels. Hij keek. Ze glimlachte. Toen ging de telefoon naast haar. Ze nam op, keek vluchtig naar hem, maakte haar gordel los, stond op en liep naar de cockpit.

Prins keek uit het raam. Er kwam een ander toestel in zicht. Het taxiede naar het begin van de startbaan. Draaide in de juiste richting en denderde met brullende motoren over het asfalt.

De stewardess kwam niet terug. Het vliegtuig bleef staan. Hij keek op zijn horloge. Bijna twaalf uur. Hij vroeg zich af wat er was gebeurd op het kruispunt van de Zeedijk en de Stormsteeg. Hij wist dat hij die straat in de Chinese buurt nooit meer zou zien. Niets van Amsterdam.

Toen veranderde het geluid van de motoren. Het vermogen werd teruggenomen. Hij keek uit het raam. Een Volvo stationcar, wit met blauwe en rode politiemerktekens, was voor hen de taxibaan op gereden. Erachter kwamen een paar vliegveldauto's en daarachter een hoge vliegtuigtrap, zo'n trap die ze gebruikten als er geen slurf beschikbaar was.

De jonge vrouw in het blauwe uniform kwam de cockpit uit. Keek hem aan. Opgelaten.

'Meneer Prins. Er is een probleem...'

'Geeft niet,' zei hij, terwijl hij zijn gordel losmaakte en het koffertje uit het bagagevak haalde. Hij glimlachte naar haar. Ze was uitzonderlijk knap en hij vond het vervelend dat hij haar dag in de war had geschopt.

De achterportieren van de witte politie-Volvo gingen open. Hij wist wie hij daar zou zien. Pieter Vos. Een man die het zoeken nooit staakte. Vos stapte uit in zijn gekreukte blauwe jas, streek zijn te lange bruine haar naar achteren en keek omhoog naar het vliegtuig, schrander, scherp, alert. En jong, op de een of andere manier, alsof het verleden hem had bevroren op het moment dat zijn dochter verdween. Een man die altijd direct wist wat hij wilde, dacht Prins. Toen stapte er een lange, slanke jonge vrouw uit, met loshangend rood haar dat wild om haar hoofd waaide in de schroefwind van een vliegtuig dat zojuist de startbaan op was gedenderd, klaar om zich te bevrijden uit de greep van de zwaartekracht. Om te ontsnappen.

Ontsnappen.

Meer had hij niet gewild. Een moment van rust. Enige afstand van de grijpgrage, verachtelijke wereld.

Hij stond op. Streek zijn kleren glad. Klemde het koffertje onder zijn arm. Liep achter de stewardess aan naar de deur. Wachtte en keek toe terwijl ze de lange hendel ontgrendelde onder het raampje.

Toen duwde ze met haar slanke schouder tegen de deur en het felle Schiphol-daglicht en de ijskoude wind stroomden de cabine in.

De trap was er nog niet. Achter haar gestrekte arm kon hij nu alles zien. Weilanden en asfalt. Vliegtuigen en kleine mensen die zich beneden verzamelden. Om hem terug te brengen naar de stad. Naar bureau Marnixstraat en een oneindige reeks vragen.

De vrouw hield haar arm gestrekt om hem tegen te houden. Maar ze keek niet naar hem. Waarom zou ze?

Prins duwde haar uit de weg, liep naar de rand van de deur, keek naar beneden en hield zijn adem in.

Een grijze taxibaan, er groeide gras in de barsten van het asfalt. Een meter of vijftien naar de grond. Genoeg, dacht hij, en hij boog zich voorover, opende het koffertje en liet zich met het hoofd naar beneden de diepte in vallen, zwijgend, met gesloten ogen, omhuld door een wolk rondvliegende bankbiljetten.

Ontsnapping. Snel en makkelijk, geen terugkeer mogelijk.

17

Jaap Zeeger was even na half twaalf klaar met zijn verklaring. Hij wachtte een poosje. Besefte dat niemand er echt in geïnteresseerd was. Bureau Marnixstraat leek belangrijker dingen te doen te hebben.

Buiten sloeg hij zijn goedkope windjack om zijn schouders, stak de straat over en liep in de richting van de Prinsengracht. Het was koud en het zag ernaar uit dat het ging regenen. Een kop koffie ergens. Iets te eten. Misschien naar het Gele Huis om met het schilderwerk te beginnen, zoals hij had beloofd. Dan om vier uur inklokken bij de koerier voor de avonddienst.

Genoeg te doen. Hij had geen drugs, drank of sigaretten meer nodig om te presteren.

Helder en clean.

Dat was wat Barbara Jewell beloofde. En ze kwam haar belofte na.

Dit deel van de stad was zo gewoon. Zo rustig. Zo... normaal. Op de Elandsgracht lieten mensen hun hondje uit en ruimden de drollen op. Winkelende mensen en een enkele toerist. Mensen die brood en vlees kochten bij de biologische slager. Op de Wallen was het heel anders. Op een dag, nam Zeeger zich voor, zou hij naar de Jordaan verhuizen. Fulltime werken. Zich settelen. Misschien een vriendin zoeken. Trouwen zelfs. Het soort leven leiden waarvoor hij vroeger zijn neus had opgehaald. Weg van de onzekerheid en de voortdurende dreiging van geweld.

Hij kwam langs een coffeeshop en trok een vies gezicht toen de stank zijn neus bereikte van de joints van twee sjofele types die in elkaar gedoken op een bank voor de deur zaten. De standbeelden van Johnny Jordaan en zijn vrienden stonden iets verderop. De brug. De weg terug naar de binnenstad. Hij had tijd over. Tijd om na te denken.

Iemand riep hem. 'Hé, Jaap!'

Hij liep door.

Een van de klaplopers die voor de coffeeshop zat te roken, kwam hem bekend voor. Geen naam. Alleen een reputatie.

Hij versnelde zijn pas. De gracht. Boten. Die smeris, Vos, woonde hier ergens. Dat wist hij ook.

'Hé...'

Een hand op zijn arm. Stevig en sterk. Een onguur gezicht met baard, donker van het vuil en de rook. Verdwaasde ogen. Zwart en kwaadaardig.

Zo had hij er ook uitgezien. Voordat het Gele Huis hem had gered.

'Ken je me nog?' vroeg de klaploper. Zijn vriend stond naast hem. Ook groot. Geen smerissen in de buurt. Alleen gewone mensen, en die wisten dat ze maar beter door konden lopen.

Zeeger zei: 'Ik vermoed dat je de verkeerde voor je hebt. Sorry...'

De andere man was aan het bellen.

'Je wordt gezocht,' zei de eerste man. Hij kwam dichterbij en sloeg zijn arm om Zeegers magere schouders. 'Er zijn mensen die met je willen praten.'

Zeeger probeerde zich los te rukken. Hij mompelde iets, werd bang, raakte in de war.

Net als vroeger. Hij voelde zich niet meer helder en clean.

Dus deed hij iets stoms, zoals vroeger. Hij trapte de man tegen zijn scheen en rende weg in de richting van de brug en de kroeg op de hoek.

Hij had misschien vier stappen gedaan toen ze hem al te pakken hadden. Drugs maakten niet iedereen langzaam. Of vreedzaam. Hij incasseerde een paar schoppen tegen zijn benen om hem onderuit te halen en een paar in zijn maag om hem rustig te houden.

Aan de overkant riep iemand dat hij de politie ging bellen. Maar uit wat hij op bureau Marnixstraat had gehoord wist hij dat ze daar belangrijker dingen aan hun hoofd hadden dan een afgekickte junk die in de schaduw van het standbeeld van Johnny Jordaan op de Elandsgracht door twee schooiers werd afgerost.

Hij dook in elkaar, op zijn knieën, en probeerde zich jammerend tot een bal op te rollen.

'Ze willen met hem praten, debiel,' zei de andere man. 'Sla niet al zijn tanden uit zijn bek.'

'Ja...'

Het schoppen hield op. Wegrennen had geen zin. Het had geen zin om iets anders te doen dan afwachten.

Jaap Zeeger had het grootste deel van zijn leven te maken gehad met mensen die hem zeiden wat hij moest doen, wat hij moest denken, wat hij moest voelen. Als het niet Jansens hielenlikkers waren die hem drugs opdrongen, dan was het wel Barbara Jewell die geduldig, eindeloos tegen hem aan praatte in een poging de puinhoop die zijn leven was te ontwarren.

Zo ging het nu eenmaal. Dat zou nooit veranderen.

Een paar minuten later kwam er een zwarte Mercedes aanrijden. Twee lange mannen in pak met een zonnebril op stapten uit. Ze spraken even met de junks. Gaven ze geld en zeiden dat ze moesten opkrassen.

Een van de mannen pakte Zeeger bij zijn kraag.

Ook een gezicht dat hij kende. Een van Jansens mannen, of van Menzo, dat wist hij niet precies.

'Iemand wil de kennismaking hernieuwen, Jaap,' zei de man vriendelijk. 'Wil je alsjeblieft instappen? Dat is niet meer dan beleefd.'

Zeeger krabbelde overeind, veegde het bloed van zijn mond. Betastte zichzelf. Geen gebroken ribben. Geen ernstige schade. Hij had erger meegemaakt.

Ze liepen naar de Mercedes en stapten in.

18

Bloed op het asfalt. De lavendelkleurige eurobiljetten vlogen rond het aan de grond gehouden toestel als blaadjes in een wervelstorm. Auto's van hulpdiensten. Politie en ambulance. Prins op een brancard, omringd door ambulancebroeders die verwoede pogingen deden eerste hulp toe te passen.

Vos volgde hen de dichtstbijzijnde ambulance in, met Bakker vlak achter zich.

Vier ambulancebroeders. Infusen. Monitoren. Injectiespuiten.

Prins ademde niet. Zijn hoofd was een bloederige massa. Zijn schouder verbrijzeld, het bloed sijpelde door zijn overhemd.

Vos vond een opening tussen de twee mannen die aan Prins' rechterzij werkten, boog zich over Prins heen en probeerde dicht bij zijn oor te komen.

'Praat tegen me, Prins. Alsjeblieft...'

De ogen van de man waren open, wazig, schoten heen en weer van angst en verbijstering.

'Praat tegen me,' zei Vos nog eens, met stemverheffing. 'Je dochter wordt vermist. Mijn dochter is verdwenen.' Zijn handen pakten Prins' mouw vast. 'Zeg iets...'

De ambulance kwam in beweging. Ze vertrokken van de taxibaan. Laura Bakker klapte een stoeltje neer dat in de achterdeur was ingebouwd, ging erop zitten en sloeg haar armen over elkaar. Haar gezicht verraadde geen enkele emotie.

'Vos...' zei ze.

Hij luisterde niet. Omklemde de arm van de zwaargewonde man, en de ambulancebroeders raakten geïrriteerd.

'U staat in de weg,' zei de man die het dichtst bij hem stond.

Vos haalde zijn legitimatiebewijs tevoorschijn. 'Ik ben rechercheur. Deze man is verwikkeld in een ontvoeringszaak. Een moord. Ik weet niet...'

'U weet het niet?' zei de ambulancebroeder, en hij duwde Vos opzij. 'Bijzonder interessant. Nu...'

'Pieter!' riep Bakker.

De monitor vertoonde een rechte lijn. De ogen van Prins werden leeg. Een langgerekte, ononderbroken pieptoon. Een van de ambulancebroeders vloekte en vroeg om de defibrillator. Bakker greep Vos bij zijn arm en trok hem naar de achterkant van de ambulance. Hij spartelde tegen, maar ze hield hem stevig vast. Toen zei ze: 'Hij is dood. Zie je dat niet?'

'Nee.' Vos probeerde zich los te rukken, maar deed niet echt zijn best. 'Hij mag niet...'

'Hij heeft zich verdomme uit dat vliegtuig gegooid!' riep ze tegen hem. 'Dat heb je zelf gezien. Wat denk je nou?'

De ambulancebroeder kwam naar hen toe, boog zich over hen heen en zei: 'Koppen dicht of ik gooi jullie eruit.'

Een van de anderen zei iets over achteruitgaan. Een schok, een klap. De blote borst van Prins sprong op.

Nog steeds het ononderbroken gepiep. Een rechte lijn.

'Hij is dood,' zei Bakker. 'Ik weet hoe dat eruitziet. Jij ook.'

De ambulancebroeder die had gedreigd hen eruit te gooien stond weer over de brancard gebogen en had geen oog meer voor hen.

'Hij is dood,' zei Bakker nog eens. 'Het is niet jouw schuld. Wij konden niks voor hem doen.'

'Ik had zijn naam aan de douane moeten doorgeven zodra Zeeger het bureau binnenkwam.'

'Dat kon toch niet? De Groot stond niet toe dat je hem liet oppakken.'

'Ik had niet moeten wachten tot ik Liesbeth had gesproken. Niet...'

Iets in haar gezicht bracht zijn zinloze woede tot zwijgen.

'Dat is gepraat achteraf,' zei Laura Bakker met haar noordelijke accent. 'Daar schieten we niks mee op. Hij is dood. Punt uit. Zet je hersens aan het werk, oké? Wat moeten we nu in godsnaam doen?'

Hij had haar nooit gevraagd wat er in Dokkum met haar ouders was gebeurd. De Groot zei dat ze hen had gezien nadat ze waren verongelukt. Vragen stellen leek pijnlijk, bemoeizuchtig. En toch had hij moeiteloos zijn hele gekwelde geschiedenis aan haar opgedrongen.

'En dat was het dan?' vroeg Vos.

Ze trok haar wenkbrauwen op. 'Wat kunnen we anders?'

De rit naar het ziekenhuis duurde twintig minuten. De ambulancebroeders bleven het proberen. Spoten medicijnen in het lichaam van de man op de brancard. Gingen keer op keer met de defibrillator in de weer.

Toen waren ze er. De deuren gingen open. Zonlicht stroomde de ambulance binnen, over het bloed en de lege ampullen, en de uitgeputte ambulancebroeders dromden samen om het lichaam op de brancard.

Een van hen trok een laken over het lijk van Prins.

'Het spijt me,' zei de man die het dichtst bij hen stond, en hij begon de snoeren en de injectiespuiten op te ruimen. Hij knikte naar Bakker. 'Ze had gelijk. Hij had geen schijn van kans na zo'n val.'

Hij wierp een blik op zijn met bloed besmeurde pak. Haalde zijn schouders op. 'Maar toch. Je moet het altijd proberen.'

19

Op bureau Marnixstraat hielden ze Hendriks niet lang vast. Ze hadden wel wat beters te doen nadat het nieuws van Schiphol was binnengekomen. Weer op kantoor ging hij rechtstreeks naar Margriet Willemsen. Hij wachtte tot ze langzaam opkeek van de papieren die voor haar lagen.

'Prins is dood,' zei hij.

Niets.

'Hoor je wat ik zeg?'

Zijn stem was hoog, sloeg over.

'Ik ben gebeld,' zei ze. 'Weet je wat er is gebeurd?'

Hij vertelde haar wat hij wist. Prins was niet komen opdagen voor de losgeldoverdracht, had geprobeerd het land uit te vluchten. Had zich uit het vliegtuig gegooid toen het vlak voor vertrek op de taxibaan werd tegengehouden.

'Wat deed jij daar in godsnaam?' vroeg ze.

'Ik kreeg een sms. Van Til Stamm. Volgens mij is zij degene die in mijn computer heeft ingebroken. Die dat filmpje heeft gejat. Ze vroeg me haar daar te treffen...'

Willemsen dacht even na. 'Heb je dat aan de politie verteld?'

Hij schudde zijn hoofd.

'Natuurlijk niet. Maar ze komen er echt wel op terug.'

Ze legde haar pen neer en schoof de papieren die voor haar lagen opzij. Stond op en liep naar het raam. Net als Prins de dag daarvoor had gedaan, toen iedereen achter zijn rug samenspande om hem onderuit te halen.

'Voor alle duidelijkheid,' zei ze. 'Een uitzendkracht heeft je bestanden geplunderd en die filmpjes in handen gekregen?'

'Daar lijkt het wel op,' zei Hendriks.

'En waar wilde ze je treffen?'

'In de Chinese buurt,' zei hij. 'Op hetzelfde tijdstip dat Prins het losgeld voor zijn dochter moest overdragen.'

Willemsen leek zelden van haar stuk gebracht, maar op dat moment...

'Ik moet naar bureau Marnixstraat om de zaak op te helderen,' zei Hendriks. 'Het is uit de hand gelopen. Ik dien mijn ontslag in. Ik had jullie niet moeten bespioneren. Ik wilde alleen een eind maken aan die idiote Nachtwacht-onzin...'

'Doe niet zo stom!' riep ze.

Hendriks reageerde verontwaardigd. 'Wim is dood,' zei hij. 'Zijn dochter wordt nog steeds vermist. Til Stamm moet iets weten...'

'Je weet helemaal niet wie je die sms heeft gestuurd,' onderbrak Willemsen hem. 'Jezus, Alex. Je denkt er niet echt over na, hè?'

'Het groeit ons boven het hoofd. Er vallen doden. Wim. Die verslaggeefster. De politie vermoedt dat Wim haar heeft vermoord. Dat hij de hand had in de vermissing van zijn dochter. Ik wil hier niks mee te maken hebben. Straks kost het mij de kop...'

Ze ging weer zitten en keek Hendriks zo strak aan dat hij zijn mond hield.

'Het gaat niet alleen om jouw kop, of wel soms?'

'We kunnen dit niet onder het tapijt vegen, Margriet...'

'Natuurlijk wel. Wim is dood. Het kan met hem mee de lijkkist in.'

Hij lachte en had daar meteen spijt van.

'Dat is bespottelijk. We moeten de politie vertellen...'

'Als je dat doet, maak ik je kapot,' snauwde ze. 'Ik kan je strafrechtelijk laten vervolgen voor het plaatsen van die camera in mijn slaapkamer. Dan raak je niet alleen je baan kwijt, maar beland je in de gevangenis.' Ze keek om zich heen, uit het raam naar de daken van de Wallen. 'Als ik dit alles kwijtraak, dan verlies jij heel wat meer...'

'Katja Prins wordt nog steeds vermist! Stel dat we iets weten waar de politie wat aan heeft?'

'Zoals?' vroeg ze. 'Nou? Wat dan?'

Hij werd onzeker. Til Stamm kende Katja. Dat had de politie gezegd. Til Stamm, of iemand die haar naam gebruikte, had hem naar de kruising in de Chinese buurt gelokt waar Prins het losgeld had moeten overdragen. Maar hij zat op dat moment in een vliegtuig op Schiphol, in de hoop het land te kunnen ontvluchten.

'Weet je wat ik denk?' zei ze met een vluchtige glimlach. 'Ik denk dat de politie gelijk heeft. Dat Wim er de hand in had. Dat hij iedereen voor de gek hield. Hij heeft zich nooit echt zorgen om zijn dochter gemaakt, of wel? Dat heb jij ook gezien. Ik denk...' Ze maakte een aantekening. 'Dat is ons standpunt. We spelen niet voor rechter. We waren gewoon... overbluft.'

'Overbluft?' zei hij.

'Correct. We zetten er hier en nu een streep onder. Laten we gewoon...'

'Als je nu zegt "doorgaan met ons leven" ga ik gillen.'

Margriet Willemsen lachte. 'Laten we gewoon doorgaan met ons leven,' zei ze toen.

20

Het kantoor van Frank de Groot op de bovenste verdieping. De donkerder wordende lucht achter de ramen. Voorjaarsregen op komst. Vos, Mulder, Bakker en Koeman bespraken de lopende zaken.

De jacht op Theo Jansen had niets opgeleverd. Mulder was niets opgeschoten met de speurtocht naar Rosie Jansens moordenaar. Een vrouwelijke agent had Liesbeth Prins een verklaring afgenomen. Ze had geen idee waar haar man de vorige avond was geweest. Had geen bewijzen gezien waaruit bleek dat het ontvoeringscomplot echt was. Prins was van begin af aan allesbehalve verontrust geweest over Katja's verdwijning, iets wat zijn collega's in de gemeenteraad ook was opgevallen.

De straatmuzikanten die verkleed als duivels in de Chinese buurt waren opgedoken, waren vrijgelaten. Iemand had de vorige dag een envelop in hun brievenbus gestopt met vijfhonderd euro erin, en de belofte dat ze nog eens vijfhonderd zouden krijgen als ze de volgende dag om half twaalf op de kruising van de Zeedijk en de Stormsteeg zouden verschijnen. Een verjaardagsverrassing. Ze lieten zich niet makkelijk wegsturen, ze wilden weten wanneer ze de rest van het geld zouden krijgen.

'Als Prins de hand had in Katja's verdwijning,' zei Bakker, 'zou hij toch de radeloze vader hebben gespeeld? Niet dan?'

'Die man was een kouwe kikker,' zei De Groot. 'Dat had hij nooit kunnen spelen, al had hij het gewild. We moeten dit als eerste optie beschouwen.' Hij keek Vos strak aan. 'Zo zie jij het toch ook?'

'Ja,' beaamde Vos.

De Groot gaf een mogelijke versie van de gebeurtenissen. Katja Prins was gaan geloven dat Wim Prins haar moeder had vermoord. Bea had Katja en de dochter van Vos om de een of andere reden meegenomen naar het Poppenhuis. Anneliese was daar overmeesterd.

'Wil je daarmee zeggen dat Prins daar klant was?' vroeg Koeman. 'Zo ja, dan heb ik een aantal problemen...'

'Dat weet ik niet,' onderbrak De Groot hem. 'Zoek jij dat maar uit.'

'Je denkt dus dat zowel de moeder als de vader hetzelfde tienerbordeel gebruikte?' vroeg Koeman.

'Weet ik veel!' blafte de commissaris. 'Haal Jaap Zeeger terug naar het bureau. Praat nog eens met die Thaise vrouw.'

'Die vent van de gemeenteraad, die Hendriks,' mopperde Koeman. 'We hadden hem niet zo makkelijk moeten laten gaan. Hij wist iets. Wat deed hij in godsnaam in de Chinese buurt op het moment dat Prins het geld had moeten overdragen?'

De Groot vloekte binnensmonds. Hij knikte naar Mulder en zei: 'Vertel jij het maar.'

'Ik ben vlak voor deze bespreking gebeld door het gemeenteraadskantoor. Ik was hun contactpersoon voor die Nachtwacht-shit. Ik vermoed dat dat mens van Willemsen niet wist bij wie ze anders moest zijn.'

Koeman keek woedend naar Mulder, slaakte een diepe zucht en leunde achterover op zijn stoel.

'Til Stamm kwam dikwijls in dat café op de hoek,' vervolgde Mulder. 'De raad zocht haar. Ze maakten zich zorgen toen ze verdween. Hendriks vroeg zich af...'

'Hij is algemeen directeur van de gemeente,' onderbrak Bakker. 'Waarom doolt hij door de straten op zoek naar een uitzendkracht?'

'Prioriteiten,' zei Mulder. 'Op dit moment is Hendriks geen prioriteit. Willemsen heeft me nog iets anders verteld. Anna de Vries is bij Prins op kantoor geweest om over de ontvoering te praten. Ze had informatie voor hem. Hij was in alle staten. De bewakingsbeelden zijn gecheckt en er is navraag gedaan bij de interne postafdeling. Die ochtend is er niets voor Prins bezorgd. Zij moet hem die losgeldbrief hebben gegeven.'

'Dat was gisteren!' riep Koeman uit. 'Waarom horen we dat nu pas?'

'Het is nu pas nagetrokken,' zei Mulder schouderophalend. 'Zet alles maar eens op een rijtje. De dochter van Prins geloofde dat hij een moordenaar was. Ze wordt vermist. Iets wat die verslaggeefster zei heeft hem van slag gebracht. Hij komt met die foto's op de proppen. Dat losgeldbriefje. Hij was gisteravond niet thuis toen ze werd vermoord. Vanochtend heeft hij zo veel mogelijk geld van de bank gehaald en geprobeerd 'm te smeren naar Aruba. Zo zit het volgens mij in elkaar.'

Hij keek iedereen beurtelings aan.

'Volgens mij ook,' beaamde De Groot.

'In dat geval...' zei Vos, en hij stond op.

'Waar dacht jij heen te gaan?' vroeg Mulder.

'Van der Berg heeft de auto van Bea Prins gevonden,' zei Vos. 'Hij staat in de garage van de forensische dienst. Verkocht na haar zelfmoord.' Hij pakte een dossier van het bureau. 'Ik wil er gewoon even naar kijken. Het oorspronkelijke dossier doorlezen. Tenzij iemand...?'

'Wou je mij voor schut zetten?' vroeg De Groot.

'Je zei dat ik de dossiers mocht inzien.'

'Jij...' De Groot priemde met een vinger naar Mulder. 'Blijf zoeken naar Jansen. We moeten ook meer over zijn dochter te weten komen. Ga ervan uit dat deze twee zaken op zichzelf staan. De zaak Jansen is bendegerelateerd. Katja Prins...' Hij zuchtte. 'We zullen zien.'

Bakker schudde haar hoofd.

'Wat nu weer?' vroeg De Groot.

'Iemand heeft Rosie Jansens lichaam naast de boot van Vos gedumpt. Heeft een foto voor hem in de boot achtergelaten. Hoe kunnen die zaken nou niet met elkaar in verband staan?'

De commissaris liep rood aan van kwaadheid en stuurde iedereen de kamer uit op Vos en Bakker na. Bakker stond op en leunde met haar armen over elkaar tegen de muur.

'Luister, meisje,' blafte De Groot. 'Dit is Dokkum niet...'

'Ik ben geen meisje en ik weet heel goed waar ik ben, hoor.'

'Ik zou je nu meteen van deze zaak af kunnen halen. Je naar huis kunnen sturen. We hoeven niet te wachten op de functioneringsbeoordeling...'

'Nee, Frank,' onderbrak Vos hem. 'Dat kun je niet. Niet als je mij op de zaak wilt houden.'

De commissaris keek hen woedend aan. 'Dus dit is het nieuwe team? Een aspirant en iemand die zich de afgelopen twee jaar suf heeft zitten blowen op zijn woonboot?'

'Jij hebt me zelf gevraagd om terug te komen,' bracht Vos naar voren. 'Als je daarop terug wilt komen...'

'Ik zal je zeggen wat ik wil!' schreeuwde De Groot. 'Dat we de zaken rondkrijgen. De burgemeester, het ministerie van Justitie, de media, iedereen kijkt me op de vingers. Vier onopgeloste moorden...'

'Twee,' zei Bakker. 'We weten dat Theo Jansen Menzo en zijn vriendin heeft vermoord.' Ze stak twee slanke vingers op. 'Twee. Rosie Jansen. Anna de Vries. Wim Prins heeft Rosie niet vermoord. Als we zijn vrouw mogen geloven, was hij die avond thuis. En waarom zou hij ook? De verslaggeefster...'

Ze keek naar Vos. Hij checkte de berichten op zijn telefoon.

'Hallo?' zei Bakker. 'Iemand thuis?'

Vos stopte de telefoon weg. 'Rosie Jansen is Mulders pakkie-an, Laura. Dat heeft de commissaris duidelijk gemaakt. Laten we alsjeblieft doen wat hij vraagt.'

Dat monterde De Groot een beetje op. 'Als blijkt dat alles te wijten is aan een dode politicus,' zei hij gretig, 'zou dat voor iedereen de dag goedmaken. Het is maar een ideetje.'

'Het is maar een ideetje,' zei Vos.

De Groot leek nog steeds niet helemaal op zijn gemak.

'Iemand moet met Liesbeth gaan praten,' zei hij. 'Ze weet dat hij dood is. Maar...' Zijn brede schouders leken door te buigen onder een onzichtbaar gewicht. 'Het moet gebeuren, Pieter. Als jij het liever niet...'

'Geen probleem,' zei Vos.

21

Jaap Zeeger wist niet waar ze hem naartoe hadden gebracht. Een of ander industriegebied. Bij het water. Hij hoorde verkeersgeluiden. Boten in de verte. Hij was met drie mannen in iets wat een koud, leeg pakhuis leek te zijn. Kale stoffige vloer, een tafel. Stoelen. Een vierkant raam met tralies ervoor. Heldere lentezon viel naar binnen.

Hij was zenuwachtig. Ze keken toe terwijl hij in een emmer piste, stuurden de derde man, een donkere schurk met een buitenlands accent, naar buiten om de emmer te legen.

Hij bleef achter met Theo Jansen en de man die hij alleen kende als Maarten.

Zeeger ging op de gammele stoel zitten die ze hem hadden gegeven en deed zijn best om niet te trillen.

'Ik vind het verschrikkelijk van Rosie, meneer Jansen,' zei hij. 'Ze was altijd goed voor me.'

Jansen streek over zijn stoppels en rookte een sigaret zonder hem aan te kijken.

'En die flauwekul toen die smeerlap van een Mulder me te pakken kreeg...' voegde Zeeger eraan toe. 'Ik wilde al die dingen helemaal niet zeggen. Hij sloeg me in elkaar. Begon te dreigen.' Hij schudde zijn hoofd. De herinneringen. 'Verschrikkelijke man. Ik was doodsbang voor hem.'

'Voor mij toch ook, of niet?' vroeg Jansen, waarbij hij zijn harde, kille ogen op Zeeger richtte.

'Ja,' beaamde Zeeger. 'Banger dan voor hem. U hebt reden om kwaad op me te zijn. Door mij bent u in de gevangenis beland, hè?'

Maarten vloekte. Jansen knikte, zei niets.

'Nou, dat spijt me,' voegde Zeeger eraan toe. 'Echt waar. Ik had het niet moeten doen. Tegenwoordig... zou ik het ook niet meer doen.'

Jansen keek op en vroeg: 'Wat is er veranderd?'

'Ik. Ik ben veranderd. Helder en clean. Ik drink niet meer. Gebruik geen drugs meer. Ik heb een baan. Parttime, maar ze hebben gezegd dat het voor de kerst in fulltime zou worden omgezet. Als ik me netjes blijf gedragen. En dat ga ik doen.'

'Je bent een held, Jaap,' zei Maarten op norse, ongelovige toon.

'Nee, dat ben ik niet,' zei Zeeger. 'Ik weet precies wat ik ben. En wat ik was. Een loopjongen voor jullie. Ik mocht onbenullige rotklusjes voor jullie opknappen die niks opleverden. En wat heeft me dat gebracht?' Hij vroeg zich af of hij het wel kon zeggen. Of hij het aandurfde. 'Iemand heeft geprobeerd me de verdwijning van de dochter van meneer Vos in de schoenen te schuiven. Kleren op mijn kamer gelegd die van haar leken te zijn. En ook een pop. Ze hadden me er bijna in geluisd...'

'Ho even,' onderbrak Jansen hem. 'Waar heb je het over?'

Zeeger werd kwaad.

'U had het waarschijnlijk te druk om het op te merken. Ik bedoel dat iemand heeft geprobeerd mij de schuld in de schoenen te schuiven van de moord op dat meisje. Ze hebben die spullen...'

'Wij niet,' zei Maarten. 'Waarom zouden we dat doen? Geloof me, Jaap...'

'Nou, iemand heeft het gedaan. Ik weet wie ik ben. Voor jullie ben ik niet meer dan een stuk ongedierte. Wie kende me nog meer?'

Stilte.

Toen vroeg Jansen: 'Dus toen Mulder je te pakken nam... toen was je al pissig op ons?'

'Dat kun je wel zeggen,' zei Zeeger. 'Ik weet het niet meer precies. Ik was behoorlijk ver heen in die tijd. Ik heb al gezegd dat het me spijt, meneer Jansen. Dat meen ik. Ik kan er niks aan veranderen...'

'Vertel ons eens wat meer over Katja Prins,' onderbrak Maarten hem.

En dat deed hij. Alles wat hij die ochtend in de Marnixstraat had verteld.

Theo Jansen luisterde aandachtig en toen Zeeger was uitverteld, barstte hij in lachen uit. Hij leek weer een beetje op zijn vroegere zelf, joviaal en tegelijkertijd dreigend, toen hij zo lachte.

'Je zegt dus dat die opgeblazen hufter, die zich had voorgenomen om Amsterdam schoon te vegen, zijn eigen vrouw heeft vermoord?'

'Dat zeg ík niet. Dat zei Katja,' antwoordde Zeeger. 'Ze leek er behoorlijk zeker van te zijn.'

'Hoe dan ook, hij is dood,' zei Jansen. 'Zij waarschijnlijk ook.'

Zeeger knipperde met zijn ogen. Ze vertelden hem wat ze op het nieuws hadden gehoord.

'Het klinkt wel logisch, hè?' zei hij toen Jansen was uitverteld. 'Als hij probeerde ervandoor te gaan met al zijn geld.'

Toen vroegen ze hem naar het privéhuis aan de Prinsengracht, en Jaap Zeeger schoof ongemakkelijk heen en weer op de gammele stoel.

'Daarvoor moet u bij die Thaise vrouw zijn. Niet bij mij. Zij runde die tent.

Het enige wat ik deed was van tijd tot tijd geld ophalen en stuff brengen. Ik kwam nooit verder dan de voordeur.'

'Die vrouw is 'm gesmeerd,' zei Maarten. 'De politie heeft haar gisteren meegenomen naar de Marnixstraat. Zodra ze weer op straat stond, is ze in een vliegtuig naar Bangkok gestapt. Dus vragen we het jou. Wat gebeurde er daar?'

Zeeger schoof nog zenuwachtiger heen en weer op zijn stoel.

'Het was uw huis, meneer Jansen. Waarom vraagt u het mij?'

'Omdat ik het niet weet!' bulderde Jansen. 'Jezus nog an toe, ik runde een imperium. Ik kon me niet overal mee bezighouden.'

De donkere schurk was weer binnengekomen. Hij rook naar sigaretten. Hij had zijn tijd afgewacht. Hij had een hamer en spijkers in zijn handen.

Zeeger zat weer te trillen.

'Daardoor kon dat Thaise secreet zonder mijn medeweten die tent aan Jimmy Menzo verkopen,' brulde Jansen. 'God weet wat er toen is gebeurd... God mag het weten...'

'Ik had niks met die man te maken,' zei Zeeger. 'Vraag me niet naar hem...'

'Er is in dat huis iets gebeurd!' schreeuwde Jansen. Hij wees met zijn dikke vinger over de tafel heen. 'Ik denk dat jij weet wát. Ik denk dat dat de reden is dat ik geen dochter meer heb.'

Zeeger knipperde met zijn ogen. 'Ik weet van niks. Ik werkte toen voor u. Niet voor Menzo. Hij heeft het huis pas later gekregen. Nadat...'

Eén woord, dat deed het 'm. Eén enkel woord.

Jansen keek hem over de tafel heen dreigend aan. Net als vroeger. De tijd waarvan Zeeger had geloofd dat die nooit zou terugkomen na alle tijd, pijn en moeite die de sessies met Barbara Jewell in het Gele Huis hem hadden gekost.

'Nadat...?'

'U wist het toch wel?' riep hij schril. 'U moet het hebben geweten. Maarten...' Jansens handlanger bleef doodstil zitten. Leek ook van zijn stuk gebracht. 'Vertel jij het hem maar. Ik dacht dat jullie het allemaal wisten.'

De schurk met de hamer en de spijkers ging zitten en legde het gereedschap op de tafel.

'Ik heb de details nooit gehoord,' vervolgde Zeeger. 'Dat wilde ik ook niet. We mochten daar niet in de buurt komen en er geen klanten heen sturen. Ze werkten met jonge meisjes. En toen...'

De tijd waarin dat alles was gebeurd was een waas. Nu zelfs nog waziger.

De onbekende man pakte de hamer van tafel, woog hem in zijn handen en ging met de spijkers zitten spelen.

'Rosie runde het Poppenhuis. Rosie liet me ervoor slaven en draven.'

Jansens gezicht was een masker, bevroren in woede en ongeloof.

'Rosie heeft het aan Jimmy Menzo verkocht. Ik dacht...' Jaap Zeeger trok aan zijn sluike haar, voelde het zweet over zijn gezicht stromen. 'Ik dacht dat u het wist. Ze was uw dochter, meneer Jansen. Dat moet u toch hebben geweten?'

22

Verhoorkamer op de benedenverdieping. Liesbeth Prins zat als een hoopje ellende in een hoek de ene na de andere sigaret te roken, met een leeg koffiebekertje voor zich. Ze keek niet op toen Vos en Bakker binnenkwamen. Ze leek niet eens te merken dat Vos naast haar kwam zitten en Bakker aan de andere kant, met een voicerecorder, een notitieboekje en een pen.

Vos kende de procedure voor deze gelegenheden. De simpele, nietszeggende vragen: hoe gaat het met je? De loze uitingen van medeleven en deelneming.

Hij doorliep ze op een afstandelijke, onwerkelijke manier en probeerde zo veel mogelijk betekenis te geven aan de woorden. Hij vond het vreselijk om haar zo te zien. Ze was er net zo beroerd aan toe als toen Anneliese verdween. Het leven leek uit haar verdwenen te zijn. Toen ze uit elkaar gingen was ze opgehouden met eten, had ze geleefd op drank en sigaretten, had urenlang uit het raam van hun kleine woning in de Jordaan een lege straat in zitten staren, wachtend op een jong, opgewekt meisje dat nooit meer thuis zou komen.

Nu leek ze er zelfs nog erger aan toe te zijn.

Halverwege zijn prevelement keek ze naar hem op en vroeg: 'Was je erbij? Op het vliegveld?'

Hij knikte.

'Heb je het zien gebeuren?'

'Wij allebei.'

Ze keek kwaad naar Bakker en vroeg: 'Wat moet zij hier?'

'Dit is een verhoor. Dat zijn nu eenmaal de regels,' zei Laura Bakker zacht, op een toon waarin meer medeleven doorklonk dan Vos ooit van haar had gehoord.

Liesbeth Prins keek haar zo mogelijk nog kwader aan. 'Daar heb je weinig aan, hè? Aan regels. Wim dacht dat hij volgens de regels leefde. Hij geloofde dat als hij ons zou leren hetzelfde te doen, alles goed zou komen.'

Vos keek Bakker vluchtig aan. Hij wilde haar er zo veel mogelijk buiten houden.

Toen vertelde hij Liesbeth wat Jaap Zeeger die ochtend had verteld. Hij zag haar gezicht betrekken van ongeloof.

'Meen je dat serieus? Wim heeft nog nooit een vlieg kwaad gedaan. Hij heeft zelfs nooit een hand tegen mij opgeheven. En ik heb hem toch reden genoeg gegeven.'

'De afkickkliniek waar Katja kwam heeft bevestigd dat ze dat heeft gezegd,' zei Vos. 'We moeten de zaak onderzoeken.'

'Waarom? Ze zijn nu allebei dood.'

'En Katja misschien ook...' zei Bakker, voordat een blik van Vos haar het zwijgen oplegde.

'Katja haat ons allebei. Ik weet niet waarom. Ik heb mijn best gedaan met haar. Echt waar. Wim ook.'

'Ze gelooft dat hij Bea heeft vermoord,' zei Vos nog eens.

'Dat heeft hij niet gedaan. Dat is onmogelijk. Katja heeft ze niet allemaal op een rijtje. Ze is een junkie die in haar eigen wereldje leeft. Ergens in een smerig hok...'

Vos schudde zijn hoofd. 'Volgens mij niet. We hebben drie getuigen die zeggen dat ze was afgekickt. Katja had haar leven weer op de rails. Ze is al ruim een week door niemand gezien. Is het mogelijk dat de ontvoering...?' Hij aarzelde. De woorden klonken niet goed. 'Kan Wim het hebben bekokstoofd? De poppen? De telefoontjes? De foto's?'

'Hoe dan?' vroeg ze. 'Jij bent van de politie. Zeg het maar.'

'Als hij het wilde, had het best gekund,' zei Bakker. 'Is er in de stad nog een andere locatie die hij gebruikte? Een huis? Een kantoor?'

'Nee.'

'Heeft hij iets gezegd over ene Anna de Vries, een verslaggeefster?'

Liesbeth lachte, haar blik was scherp en fel.

'Die vrouw die is vermoord? Dit is bespottelijk. Hij zat zich gisteravond ergens in een kroeg te bezatten. Hij was uit de gemeenteraad gegooid. Hij ging niet meer terug, wat ze ook zeiden.'

'Je weet niet wat hij deed,' zei Bakker.

'Hij heeft niet op de Wallen iemand vermoord. Ik ken mijn man. Is dit wat jullie hebben bedacht, Pieter? Wim overal de schuld van geven nu hij dood is?'

'Ik moet Katja vinden,' zei hij.

Ze wierp weer een woedende blik op Bakker.

'Ik wil met jou praten. Niet met haar.'

'Dit is een verhoor,' zei Bakker nog eens. 'Als er niet twee agenten bij...'

'Het verhoor is afgelopen,' zei Vos, en hij knikte naar de deur.

Bakker vloekte binnensmonds en vertrok met de voicerecorder en het notitieboekje. Zonder tegenstribbelen.

'Wat een stomme boerentrien,' zei Liesbeth toen Bakker weg was. 'Heb je niks beters?'

'Ik mag haar graag,' zei Vos. 'Ze is anders. Een vastberaden jonge vrouw. Ze wil zich onderscheiden. Ze is wat confuus. Het gaat haar een beetje boven de pet.' Hij fronste zijn voorhoofd. 'Laura Bakker is niet de enige. Red je het wel? Kan ik iets voor je doen?'

'Zoals?'

'Dat weet ik niet. Daarom vraag ik het.'

'Wim heeft niemand vermoord,' zei ze. 'Ik heb hem nooit gewelddadig gezien. Hij kon niet tegen confrontaties. Daar werd ik gek van.' Een vluchtig moment van plezier. 'Wat dat betreft leek hij op jou. Ik kon tegen hem razen en tieren en hem van alles naar het hoofd slingeren, en dan bleef hij gewoon rustig zitten en liet het over zich heen komen.'

'Maar hij is wel op de vlucht geslagen.'

'Dat deed jij ook,' zei ze, opeens fel. 'Was je dat vergeten? Je kroop in je schulp en verstopte je daar, bang om tevoorschijn te komen.'

'Katja...'

'Ik kan je niet helpen met Katja. Ik heb je alles verteld wat ik weet.' De koude, treurige ogen keken hem strak aan. 'Meer dan ik je had willen vertellen.'

Haar vingers strekten zich uit naar zijn hand.

Vos stond op. Zag Laura Bakkers rode haar achter het matglazen raam bij de deur. Ze leunde er als een tiener tegenaan en krabbelde iets in haar notitieboekje.

'Wat doet zij hier eigenlijk?' vroeg Liesbeth. 'Ze is nog maar een kind.'

'Dat weet ik. Dat is wat me zorgen baart.'

'Wanneer kan ik mijn man begraven?'

'Binnenkort,' zei Vos. 'Hoop ik.'

23

Theo Jansen keek naar Maarten de kapper. Toen naar Max Robles.

'Ik weet van niks,' protesteerde Robles. 'Ik heb nooit geweten van Jimmy's deal over dat privéhuis tot het eenmaal gebeurd was. Hij praatte nooit over dat soort dingen.'

'Hij heeft er naderhand niks mee gedaan,' beet Jansen hem toe. 'Waarom niet?'

Robles haalde zijn schouders op.

'Volgens mij wilde hij die tent helemaal niet hebben. Een rottig logement voor kleine meisjes of zoiets. Die Thaise vrouw wilde daar weg. We kenden geen hond die in was voor zulke dingen. Jimmy was niet achterlijk. Het ging hem om het pand. Hij zei dat het zo'n koopje was dat het stom zou zijn geweest om het niet te kopen.'

Maarten schoof ongemakkelijk heen en weer op zijn stoel. Zei niets. Robles legde een plank naast de hamer en de spijkers op tafel.

'Zullen we eens kijken wat hij nog meer weet? Geef me even de tijd...'

'Hij weet niks!' bulderde Jansen.

Jaap Zeeger zat op de stoel, verstijfd, als een schooljongen in de problemen.

'Behalve over Rosie.' Jansen keek naar de magere, doodsbange man die tegenover hem zat. 'Dat weet je zeker, Jaap?'

'Ik weet zeker dat ze mij liet slaven en draven, meneer Jansen. Dat is de waarheid. Ik dacht dat het voor u was. Ik dacht dat u het wist...'

'Nee, dus. Ik wist van niks.' Jansen boog zich voorover en keek Maarten in de ogen. 'Of wel soms?'

'Ik ben daar één keer geweest,' zei de kapper. 'Eén keer maar. Rosie vroeg me om die Thaise na te trekken. Te kijken of de boekhouding wel klopte en ze niks achteroverdrukte.'

Jansen vroeg: 'En deed ze dat?'

'Zeker weten.' Hij haalde zijn schouders op. 'Ik heb haar aangeraden om zo snel mogelijk haar biezen te pakken. Het was een louche tent, Theo. Zoals Jaap al zei. Mannen in pak en jonge meisjes. We dachten dat het huis van jou was. Dat jij het runde. Jouw zaak. Niet de onze. Dus bleven we er ver uit de buurt...'

'En jullie lieten een tienerbordeel op mijn naam staan?'

'Jij was toch de baas?' riep Maarten uit. 'De enige persoon die ik kende die moedig genoeg was om jou het hoofd te bieden, was Rosie. Zij runde die tent. En toen...' Hij keek naar Robles. 'Toen jij in de bak zat heeft ze het huis aan Jimmy Menzo verkocht. Daar waren we allemaal blij om.'

Jaap Zeeger knikte. 'Blij,' beaamde hij.

'Wie hield Rosie te vriend in de Marnixstraat?' vroeg Jansen.

'Dat weet ik niet,' zei Maarten. 'Ze praatte nooit over dat huis. Tegen bijna niemand. Het was een privékwestie. We wilden ons niet opdringen.' Hij aarzelde even en zei het toen toch maar. 'Eerlijk gezegd denk ik dat niemand dat durfde.'

Jansen hield zijn hand op, met de palm naar boven. Maarten schudde zijn hoofd en vroeg: 'Wat?'

'Geld,' zei Jansen. 'Alles wat je bij je hebt.' Hij keek naar Robles. 'Jij ook. Haal het maar uit de pot als we terugkomen. Met rente.'

De man uit Paramaribo maakte zijn zak leeg. Zo te zien had hij schulden geïnd. Opgeteld bij Maartens rolletje bankbiljetten kwam het op bijna vijfduizend euro. Jansen telde het geld en schoof het over de tafel naar Zeeger.

De magere man keek er met grote ogen naar, banger dan ooit.

'Ik wil dit niet, meneer Jansen. Ik heb een baan...'

'Vergeet die baan. Ik wil dat je het land uitgaat tot dit hele gedoe is overgewaaid. Ik wil...'

Jansen probeerde zijn gedachten op een rijtje te zetten. Het ging meer om een verontschuldiging dan wat ook.

'We verzieken het leven van anderen.' Hij keek Maarten aan en toen Robles. 'Maar niet dat van onze eigen mensen. Niet van onze familie. Ik heb altijd gezorgd voor de mannen die voor me werkten. Dat zal ik blijven doen zolang ze dat verdienen. Er is hier iets misgegaan wat ik niet begrijp. Tot ik weet wat dat is, wil ik jou niet in de buurt hebben, Jaap.'

Hij stak Zeeger zijn grote hand toe.

'Het was jouw schuld niet. Geef me de vijf. Het Centraal Station is op loopafstand. Koop een kaartje voor die nieuwe trein naar Brussel waarover ik heb gehoord. Ga op vakantie naar een warm land. Bel Maarten over een maand. Hij kan je op de hoogte brengen van de stand van zaken.'

Zeeger schudde Jansen onzeker de hand. Toen pakte hij net zo onzeker het geld van tafel en propte het in de zakken van zijn leren jasje.

Hij stond op en keek iedereen aan alsof hij niet kon geloven dat dit gebeurde. Liep naar de deur, naar buiten, vrij.

Maarten en de man uit Suriname wisten niet waar ze kijken moesten.

Jansen kon het beeld van Jimmy Menzo niet uit zijn hoofd zetten. Gevangen op de voorbank van zijn vernielde Mercedes. Een kogel door beide knieën. Maarten die benzine uitgoot over de auto. De dode Miriam Smith op de achterbank.

Ik heb Rosie niet vermoord. Dat zweer ik...

'Mijn eigen dochter belazerde me al die tijd achter mijn rug om. Zelfs voordat ik de gevangenis in ging. Nadat...' Hij pijnigde zijn hersens in een poging het te begrijpen. 'Wat heb ik haar niet allemaal gegeven? Ze hoefde er alleen maar om te vragen.'

Maarten legde een hand op Jansens arm.

'Je hebt gedaan wat je kon, Theo. Je was een geweldige vader. De beste...'

'Bullshit!' schreeuwde Theo Jansen.

Zijn grote handen verdwenen onder de tafel, kwamen met kracht omhoog en gooiden hem ondersteboven. Koffiebekers, de hamer en de spijkers vlogen over de grond.

Een plotselinge uitbarsting van geweld. De oude Theo. De Theo die nooit weggeweest was.

Je ziet er goed uit zonder die stomme baard en dat hippiehaar. Je lijkt een ander mens... Maar dat ben je niet, hè, Theo? Een ander mens, bedoel ik?

'Ik wil hier weg,' beval Jansen. 'Naar huis.' Een domme opmerking. 'Waar dat ook mag zijn.'

24

Het liep tegen zessen, hun dienst zat erop en ze waren nog steeds in de garage van de forensische dienst, waar de witte BMW 3-serie cabriolet van Bea Prins stond. Van der Berg had geen deel uitgemaakt van het arrestatieteam in de Chinese buurt en had het grootste deel van de dag doorgebracht met het doorlezen van de dossiers over haar dood en het opsporen van de auto.

De nieuwe eigenaar was een vrouwelijk arts. Ze was er niet blij mee dat haar glimmende speeltje werd meegenomen. Nog minder toen Van der Berg haar uitlegde waarom hij de auto nodig had.

Vos en Bakker zaten aan een bureau in de garage en luisterden naar Van der Berg, die het dossier met hen doornam.

Bea Prins was eenenveertig toen ze stierf. Uit haar medisch dossier bleek dat ze nu en dan was behandeld voor drugs- en alcoholmisbruik. De effecten van beide waren duidelijk te zien in het autopsierapport. Er was een verklaring van Wim Prins waarin hij sprak van een moeilijk, zij het liefdevol huwelijk. Beiden waren vastbesloten geweest om bij elkaar te blijven omwille van hun dochter. Toen Bea in de twintig was, had ze korte tijd gewerkt als juridisch secretaresse, en in die tijd hadden ze elkaar leren kennen. Katja was overwegend verzorgd door een kindermeisje. Bea had nooit een andere baan gehad.

Ze namen de inhoud van de auto door uit de tijd dat die was gevonden met het lichaam van Bea Prins erin. Een handtas met geld en wat persoonlijke spulletjes. Drie gram cocaïne in een plastic zakje in het handschoenenvakje. Geen afscheidsbrief. Volgens haar man was ze gaan winkelen en had ze daarom de auto en niet haar fiets gepakt.

'Een vrouw gaat niet eerst winkelen voordat ze zelfmoord pleegt,' zei Bakker.

'Misschien kon ze niet slagen?' opperde Van der Berg.

Bakker keek hem nijdig aan.

'Dat was een flauwe grap,' zei de rechercheur. 'Sorry. Er lagen geen aankopen in de auto. Ze was niet te zien op de bewakingscamera's van winkels in de buurt. Ze had gelogen.'

Het kindermeisje was die week vrij. Prins zei dat hij thuis had zitten lezen en tv had gekeken. Katja was op schoolreis. Toen Bea die avond niet thuiskwam, had hij verondersteld dat ze op stap was met een 'vriendin' en was hij naar bed gegaan. Toen hij wakker werd en ze nog steeds niet thuis was, had hij de politie gebeld.

Inmiddels was haar lichaam al gevonden, 's ochtends vroeg toen de parkeergarage openging. Tijdstip van overlijden ergens tussen acht en tien uur de avond daarvoor. Eén schot in de rechterslaap uit een .38 Ruger LCP-pistool zonder vergunning. Kruitresten op de linkerhand. Het wapen lag op de vloer voor de passagiersplaats. De kogel was blijven steken in de achterbank.

Vos bladerde de laatste bladzijden door.

'Was het zelfmoord?' vroeg Bakker.

'Frank kent zijn vak. Het is een grondig onderzoek. Professioneel.' Hij zweeg even. 'Routinewerk.'

'Iedereen was in dat stadium afgepeigerd,' zei Van der Berg. 'We hadden maandenlang naar je dochter gezocht. Met nul komma nul resultaat. Frank kan er niks aan doen dat hij niet genoeg mensen had.'

'Nee,' beaamde Vos. Van der Berg zat niet te zaniken om een biertje. Dat was ongewoon voor hem. 'Zeg op, wat zit je dwars?'

De rechercheur pakte een vel papier uit het forensisch rapport en liep met hen naar de witte auto op de brug. De twee monteurs die ermee bezig waren, werkten al jaren in de garage. Zij hadden de auto niet onderzocht toen die was binnengebracht. Ze waren destijds allebei op vakantie geweest. Het onderzoek was uitgevoerd door uitzendkrachten. Niemand wist wie dat waren of hoe grondig hun onderzoek was geweest.

Eén regel in het forensisch rapport zat Van der Berg dwars. Op de bekleding en het dashboard waren sporen van isopropylalcohol aangetroffen. Er was geen verklaring voor gegeven.

De eerste monteur keek hem aan toen hij dat hardop voorlas, en zei: 'Dat spul wordt gebruikt om de auto schoon te maken. Niks bijzonders dus.'

Van der Berg was niet overtuigd.

'Maar je zou het ook kunnen gebruiken om sporen te wissen, nietwaar? Vingerafdrukken, bijvoorbeeld?'

De tweede man doorzocht het handschoenenvakje en vond het serviceboekje. Een week eerder was de auto in de garage geweest voor de jaarlijkse onderhoudsbeurt.

'BMW,' zei hij. 'Die leveren een auto weer mooi schoon af. Niet zo gek dus.'

Van der Berg vroeg hun de brug te laten zakken. Beide portieren stonden open. Hij liet Laura Bakker achter het stuur plaatsnemen en liep om de auto heen naar het portier aan de passagierskant.

'Stel je even voor,' zei Van der Berg, 'Bea Prins zit achter het stuur. Laten we zeggen dat ze zit te rommelen in haar tas. Ze overweegt om even snel een lijntje te snuiven voordat ze naar huis rijdt.' Zijn vingers tikten op het portierraam. 'Iemand die ze kent duikt op. Misschien volgens afspraak. Haar dealer. Wie zal het zeggen? Hij opent het portier. Steekt zijn hand naar binnen.' Zijn hand ging omhoog naar Laura's gezicht. 'Pang. Kogel in de slaap. Dood.'

Ze volgden met hun blik de richting van zijn arm. Die klopte met de plek waar de kogel was gevonden.

'Er zaten kruitresten op haar linkerhand,' zei de eerste monteur.

Van der Berg knikte en liep om de auto heen naar de bestuurdersplaats. Pakte Laura Bakkers hand, drukte er een denkbeeldig pistool in en loste een denkbeeldig schot door het open portier aan de passagierskant.

'Kruitresten,' zei hij. 'En ja, ze was linkshandig. Het was dus iemand die haar kende.'

'Bewijs?' vroeg Vos.

'Geef me de tijd,' zei Van der Berg. 'De parkeergarage was 's nachts grotendeels leeg. Ik moet daar rondkijken om te zien of ik sporen kan vinden van een tweede schot. Maar het kán wel.' De monteurs zeiden niets. 'Zeg dat het kan.'

Een van hen was teruggegaan naar de werkbank waar het gereedschap en de forensische instrumenten lagen.

'Twee schoten?' vroeg de achtergebleven monteur. 'Twee à drie jaar geleden?'

Van der Berg knikte. De tweede monteur kwam terug met een spuitbus.

'Volgens het rapport,' zei hij, 'zijn er kruitresten gevonden aan de bestuurderskant. Waar je die zou zoeken. Logisch gezien.'

Niet alleen op haar hand, maar ook op het plastic en de bekleding van de stoel en het portier.

De monteur met de spuitbus zei: 'Iedereen uit de weg, alsjeblieft.'

Hij vertelde hoe lang kruitresten te detecteren waren. Dat een voorzichtige moordenaar, iemand die de tijd had, zou proberen om met isopropylalcohol alle sporen te wissen, wat onmogelijk was. Door de kracht van het schot drongen minuscule deeltjes door in de bekleding van de stoel, het portier en de kunststof sierlijsten. Daar zouden ze jaren blijven zitten. Als Van der Berg gelijk had...

De man met de spuitbus spoot de binnenkant van de auto in, terwijl de andere filmde.

Toen stapten ze uit, lieten de camera draaien en wachtten.

Er verscheen een roze wolk vlak bij de bovenkant van de portierstijl aan de passagierskant. Klein, vaag, onmiskenbaar.

'Die man verdient een traktatie,' zei de eerste monteur. 'Er is sprake van twee schoten. Het tweede was om kruitresten op de hand van de vrouw te krijgen. Hogere positie. Van buitenaf de auto in. Zeker weten.' Hij zwaaide met een vinger naar hen. 'Dit bewijst maar weer eens waarom je nooit een stel idioten van een uitzendbureau moet inhuren.'

'Laat die traktatie maar zitten. Ik heb liever een biertje,' antwoordde Van der Berg, opeens opgetogen. 'Eentje maar.'

Vos keek op zijn horloge. Hun dienst zat er allang op.

'Een biertje,' beaamde hij. 'Eentje maar.'

'Wat?' riep Bakker schril. 'Je hebt net bewezen dat Bea Prins is vermoord en dan ga je de kroeg in?'

'Ze wachtte al een tijdje tot iemand dat zou ontdekken, meissie,' zei Van der Berg. 'Nog wat langer kan geen kwaad. Bovendien...' Hij slaakte een zucht. 'Als haar man het heeft gedaan, blijft het een openstaande vraag. Het brengt ons geen stap verder in het vinden van zijn dochter.' Hij krabde op zijn hoofd. 'Het betekent alleen dat ze gelijk had. Ze wist het, en hij wist dat zij het wist. Jezus. Ze is dood, hè?'

Geen antwoord. In zijn gekreukte, afgedragen pak was hij op dat moment het toonbeeld van ellende.

'Je eigen dochter. Ik zou graag zeggen dat zoiets ondenkbaar is, maar als je hier lang genoeg werkt kom je erachter dat dat maar voor weinig dingen geldt.'

'Ik moet trouwens ook even bij Sam kijken,' zei Vos.

'Jullie gaan dus echt naar de kroeg?' vroeg Bakker. 'Nu?'

'Ik woon niet op het bureau, Laura. Vroeger misschien. Nu niet meer. Ga je mee of niet?'

Ze verroerde zich niet.

'Zelf weten,' zei hij. 'Wij zijn weg.'

25

Weer in de kleine woning in het houten huis aan het Begijnhof. Suzi was terug van de boodschappen. Ze was druk bezig met een stofdoek en keek hem niet aan. Jansen had gedoucht. Dat werkte doorgaans rustgevend. Toen ging hij voor de tv zitten om naar het nieuws te kijken.

Eén verhaal. Wim Prins. De man die de dag daarvoor nog Amsterdam had bestuurd. Omgekomen door zichzelf op Schiphol uit een vliegtuig te gooien. Rondom hem staken schandalen de kop op. Geruchten dat hij de hand had in de verdwijning van zijn dochter. Dat hij werd verdacht van de moord op een misdaadverslaggeefster, die hem naar het scheen chanteerde. En nu heropende bureau Marnixstraat het dossier van zijn eerste vrouw, Bea, die ruim twee jaar eerder was aangetroffen in een parkeergarage in de binnenstad – doodgeschoten.

Jansen luisterde en werd met de minuut chagrijniger. Niets over Rosie. Menzo en zijn liefje kwamen tegen het einde aan de beurt. Daarbij werd voor het eerst zijn naam genoemd. Hoofdverdachte. Bendeleider, ontsnapt uit een gevangenisbusje. Een Amsterdammer in hart en nieren. Onderwerp van een intensieve speurtocht van de politie, die geen enkele aanwijzing leek te hebben opgeleverd.

'Je weet je goed te verstoppen, Theo,' zei ze, terwijl ze naast hem kwam zitten. Ze droeg weer een eenvoudige grijze jurk. Bijna een nonnengewaad. Ze had een mok in haar hand. De geur van kruidenthee dreef zijn neus binnen, en hij vroeg zich af hoe ze ooit bij elkaar waren gekomen. En lang genoeg bij elkaar waren gebleven om een kind te krijgen.

'Nee. De politie heeft het gewoon te druk met al die andere shit. Ze komen mankracht te kort.'

Op het nieuws werd niets gezegd over een verband tussen dat wat er met Prins was gebeurd en hem, Rosie of Menzo. Geloofde bureau Marnixstraat dat echt? Kon het waar zijn?

'Ze zoeken,' voegde hij eraan toe. 'Vroeg of laat doet iemand zijn mond open. Dan vinden ze me.' Hij keek haar aan. 'Als ik lang genoeg blijf. Nog één dag. Twee. Dan ben ik weg.' Hij wachtte even. 'Vind je dat goed?'

'Maakt het iets uit wat ik zeg?'

Dat antwoord beviel hem niet. 'Ja, dat maakt alles uit. Als je zegt dat ik nu moet vertrekken, dan ben ik weg.'

'Dan vinden ze je en dan haat je me weer.'

'Dan zit ik in de gevangenis. Maakt het wat uit?'

Ze zei niets. Keek hem alleen maar aan met die afkeurende blik die hij zo verafschuwde.

'O,' voegde Jansen eraan toe. 'Ik snap het al. Wat ertoe doet is...' Hij gebaarde naar het plafond. '... wat Híj denkt. Heeft ze een zondaar rechtvaardig behandeld? Heeft hij haar rechtvaardig behandeld?'

'Drijf niet de spot met me. Dat is beneden je waardigheid.'

Hij had op de terugweg de hele tijd moeten denken aan het gesprek met Jaap Zeeger. Een gesprek waarvan hij had verwacht dat het zou eindigen in een martelpartij met de hamer en de spijkers die Max Robles voor de gelegenheid had meegebracht. Maar dat was niet gebeurd. Zeeger had de waarheid verteld. Niet alles. Dat kon je niet van hem verwachten. Maar genoeg om te weten dat het waar was. Eerlijk. Op een manier die hypocrieten als Wim Prins en deze vrouw vreemd was.

Theo Jansen had er plezier in om anderen te bedriegen. Dat hoorde erbij. Maar hij loog nooit tegen zichzelf. Dat zou hij zichzelf nooit toestaan.

'Is het duur om hier te wonen?' vroeg hij.

'Nee. Natuurlijk niet.'

'Maar het is niet gratis, toch?'

Ze antwoordde niet.

'En je hebt me nooit om hulp gevraagd. Helemaal nooit.'

'Ik wilde jouw geld niet. Zelfs niet toen we nog samen waren.'

Hij lachte. Dat vond ze niet leuk.

'Wat is er zo grappig?'

'Jij.' Hij knikte naar het raam. 'Dit.' Hij wees naar de grijze jurk. 'Dat. Die act. De huichelarij. De leugen.'

'Ik wil dat je vertrekt.'

'Nee.'

'Je zei dat je zou gaan.'

Hij ging naar de keuken, pakte een biertje en hief het flesje.

'Ik ben van gedachten veranderd.'

Jansen wachtte af. Ze zei niets.

Hij pakte de telefoon en gaf die aan haar.

'Bel bureau Marnixstraat maar. Zeg maar dat ik hier ben. Ik wacht wel.' Hij hief het flesje weer. 'Je hebt nog meer bier. Ik kan de hele avond wachten als ze dat willen.'

Suzi verroerde zich niet, en toen wist hij dat hij gelijk had.

'Al die jaren. En ik me maar schuldig voelen omdat ik Rosie haar moeder had afgenomen. Maar zo was het niet, hè? Hoe heb ik zo stom kunnen zijn.'

Hij kon zich zelfs het moment voor de geest halen. Een jaar of tien eerder, toen Rosie steeds minder tijd met hem ging doorbrengen. Hij dacht eerst dat ze misschien een vriendje had, maar dat bleek niet zo te zijn. Het was goed dat ze meer interesse kreeg voor zaken. Niet dat hij het nodig vond haar te controleren. Ze was familie. Zijn vlees en bloed. Familie stal niet, bedroog niet. Niet in zijn wereld.

'Ik heb je nooit een cent gegeven. Toch heb je geen werk. Volgens mij heb je zelfs nooit een baan gehad. En toch...' Hij glimlachte. 'Dit is een leuk huis. Ik heb je kamer doorzocht toen je weg was.'

'Je had het recht niet!' riep ze. Haar handen haalden naar hem uit.

Eén blik was genoeg om haar tegen te houden.

'Ik had het volste recht.'

Hij haalde de foto uit zijn zak en gooide hem op tafel. Rosie en Suzi ergens voor een tempel. Het Verre Oosten, giste hij. Achter hen beelden van kleurige monsters en draken. Ze zagen er mooi uit. Gelukkig. Moeder en dochter. Het perfecte, geheime paar.

'De vraag is....' zei Jansen. 'Het Poppenhuis. Dat pand aan de Prinsengracht. Was jij de baas over Rosie? Of zij over jou?'

Ze leek niet bang te zijn. Ze was een van de weinige mensen die nooit angst toonde.

'Het was van ons,' zei Suzi zacht maar op harde toon. 'Samen met nog een paar andere dingen waar je niks van wist. Sorry, Theo. Ik weet dat je denkt dat we je eigendom waren. Zoals alles hier in de stad. Maar dat was niet zo.'

'En nu is ze dood.'

'En nu... is ze dood.'

Hij schoof zijn stoel dichter naar haar toe, zette het flesje bier op tafel en dacht aan niets anders dan deze vrouw en de dochter die ze op de wereld hadden gezet.

'Waarom?'

Ze schudde haar hoofd. Er welden tranen in haar ogen op, van woede nu. Dat was duidelijk. 'Wist ik het maar.'

Ze praatten. Lang en zacht, terwijl de Amsterdamse avond langzaam neerdaalde over de stille, verlaten binnentuin van het Begijnhof achter de ramen.

Het was bijna acht uur toen ze waren uitgepraat. Jansen zei dat ze een poosje weg moest gaan. Hij wilde haar niet zien. En hij moest nadenken.

Om tien over acht pakte hij de computer en de goedkope Skype-koptelefoon en dacht na over wat hij zou gaan zeggen, wat hij zou gaan doen. Wie hij ging bellen.

26

Vos had Sam en zijn schone was opgehaald bij Sofia Albers van De Drie Vaten. In de woonboot keek Van der Berg fronsend toe hoe Vos de kleren opvouwde en weglegde in de ladekast voor in de boot.

'Ik wil je niet beledigen,' begon Van der Berg, terwijl de hond vrolijk rondrende en speeltjes onder de eettafel en de stoelen vandaan haalde, 'maar...'

'Niet zeggen.'

'Wat niet?'

'Nieuwe kleren.'

Van der Berg pakte een blauwe trui. Hij hield de elleboog omhoog en stak zijn vinger door het gat.

'Nu moet ik het stoppen!' protesteerde Vos.

Van der Berg haalde nu een cowboyshirt van blauwe spijkerstof uit de mand. De boord was tot op de draad versleten.

'Je bent de enige rechercheur die ik ooit heb gezien die erbij loopt alsof hij auditie gaat doen als basgitarist in een band die Iron Maiden-nummers speelt,' zei Van der Berg.

'Ik háát Iron Maiden.'

'Ik bedoel maar. Heb je ooit nieuwe kleren gekocht sinds je ons hebt laten zitten?'

Vos dacht even na. Schudde zijn hoofd.

'En,' voegde Van der Berg eraan toe, 'hou op met dat gelul van "nu moet ik het stoppen".'

Vos griste het shirt en de trui uit Van der Bergs hand, propte ze onopgevouwen in een la en schoof die hard dicht. Sam kwam met een rubberen bot in zijn bek naar Van der Berg toe en zette zijn voorpoten op de knieën van de man. Hij keek hem smekend aan en bedelde om een spelletje. De rechercheur pakte het uiteinde van het speeltje en hield het stevig vast terwijl het hondje aan het bot rukte en vrolijk gromde.

'Even voor alle duidelijkheid,' vervolgde hij. 'Sofia past op Sam. Ze wast en strijkt voor je. Geeft je bier en broodjes. En waarschijnlijk zeurt ze je af en toe aan je kop.' Hij keek Vos stralend aan. 'Wat ontbreekt er aan deze relatie? O, ik weet het al! Seks en een trouwring.'

'Haha.'

'Jammer dat ze geen haren knipt.'

Een stortvloed aan vloeken. Toen Vos was uitgetierd en hij zich meteen schaamde voor deze ongebruikelijke uitbarsting, hield Van der Berg zijn handen over de oren van de hond. Sam staarde met grote, ronde ogen naar Vos. Niet bang. Gewoon van zijn stuk gebracht door iets nieuws.

'Dit ventje is te jong om zulke taal aan te horen,' zei Van der Berg plagend. 'We gaan een eindje rijden en wat drinken. De Pieper, denk ik, aangezien ik er niet tegen kan om die aardige vrouw achter de bar van De Drie Vaten steeds met die trieste blik in haar ogen naar je te zien kijken. Als je je weet te beheersen, mag je met ons mee.'

Vos balde zijn vuist, moest lachen en huilde toen als een wolf naar het dak van de woonboot. Toen pakte hij de kleine terriër op en kuste hem op zijn kop. Dirk van der Berg keek glimlachend toe en zei: 'Alsjeblieft, zeg, kom mee. Ik heb dorst.'

Ze reden naast elkaar, Sam in de mand voor op de fiets van Vos, langs de rustige gracht. Het wateroppervlak weerspiegelde de lichten van de hoge panden aan de overkant, en zo nu en dan een rondvaartboot vol toeristen. Uit de lindebomen regenden zaadjes op hen neer. Het café, weinig meer dan een huis met een voorkamer voor drinkers, kwam in zicht toen ze de brug over de Leidsegracht bereikten.

Van der Berg zei dat hij er graag kwam voor het bier. Vos vond het prima. Sofia deed zo veel voor hem, en ze kreeg er niets voor terug behalve zijn dank en een beetje geld. Waarschijnlijk van beide niet genoeg.

De Pieper was een van de populairste oude bruine kroegen aan de rand van de Jordaan, maar op deze doordeweekse avond was het er maar halfvol. Twee dronken mannen zaten aan de bar te zingen. Van der Berg legde zijn handen weer over Sams oren, en toen bespraken ze het bier.

Engels die avond, besloten ze. Er waren net een paar nieuwe brouwsels binnengekomen.

Vos vond een vrijstaand tafeltje achterin, naast een rij oude posters van theatervoorstellingen. Sam ging zitten zoals hij altijd deed op plekken die hij niet kende: half op Vos' rechtervoet, leunend tegen zijn been.

'Proost,' zei de rechercheur en hij stootte zijn glas tegen dat van Vos. Toen pakte hij het flesje op. 'Moet je zien wat een onzin daar staat.' Hij wees naar het etiket op de achterkant. 'DRINK VERANTWOORDELIJK. Wat betekent dat in godsnaam? Dat je er niet mee mag knoeien of zo?'

'Vast,' zei Vos.

Van der Berg nam een slokje van het bier, trok een vies gezicht, liep naar de bar en kwam terug met iets Belgisch.

'Waar gaat het in godsnaam om, Pieter? Heb je enig idee? En zo ja, wil je dan alsjeblieft de bureaupaljas vertellen hoe het zit?'

'Als ik jou als een paljas beschouwde, zou ik je dan hebben gevraagd het dossier van Bea Prins uit te pluizen?'

Een schouderophalen. 'Als je een eerlijk antwoord wilt, dan zal ik je de waarheid vertellen. Je zou je niet met deze zaak moeten inlaten en dat weet je best. Het komt te dichtbij.'

'Zeg dat maar tegen De Groot.'

'Hij is gewoon wanhopig. Mulder voldoet niet aan de eisen. Die truc om Jansen ten val te brengen gaat slecht uitpakken, of we die ouwe nou oppakken of niet. Frank heeft een tekort aan goede mensen. Hij heeft je nodig. Hij mag je graag.' Hij klonk weer met zijn glas tegen dat van Vos. 'Iedereen mag je graag. Maar hij laat je je handen in het vuur steken om te voelen of het heet is, Pieter. Als het daarop aankomt. Management. Zo doen ze dat.'

Vos knikte, zei niets.

'En die boerenmeid van je...'

'Ze is niet van mij,' zei Vos. 'En volgens mij weet ze niks van boerderijen en geeft ze daar ook niks om.'

'Ze gaan haar de laan uitsturen. Ze valt op, als een rariteit. En dan zal ze toch blijven. Ze is straks net zo moeilijk af te schudden als je vriendin in De Drie Vaten. Die meid is als een vis op het droge. Ik bedoel... moet je jullie samen zien.' De hond begon zich te ontspannen. Hij liep onder de tafel heen en weer. Van der Berg aaide zijn zachte kop. 'Geen gezicht. Jij ziet eruit alsof je je kleren bij een liefdadigheidswinkel koopt. Die meid alsof ze net de garderobe van haar oude moeder heeft geërfd.'

'Haar tante Maartje maakt haar kleren,' zei Vos half serieus. 'Van patronen. In Dokkum.'

'Haar tante Maartje heeft een nieuwe hobby nodig. Het is niet goed als de zaken persoonlijk worden. Die kant gaat deze nachtmerrie op. Tijd om te stoppen.'

Vos lachte, schudde zijn hoofd.

'Niet bijdehand worden, hè?' voegde Van der Berg eraan toe. 'Het is buiten diensttijd. Ik kan zeggen wat ik wil.'

'Ik heb nooit het gevoel gehad dat je daarvoor een privémoment nodig had.'

Een ogenblik van spanning, bijna vijandigheid tussen hen. De hond leek het aan te voelen en ging midden onder de tafel zitten, op gelijke afstand van hun benen. Kreeg daarvoor van beiden een aai.

'Je bent een scherpzinnig mens,' voegde Van der Berg eraan toe. 'Je weet alleen niet van ophouden. En je ziet niks anders dan datgene wat je achternazit.

Die Bakker is hetzelfde, als je het mij vraagt. Het is al erg genoeg om één kortzichtige obsessieveling op het bureau te hebben rondlopen. Twee is ongezond.'

'Zijn we hiervoor de kroeg in gegaan?'

'Gedeeltelijk. Ik zou ook graag willen weten of je Frank gaat geven wat hij wil: het hoofd van Wim Prins op een presenteerblaadje. Voor de vrouw en de dochter. En die verslaggeefster die vanochtend in de gracht is gevonden.'

'Het is nog te vroeg om dat te weten,' zei Vos.

'Alsjeblieft, zeg. Je bent Pieter Vos. Iedereen zit te wachten om te horen...'

'Wat denk jij?'

Van der Berg pakte zijn glas en dronk het leeg.

'Ik denk dat dit een twee-biertjesprobleem is. En geen Engels bier.'

Hij ging naar de bar en kwam terug met twee glazen lokaal bier. Brouwerij 't IJ, met een struisvogel op het etiket.

'Bea Prins is vermoord,' zei hij op verveelde toon. 'Daar ga ik in mee. De dochter...'

Hij was een eerlijke, openhartige man. Op dat moment keek hij Vos niet aan.

'Betekent dat dat hij Anneliese heeft ontvoerd?' vroeg Van der Berg. 'En dat hij het heeft laten overkomen alsof met zijn eigen dochter hetzelfde is gebeurd? Ik weet het niet. Tenzij...'

Hij schoof zenuwachtig heen en weer op zijn stoel, wilde het niet zeggen.

'Tenzij?' spoorde Vos hem aan.

'Tenzij hij klant was van dat privéhuis en hij Anneliese daar is tegengekomen.'

Vos zei niets.

'Als hij het was, zul je er nooit achter komen, hè? Wat er met Anneliese is gebeurd. Of met zijn eigen dochter.'

'Die gevolgtrekking zou je kunnen maken,' antwoordde Vos voorzichtig. 'Maar we hebben geen greintje bewijs dat een van beiden dood is.'

'Hoop is iets prachtigs,' zei Van der Berg zacht. 'Zo lang je je er niet door laat verblinden. Ik heb nog steeds moeite met het idee dat hij het ene moment Amsterdam runde en het volgende een verslaggeefster doodstak. Afgezien van de rest.'

Zoals hij daar zat, met zijn armen op tafel, zag hij eruit alsof hij in De Pieper woonde. Maar Dirk van der Berg voelde zich in iedere willekeurige kroeg op zijn gemak.

'En jij ook,' voegde hij eraan toe. 'Wat betekent dat Frank de Groot een teleurstelling te wachten staat...'

Vos' telefoon ging. Hij haalde hem uit zijn zak en keek naar het scherm.

Hij verwachtte Bakkers naam te zien, verwachtte dat ze hem om de een of andere reden terugriep naar het bureau.

Maar er stond ONBEKEND NUMMER.

Hij nam op in het geroezemoes van De Pieper.

'Je zit in een kroeg,' zei een bekende zware stem. 'Ik kan het bier bijna ruiken.'

Vos vertelde hem precies waar hij zat.

'Rotzak,' antwoordde Theo Jansen. 'Je mag al blij zijn dat ik met je wil praten.'

27

Na de korte woordenwisseling met Vos ging Laura Bakker naar de kantine in de kelder en kocht een flesje water en een salade met kaas. Ze ging aan een leeg tafeltje bij het raam zitten.

Andere agenten kwamen en gingen. Niemand zei iets tegen haar. Niemand nam notitie van haar.

Toen ze bijna uitgegeten was kwam Koeman, de rechercheur met de kraalogen die met Mulder aan de zaak Jansen werkte, naar haar tafel en nam plaats.

Hij vroeg niet of ze het goed vond. Hij leek niet het type man dat zoiets ooit zou vragen.

Een jaar of veertig, leuke casual kleding. Hij had best een knap gezicht, al vond ze die bruine hangsnor stom. Echt iets wat rechercheurs van de narcoticabrigade vroeger hadden. Koeman had altijd een wellustige blik in zijn ogen. Zo keek hij naar alle vrouwen die langskwamen op het bureau. Het betekende niets, dacht ze. De anderen zeiden dat hij gelukkig getrouwd was. Alleen maar een gewoonte, waarschijnlijk iets waar hij niet eens bij nadacht.

'Vertel me eens wat over koeien,' zei hij, en hij zette zijn tanden in een slap ogende hamburger.

'Daar valt weinig over te vertellen.'

'Loeien ze in Friesland? Of praten ze raar? Net als jij?'

Ze glimlachte sarcastisch. Pakte haar dienblad op. Hij hield haar tegen met zijn hand.

'Laten we een babbeltje maken,' zei hij. 'We hebben de tijd.'

'Waarom?'

Hij trok zijn hand terug en zuchtte.

'Ik probeer vriendelijk te zijn. Meer niet.' Hij legde de hamburger neer. Nam een slok uit een pakje sinaasappelsap. 'Echt waar. Ik weet dat iedereen je een beetje... links laat liggen.'

'Dat is me nooit opgevallen,' loog ze.

Daar moest Koeman om lachen.

‘Je valt op, meid. Je ziet er anders uit. Je praat anders.’ Hij gebaarde naar de verdiepingen boven hen. ‘Dit is een groot bureau. We hebben het niet op “anders”.’ Toen vervolgde hij zachter: ‘Dat bezorgt ons een ongemakkelijk gevoel. Sorry.’

Ze probeerde zich te herinneren wanneer iemand van bureau Marnixstraat haar ooit zijn verontschuldigingen had aangeboden.

‘Wat doet het ertoe?’ vroeg ze. ‘Volgende week word ik beoordeeld. Ze gaan me ontslaan. Dat weet iedereen.’

Koeman schudde zijn hoofd. ‘Volgende week is volgende week. Er kan voor die tijd een heleboel gebeuren.’

‘Ik pas hier niet. Jij zei het. Vos zei het. De Groot...’

‘Niemand “past” hier,’ onderbrak hij haar, opeens fel. ‘Ik ook niet toen ik pas hier kwam werken. Pieter Vos ook niet. Het is een politiebureau. Geen ziekenhuis of klooster of zo. We zijn hier niet om dingen te fiksen. Alleen maar om ze op te sporen als we dat kunnen. Dan geven we het probleem door aan iemand anders.’ Hij haalde zijn schouders op. ‘Justitie.’ Een wrang lachje en toen een knikje naar het raam. ‘De mensen daarbuiten, het... grote publiek. Dat ons meestal veracht als we ons werk doen. En dat niet kan wachten om ons publiekelijk af te kraken als we dat niet doen.’

Hij probeerde haar iets duidelijk te maken en ze wist niet wat.

‘Het kan me geen barst schelen als ik ontslagen word,’ zei Bakker. ‘Ik ga gewoon iets anders doen. Iets normaals. Iets...’

‘Je gaat mokken en schreeuwen en janken.’

‘Je kent me niet, Koeman!’ Mensen een paar tafeltjes verderop staarden naar hen.

‘Ik weet meer over je dan afgelopen maandag. Toen zag ik je als een dom, bang, talentloos meisje dat op de verkeerde trein was gestapt en in de grote, boze stad was beland. Te bang om terug naar huis te gaan. Te bang om te blijven.’

Bakker sloeg haar armen over elkaar en keek toe terwijl hij weer een hap van de hamburger nam.

‘En?’ vroeg ze.

‘En ik had het mis. Je hebt iets. Vos ziet dat. Je bent net als hij, een beetje in elk geval. Hij is ook bang. Bang voor ons. Bang om terug te gaan naar waar hij was, omdat het allemaal zo deprimerend was.’ Hij schoof fronsend zijn half opgegeten hamburger van zich af. ‘Niet alleen voor hem.’

‘Zodra deze zaak is afgerond en het dossier wordt gesloten, is hij weg,’ zei ze. ‘Als blijkt dat Prins de hand heeft gehad in Katja’s verdwijning. Dat er geen verband is tussen haar en zijn dochter. Althans niet iets wat hij kan vinden...’

‘Best,’ zei Koeman. ‘Als dat voor hem werkt.’

'Maar het werkt niet, hè?' zei ze langzaam. 'Hij wil het weten.'

'Wie níét?'

'Is er iets wat je me wilt vertellen?'

Hij kreunde.

'Goh, je maakt het me wel moeilijk.'

'Koeman...'

'Nee. Luister. Dit is belangrijk. We mogen dan traag en dom zijn. We mogen ons dan van tijd tot tijd schofterig gedragen. Maar sommige dingen zien we heus wel. Zoals wat jij voor Pieter hebt gedaan sinds hij terug is. Meer zit er misschien niet in.' Hij keek haar aan. Zijn gezichtsuitdrukking was oprecht en vriendelijk. 'Maar daar zijn we wel goed in. In dingen opmerken. Kijken.' Hij wachtte even. 'Jagen.'

Ze voelde zich traag en dom. 'Ik heb niks voor Vos gedaan! Suggereer je dat...?'

'Nee! Nee!' Hij stond op en pakte zijn dienblad. 'Ik geef het op. Dit is onmogelijk.' Hij keek haar kwaad aan. 'Jíj bent onmogelijk. Ik probeer je te helpen, Laura. Net als Vos.'

'Hij heeft verdriet,' zei Bakker met een zacht, zwak stemmetje. 'Zie je dat dan niet?'

'Natuurlijk zie ik dat wel,' beaamde hij. 'Maar als hij samen met jou is, leeft hij op. Iets zet hem dan aan het denken. En als Pieter Vos nadenkt... gebeurt er uiteindelijk iets. Als we geluk hebben. En het lijkt me overduidelijk dat we een beetje geluk heel goed kunnen gebruiken.'

Hij moest weer aan het werk, zei hij. Koeman stak haar zijn hand toe. Ze pakte hem automatisch vast en kwam overeind met haar dienblad in haar andere hand. Het kantelde en viel bijna op de vloer, en dan zouden de scherven en het glas alle kanten op vliegen.

Het zoveelste stuntelige moment. Maar deze keer was Koeman erbij en hij greep in voordat de ramp zich voltrok. Hij ving het blad op en hield het stevig vast.

'Je bent nog niet ontslagen, meissie,' zei hij. 'Ga naar huis. Ga lekker slapen. Denk erover na. Ik verwacht dat het hier morgen een belangrijke dag wordt. Onderscheid je. Doe je best. Zorg dat je voor de verandering om de juiste reden opvalt. Dat is alles wat ik wil zeggen.'

28

Het regende zacht bij de gracht. Een gure wind. Vos stond naast de rij geparkeerde auto's langs het trottoir.

'Laten we er nu een eind aan maken,' zei hij. 'Je kunt niet blijven vluchten, Theo. Je bent hier te oud voor. Ik ook.'

'Waar heb je het over? Je ziet er geen dag ouder uit dan toen we op straat oorlog met elkaar voerden.'

'Ik voel me wel oud. Wat valt er nog te bewijzen?'

'Om te beginnen wie Rosie heeft vermoord.'

'Ik werk niet aan die zaak.'

'Ik vraag me af waarom niet. Weet je wie jouw dochter heeft ontvoerd?'

Vos aarzelde even en zei toen: 'Nee. Dat weet ik niet. Maar we beginnen een idee te krijgen van wat er met Katja Prins is gebeurd. Misschien leidt het een tot het ander.'

Er kwam een fietser voorbij. Een jonge vrouw op een omafiets. Kaarsrechte rug, gezicht in de wind. Zoals Laura Bakker fietste.

'Denk je echt dat Prins zijn eigen dochter heeft vermoord?'

'Dat weet ik niet,' antwoordde Vos. 'Ik geloof alleen dat we... dichter bij het antwoord zijn. Dit is mijn zaak. Niet de jouwe.'

Jansen bromde iets en vroeg toen naar het Poppenhuis. Vos antwoordde voorzichtig. Hij vertelde over Menzo en zei dat ze erachter waren gekomen dat de Surinaamse bende heimelijk de tent van hem had overgenomen.

'Is dat het?' vroeg de man aan de telefoon. 'Is dat alles wat je weet?'

'Verwacht je dat ik je alles vertel?'

'Dat zou je wel moeten doen. Jij en ik zitten in hetzelfde schuitje. Wij zijn de onnozelen. Snap je dat dan niet?'

Vos dacht aan het tafereel in het tulpenveld. Twee verbrande lijken in een vernielde Mercedes.

'Niet helemaal.'

'We zijn voorgelogen. Beduveld. Die jongens die Menzo op me af heeft gestuurd. Hij heeft ze uit luiheid naar dat pand gestuurd. Hij heeft het in een opwelling ingepikt. Hij wilde ervanaf. Het ging hem om het verzekeringsgeld.'

Van der Berg was er ook. Hij stond tegen het raam geleund een sigaret te roken en keek naar Vos vanaf de overkant van de smalle straat, met Sams riem in zijn hand terwijl de hond snuffelend rondliep.

'En jij weet dat?' vroeg Vos.

'Ja,' zei Jansen met een gepijnigde zucht. 'Wat er allemaal is gebeurd in die tent... dat moet je mij niet vragen, want zoals ik al zei, daar ben ik niet schuldig aan. Die zaak was nog steeds van mij. Niet van Jimmy. Maar ik wist er niks van. Ik wist niet eens dat die zaak van mij was. Kinderen? Jonge meisjes? Daar hield ik me niet mee bezig.'

Van der Berg probeerde het gesprek te traceren. Hij drukte zijn eigen telefoon tegen zijn oor. Schudde zijn hoofd toen Vos hem aankeek.

'Je bent een goede zakenman, Theo. Ik kan maar moeilijk geloven dat je nergens van afwist.'

De verwachte uitbarsting bleef uit. Het enige wat Vos hoorde was een diepe zucht.

'Zal ik je eens wat zeggen?' zei Jansen. 'Ik ook.'

'Ik sta buiten in de ijskoude regen,' zei Vos. 'Laten we ergens afspreken. Dan praten we verder bij een biertje.' Hij dacht even na. 'Misschien kunnen we daarna ieder onze eigen weg gaan.'

Jansen lachte, een langgerekte, hese bulderlach.

'Hoor ik dat goed? Pieter Vos? De meest integere smeris van Amsterdam wil praten met een gezochte misdadiger? Een moordenaar? En hem daarna gewoon laten gaan?'

'Niet voor altijd. Alleen maar tot we allebei...' Hij kon niet meteen op het juiste woord komen. '... tevreden zijn.'

'We zijn allebei onze dochter kwijtgeraakt. Niks kan dat ooit goedmaken.' Het bleef even stil. Er lag iets nieuws in Jansens stem. Het was de stem van een gebroken man. 'Zo is het toch?'

Vos zei niets.

'Neem me niet kwalijk,' zei Jansen. 'Verveel ik je?'

'Eerlijk gezegd wel, ja.'

Stilte. Misschien had hij opgehangen.

Toen zei de norse stem in zijn oor: 'Dan zal ik je iets geven om over na te denken. Rosie runde die tent achter mijn rug om. Samen met iemand anders.'

'Met wie?'

'Geduld, Vos. Hoor me aan en misschien kom je er dan achter. Het was al die tijd Rosies zaak. Ze wist dat er daar iets gebeurde wat niet door de beugel kon. Ze werd bang en heeft de tent achter mijn rug om aan Menzo verkocht.

Ze heeft ook geprobeerd met Menzo een deal te sluiten over mij. Familie, hè? Je denkt dat je bij hen veilig bent...'

Van der Berg maakte aanstalten om de straat over te steken. Vos stak zijn hand op. Hij wilde hem nu niet in de buurt hebben.

'Waarom vertel je me dit?' vroeg hij.

'Je bent behoorlijk versuft geraakt na je vertrek, hè? Je bent traag van begrip, weet je dat? Traag en dom.'

'Ik doe mijn best. Een beetje hulp zou ik op prijs stellen.'

Weer een lach. Kort en gevoelloos.

'Dus zo ver is het gekomen, hè? Jij en ik.'

'Theo...'

'Twee mogelijkheden. Misschien heeft een van mijn mensen Rosie vermoord omdat ik niet de enige was die ze belazerde. Of...'

Hij zweeg. Vos moest hem aansporen.

'Of...' vervolgde Jansen. 'Zoals ik al zei, ze wist iets. Misschien over wat er in dat Poppenhuis is gebeurd, wat ervoor zorgde dat het moest sluiten. Al sla je me dood. Niemand die ik heb gesproken schijnt het te weten. Maar ik heb nog niet iedereen gehad. Dat komt nog. Daarom gaan wij niet samen een biertje drinken. Niet nu.'

Rosie Jansen. Een schot in het hoofd. Het pistool was niet geregistreerd, de vingerafdrukken waren eraf geveegd. Ze hadden een doos patronen gevonden in een la in haar woning. Het forensisch rapport maakte gewag van een worsteling. Het was mogelijk dat degene die naar haar toe was gegaan alleen maar had willen praten. Dat het pistool van Rosie was. Ze had het tevoorschijn gehaald, was in gevecht geraakt en had verloren.

'Ik weet niet zeker of haar bezoeker de bedoeling had haar te vermoorden,' zei Vos. 'Als dat helpt.'

'Maar ze ís wel vermoord. En vervolgens bij jouw boot gedumpt. Waarom?'

Dat had Vos zich van begin af aan ook afgevraagd.

'Dat heb ik al gezegd. Om de een of andere reden moet ik eraan meewerken. Het is mij ook een raadsel. Heb je verder nog iets voor me?'

'Alleen een belofte,' zei Jansen rustig. 'Ik vind het niet leuk om belazerd te worden, zelfs niet als het om mijn eigen leugenachtige dochter gaat. Ik ga degene die dit heeft gedaan het hart uit het lijf rukken. Wie mij voor de voeten loopt, scheur ik aan flarden. Zo nodig pers ik het leven uit deze hele vervloekte leugenachtige stad.'

'Zou je je daardoor beter voelen?' vroeg Vos.

Stilte. Hij praatte in het luchtledige.

Van der Berg stak de straat over en vroeg: 'En?'

'Ik weet het niet.'

Vos was moe. In de war. Hij had honger. Ze gingen weer De Pieper binnen en bestelden broodjes. Ze aten en dronken van hun bier zonder veel te zeggen.

'De onnozelen,' fluisterde Vos toen de hond bij zijn voeten onrustig werd. Hij verlangde naar zijn bed.

'Wat zeg je?' vroeg Van der Berg.

'Hij zegt dat wij de onnozelen zijn. Ik. Theo Jansen.' Vos voelde Sam aan de riem trekken. Hij moest uitgelaten worden. 'Misschien heeft hij gelijk.'

'Jansen is een misdadiger. Jullie hebben niks gemeen.' Van der Berg legde een hand op Vos' arm. 'Helemaal niks.'

'Dat zou je denken. Maar ik heb hem nog nooit zo gehoord. Hij is pisnijdig. We moeten hem zien te vinden. Theo is er slecht aan toe.'

Van der Berg lachte. 'Alsof wij ons daar druk om moeten maken.'

'Dat zouden we wel moeten doen,' zei Vos. 'Heel erg druk.'

29

Koeman had haar uitgenodigd. Uitgedaagd. Voor uitdagingen schrok ze nooit terug. Laura Bakker ging terug naar boven, naar de forensische afdeling, en ze lachte toen de enige medewerker die er nog was een grapje maakte over haar groene broek die vloekte met haar geruite jasje. Ze kreeg hem zover dat hij haar vertelde over het werk dat ze hadden verricht aan de steeds groter wordende verzameling foto's en filmpjes in het systeem. Ze hadden hun best gedaan om zo veel mogelijk informatie uit de foto's van Katja en Anneliese te halen. Het had niets opgeleverd. Ze wisten niets méér dan toen ze de foto's voor het eerst onder ogen kregen. De meisjes in het Vondelpark. Katja, ogenschijnlijk in nood, op een onbekende locatie tegen een neutrale achtergrond.

De nieuwste foto's waren gemaakt met een doodgewone smartphone. Recente datums, hoewel die vervalst konden zijn. Geen verborgen geheimen. Geen subtiele aanwijzingen. Het was alsof het meisje voor een blauw filmscherm was geplaatst en de achtergrondinformatie na de opnamen tot aan het kleinste detail was verwijderd.

'Slim,' zei Bakker, terwijl ze de beelden een voor een bekeek.

'Nee,' zei de forensisch medewerker. 'Deskundig.' Hij keek op zijn horloge. Bijna negen uur. 'Ik ga er nu vandoor. We kijken morgen wel verder. Ga gerust nog even door, maar verander niks, want...'

Hij wrong zich in bochten. Hij wist er al van.

'Want anders komt dat ook in mijn dossier?' vroeg ze. 'Bij de deuk in die auto en de rest van mijn geklungel.'

'Inderdaad,' beaamde hij.

Ze keek hem na. Ze bleef achter de computer zitten en bekeek de bestanden die betrekking hadden op de zaak. Toen vond ze er een dat van een andere bron afkomstig was. De e-mail die de ochtend daarvoor aan Wim Prins was gestuurd en die Vos zonder Prins' toestemming had meegenomen. Een onbekende man in bed met Margriet Willemsen. De vrouw die nu de leiding had over Amsterdam kromde haar rug en bereed de man wild, ging er helemaal in op.

Geen geluid. Het gezicht van de man was niet te zien. Ze herinnerde zich dat Prins had geroepen dat hij het niet was. Dat leken ze te geloven, maar ze begreep niet waarom. Het was niet te zien. De kamer was donker. Haar bleke lichaam verborg zijn gezicht. En...

Laura Bakker schoof haar stoel bij de laptop vandaan. Het kijken naar het filmpje bezorgde haar een ongemakkelijk gevoel. Alsof ze een voyeur was. Het hoorde niet.

Ze schrok van een geluid achter zich.

Een lange gestalte. Ze keek op. Klaas Mulder. Met een onbewogen gezicht, zoals gebruikelijk. Een man die niet met zich liet sollen. Hij vroeg wat ze daar deed op dat uur van de avond. Dus vertelde ze het hem: jagen.

Mulder keek naar het stilstaande beeld en glimlachte.

'Jagen?' vroeg hij met een spottende grijns. 'Op jouw leeftijd zou je je kicks in het echte leven moeten zoeken.'

'Bedankt voor de goede raad.'

'Deskundigen hebben dit materiaal de hele dag uitgekamd,' zei Mulder. 'Mensen die weten wat ze doen. Ze hebben niks gevonden.'

'Misschien hebben ze iets over het hoofd gezien.'

'Ga naar huis,' beval hij.

Ze draaide zich weer om naar het scherm.

'Ik zei: ga naar huis.'

'Ik werk voor Vos. Niet voor jou.'

Twee bewegende naakte lichamen. De meeste deskundigen waren mannen. Ze hadden het filmpje vluchtig bekeken, en Laura wist waar ze het eerst naar zouden kijken. Dat was in zekere zin logisch. Lichamen. Gezichten. Identiteiten. Maar dit waren mensen die de liefde bedreven in een slaapkamer waar veel te zien was. Overvolle boekenkasten tegen de muren. Een dekbed dat op de vloer gegooid was. Kledingstukken. Er waren andere mogelijkheden.

Bakker pakte de muis, trok een rechthoek over iets wat eruitzag als een pak en een paar schoenen. Zoomde in.

Mulder ging naast de computer op het bureau zitten, zo dichtbij dat ze zich ongemakkelijk voelde.

'Als ik zeg dat je moet vertrekken, dan vertrek je.'

'Als ik klaar ben,' zei Bakker.

'Aspirant...'

'Als ik volgende week toch de laan uit gestuurd word, wat maakt het dan verdorie uit, Mulder?' vroeg ze. 'Nog even en je bent van me af. Het enige wat je hoeft te doen is wachten.'

'Je bent niet geschikt voor dit werk,' zei hij op milde, razend makende toon. 'Je bent onhandig. Je weet niet wat discipline is. Teamwork. Voorbereiding.

Plannen. Je hoort hier niet. Je hoort niet in Amsterdam. Ga maar weer...'

'Nee. Zeg het maar niet,' onderbrak ze hem. 'Ga maar weer koeienstront opruimen. Verzin alsjeblieft iets nieuws. Je vervalt in herhaling, net als iedereen die hier rondloopt.'

Overhemd. Onderbroek. Sokken. Glimmende schoenen. Zwart, giste ze. Mannenschoenen. Stevig. Minder zwaar dan haar eigen schoenen. Maar degelijk, en dat zag ze altijd graag.

Hij legde een hand op haar schouder. Bakker draaide haar hoofd om en keek naar zijn vingers. 'Haal die hand weg of ik zweer je dat dit morgenochtend een officiële klacht wordt,' zei ze heel rustig. 'Misschien verzin ik er wel iets bij over ongewenste intimiteiten.' Toen keek ze hem aan. Koeman lonkte naar vrouwen en besefte dat nauwelijks. Mulder keek begerig naar vrouwen. Ze herkende die blik. 'Waarom denk ik nou dat ze dat best eens zouden geloven?'

Mulder haalde zijn hand weg, glimlachte kil en schudde zijn hoofd.

Ze richtte haar blik weer op het scherm. Zag iets in de hoek bij de broek die op de grond lag. Een portefeuille. Een deel van de inhoud was eruit gevallen toen die op de vloer was gegooid. Creditcards. Geld.

'Ik zeg het niet nog eens,' snauwde Mulder.

'Doe het dan niet.'

Ze zoomde verder in. Tot maximale resolutie. Op de werkbalk zat een knop om het beeld te verscherpen. Ze klikte erop. Een creditcard, ondersteboven. Maar het was geen creditcard. Ze knipperde met haar ogen. Het was een lange dag geweest. Ze probeerde wijs te worden uit wat ze zag. Mulder kwam dichterbij.

Wat ze op het scherm zag kwam haar bekend voor en ze pijnigde haar hersens in een poging het te begrijpen.

Nog een laatste blik en toen klikte Laura Bakker op 'ongedaan maken'. Het ingezoomde beeld verdween. Ze stond op. Streek de kreukels uit haar slobberige, geruite jasje. Probeerde naar hem te glimlachen.

'Je hebt gelijk,' zei ze. 'Sorry. Ik liet me meeslepen.'

Ze keek hem niet in de ogen. Wilde niet zien wat daarin lag.

Ze liep naar de lift. De forensische afdeling was op de vierde verdieping. Haar fiets stond in het fietsenhok achter het gebouw, aan het eind van de nauwe steeg die naar de straat leidde.

Mulder stapte samen met haar de lift in en leunde tegen de muur. Hij drukte geen knop in. Keek alleen maar.

'Begane grond,' zei Bakker, en ze wees. 'Alsjeblieft.'

Hij drukte op de knop. Bleef haar onderweg naar beneden aankijken. Bleef in de receptieruimte staan terwijl haar trillende handen in haar goedkope nepleren schoudertas rommelden en haar fietssleuteltje zochten.

Er zat een agent in uniform achter de balie. Bakker meldde zich bij hem af. Ze liet Mulder achter en liep met grote passen door de zijingang naar buiten, waarbij ze haar best deed om niet te rennen. Ze pakte haar fiets uit het vochtige, donkere fietsenhok. Ze deed haar staart los omdat ze zich daardoor om de een of andere reden prettiger voelde. Ze stapte op het zadel en probeerde er niet af te vallen.

Gespetter van regen. Het geronk van een bus die wegreed van de halte achter de muur.

Ze haalde haar telefoon tevoorschijn, drukte met trillende vingers onhandig op de toetsen.

Ze had Vos onder een snelkeuzetoets moeten opslaan. Stom. Met de telefoon in haar ene hand en de andere op het fietsstuur, reed ze, terwijl ze met moeite haar evenwicht bewaarde op het zadel, in de richting van het hek. Haar grote voeten sloegen steeds tegen de trappers.

Hoge bakstenen muren aan weerszijden van de steeg naar de straat. Buiten ronkte weer een bus voorbij, en de stinkende walm uit de uitlaat vloog over de muur. Haar loshangende haar waaide in haar gezicht.

Bakker probeerde het met haar arm naar achteren te strijken met de telefoon nog in haar rechterhand en reed langzaam door de steeg die naar de weg leidde. Ze had het nummer bijna ingetoetst voordat ze het eind van de steeg had bereikt. Nog één cijfer.

Voetstappen achter haar. Ze keek niet om.

Een gemene vuistslag sloeg haar van de fiets en ze belandde op de harde grond, de telefoon vloog uit haar hand, haar hoofd smakte op de bestrating.

Een gestalte boog zich over haar heen. Laura Bakker schudde haar hoofd in een poging haar zicht scherp te stellen.

Het werd helderder.

Een lang, scherp zilveren voorwerp glinsterde in het licht van de straatlantaarns in de verte.

30

De telefoon in Vos' zak ging. Hij keek naar het scherm.

'Laura?'

Niemand aan de andere kant van de lijn. Alleen geluiden. Gedempt. Niet thuis te brengen.

Hij wachtte, luisterde. Niets meer.

Hij haalde zijn schouders op en stak de telefoon weer in zijn zak.

Toen fietsten ze samen terug over de gracht, de slapende hond in de mand, Van der Berg opgewekt babbelend. Het gesprek in het café was nuttig geweest. Sommige dingen moesten gewoon gezegd worden.

Toen ze De Drie Vaten naderden vertelde Vos iets meer over het telefoongesprek met Jansen. Van der Berg, een intelligente, bedachtzame man, luisterde aandachtig. Hij krabde aan zijn kin en keek naar het café op de hoek.

'Geen bier meer voor mij,' zei Vos snel. 'Ik duik vroeg mijn bed in.'

Van der Berg woonde aan de overkant van de gracht, tien minuten bij Vos vandaan.

'Goed idee. Nog even over Jansen...' Allebei hadden ze de man dikwijls verhoord. Ze dachten dat ze hem kenden. 'Hij hield van die meid, Pieter. Zij ook van hem. Dat dacht ik tenminste.'

'Dat was ook zo,' beaamde Vos. 'Maar toch heeft ze hem belazerd.'

'Dat zal bij Theo hard aangekomen zijn. Hij is een rasechte Amsterdammer. Familie betekent veel voor hem. Net als vertrouwen.' Ze stopten bij het kruispunt met de standbeelden. 'Als hij had geweten dat ze hem belazerde, zou hij witheet zijn geweest. Kan hij iemand bij haar langs hebben gestuurd om met haar te praten?'

'Waarom zou hij het me dan verteld hebben?' vroeg Vos. 'Wij zijn de onnozelen, weet je nog?'

Van der Berg haalde zijn schouders op en vertoonde zijn treurige, vermoeide lachje.

'Dan weet ik het niet. Dit hele gedoe... nou ja, het klopt gewoon niet. Als...'

Hij was behoorlijk scherpzinnig. Soms zag hij dingen eerder dan Vos. Nu keek hij naar het water voor hen. Vos volgde zijn blik, dacht aan twee avonden terug en huiverde. Het lichaam in het halfgezonken sloepje naast zijn boot.

Van der Berg sprong van zijn fiets en zette die tegen een boom zonder de moeite te nemen hem op slot te zetten, wat niets voor hem was.

'Je hebt geen licht laten branden,' zei hij, terwijl hij naar de woonboot liep.

Maar nu brandde er licht in de hele boot.

Van der Berg klopte op zijn zak. Knoopte zijn jas los. Onthulde een pistool in een schouderholster. Vos had geen pistool. Hij zou eerst weer schiettraining moeten volgen. En Laura Bakker voldeed nog niet aan de eisen.

'Stop dat ding weg,' beval Vos toen hij van zijn fiets stapte. Voorzichtig tilde hij Sam uit de mand, gaf de riem aan Van der Berg en vroeg hem de hond naar het café te brengen.

31

Een gedachte toen ze tegen de grond smakte. Geen camera's hier. Een met een hek afgesloten steeg naar de straat. Camera's waren hier niet nodig. Ze bleef in beweging en rolde door. Incasseerde een trap in de rug die niet echt pijn deed.

Ze keek op en zag een lange gestalte. Ze wilde gillen: 'Ik heb jou helemaal niet herkend op dat filmpje, idioot.'

Alleen het blauw-met-witte legitimatiebewijs met het woord POLITIE en het logo met de gele vlam.

Als hij niet zo had staan draaien en zuchten, zou het nooit bij haar zijn opgekomen.

Wat... raar leek. Of raar had moeten lijken. En nu bedreigde Klaas Mulder haar met een mes in het smalle steegje tussen het fietsenhok van bureau Marnixstraat, de straat en de gracht.

Ze hadden allebei lange benen. Maar zij was bijna twintig jaar jonger en slaagde erin achteruit te krabbelen naar de vochtige bakstenen muur. Mulder kwam weer dreigend op haar af, het mes flitste. Ze trapte met haar grote, zware schoenen en trof hem tegen de schenen. Hoorde een gedempte kreun en gevloek. Rolde opzij. Krabbelde overeind. Trapte nog een keer, zo hard als ze kon, zag hem vallen, nog een flinke schop, harde schoenen tegen zacht vlees. Ze liet hem liggen, hijgde.

Drie grote stappen naar het hek en de straat. Laura Bakker vloog op het metalen hek af, hoorde de man achter haar overeind komen. Ze bereikte het ijzeren hek en rammelde aan de tralies.

Toen wist ze het weer.

Beveiliging. Het hek was altijd op slot. De enige manier om het open te maken was via de intercom ernaast, die in verbinding stond met de dienstdoende agent achter de balie, die het met een druk op een knop kon ontgrendelen.

Ze ramde met haar vuist op de knop en schreeuwde een reeks smeekbeden en verwensingen in het plastic kastje.

Soms ging het hek snel open. Soms zat de man niet op zijn plek. Of was hij in gesprek.

Bakker draaide zich om. Mulder stond weer rechtop. Het mes geheven.

'Doe dat hek open!' gilde ze, rammelend aan de tralies. Ze keek omhoog. De bovenkant was een centimeter of dertig hoger dan zij lang was. Ze kon erbij, maar het zou niet makkelijk zijn om eroverheen te klimmen. En haar rug zou onbeschut zijn, een makkelijk doelwit. Dan was ze er geweest.

Ze kon maar één ding doen.

Zich omdraaien en vechten.

Op het moment dat ze zich omdraaide en zich schrap zette om hem een trap te verkopen, viel Mulder haar aan, drukte zijn elleboog tegen haar keel, zijn gezicht vlak voor het hare.

Hij grijnsde. Hij genoot ervan.

Met haar rug tegen de harde ijzeren tralies, in bedwang gehouden door de sterkere man, flitste haar blik heen en weer tussen zijn ogen en het mes vlak bij haar wang. Ze overwoog haar opties.

Toen deed ze iets wat ze in Dokkum nooit zou hebben geprobeerd. Niet als iemand het had kunnen zien.

Ze spuugde hem vol in het gezicht en trok haar rechterknie op, probeerde hem in zijn kruis te raken. Maar hij had het door. Gespierde armen duwden haar opzij. Laura Bakker verloor haar evenwicht en smakte hard tegen de stenen muur.

Zijn grote linkervuist haalde uit en trof haar in de zij.

Happend naar lucht door de felle pijnscheut, strompelde ze achteruit tegen het hek. Ze viel op de grond, duwde zich op één hand omhoog.

Klaas Mulder veegde het speeksel van zijn gezicht. Een lange, trage beweging van de arm.

Hij zwaaide met het mes voor haar gezicht.

'Dit gaat pijn doen,' zei hij. 'Dit...'

Een ander geluid. Een geblaft bevel. Maar hij gaf er geen gehoor aan.

Toen een felle lichtflits en een luide knal. Ze kon niets anders doen dan haar ogen sluiten en afwachten.

32

Vos liep de boot in en keek de woonruimte door. Zag een tengere gedaante zitten, in elkaar gedoken, het hoofd op tafel.

Een meisje. Een jonge vrouw. Moeilijk te zien. Vet, vies haar, blond, slierterig. Ze droeg een smoezelig crèmekleurig nachthemd, glanzend en vol vlekken, dat tot haar dijen reikte. Vuile benen. Blote voeten vol aangekoekte modder.

Ze huilde. Vos hoorde haar snikken. Hij probeerde het geluid te plaatsen. Probeerde na te denken. Te hopen.

Hij liep naar de tafel. Ze keek nog steeds niet op.

Drie jaar. Ze veranderden. Werden ouder. Werden groter.

'Anneliese,' fluisterde hij.

Hij herinnerde zich wat Liesbeth had gezegd, wat ze hem voor de voeten had geworpen.

'Liese.'

Het vieze haar bewoog niet. Haar gezicht leek vastgekleefd aan zijn gehavende, onbewerkte grenenhouten tafel. Haar handen zaten onder de viezigheid. Zwart vuil onder haar korte nagels.

Hij ging tegenover haar zitten, zijn vuisten gebald. Hij wist dat hij haar wilde aanraken. Wist ook dat dat wel het allerlaatste was wat hij moest doen.

'Je bent nu veilig,' zei Vos met zachte, bevende stem. 'Je moeder. Ze moet het weten...'

Het gezicht kwam omhoog. Het sluike haar viel naar achteren. Hij keek naar haar en besefte dat Theo Jansen gelijk had. Hij was een onnozele. Naïef genoeg om te zoeken naar iets wat er niet was.

Wezenloze ogen, rood van de tranen, groot van angst, jong gezicht, getekend door pijn. Katja Prins keek hem over de tafel heen aan. Ze deed haar mond open. Zei niets. Probeerde iets te zeggen. Geen woorden.

'Veilig,' fluisterde Vos, en hij moest zich nog steeds inhouden om niet haar magere, smerige vingers aan te raken. 'Het spijt me dat we niet...'

Voetstappen op de planken van de oude woonboot. Vos keek op en zag

Van der Berg aan komen lopen. Zijn telefoon in zijn hand. Hij ging zitten en keek naar het meisje.

'Jezus...' Van der Berg keek Vos aan. 'Pieter...'

'We hebben een ambulance nodig voor Katja,' onderbrak Vos hem. 'Ze moet allereerst door een dokter worden onderzocht. Ik wil...'

'Pieter!'

Vos voelde woede oplaaien, en dat gebeurde maar zelden.

Hij wist met moeite zijn kalmte te bewaren, keek de man aan en zei: 'Hoor je wel wat ik zeg?'

Van der Berg knikte. 'Ik hoor je. Ik regel het. Maar er is iets gebeurd. Bij bureau Marnixstraat...'

Katja Prins legde haar hoofd op haar blote, magere armen.

'Dan bel ik zelf wel,' zei Vos, en hij haalde zijn telefoon tevoorschijn.

33

Het was Suzi's idee om naar bed te gaan. Jansen vroeg zich af of het wel verstandig was. Hij had zich al jarenlang niet echt druk gemaakt om seks. Dat was niet wat hem in het begin tot haar had aangetrokken. Of wat hen op het laatst uit elkaar had gedreven. Eigenlijk was het naakte ritueel eerder een manier om iets te zeggen wat ze geen van beiden onder woorden konden brengen. Een uiting van genegenheid of spijt. Een manier om een onenigheid bij te leggen die anders was blijven sluimeren.

Ze worstelden zwijgend op haar tweepersoonsbed, lichamen verstrengeld net als vroeger, hijgend, zuchtend, hoofden over schouders, zonder elkaar aan te kijken. Geen tedere zoenen. Geen woorden. Alleen een vertwijfelde poging tot genegenheid, verlangen naar ontlading.

En toen was het voorbij. Hij nam haar in zijn armen omdat dat was wat zij wilde. Zijn schouder was nat van haar tranen. Ze drukte een vluchtige kus op zijn wang, fluisterde één enkel woord. Sorry. Ze draaide zich op haar rug en keek naar het plafond. Deed haar ogen dicht.

Vanuit de binnentuin van het Begijnhof kwam het zachte gekoer van een duif. Stemmen van voorbijgangers, voetstappen op de klinkers. De kamer werd nooit donker. Er viel geel licht naar binnen, als van een dovende zon, van de oude lantaarns achter de hoge houten huizen, vlak bij de goot waar een oude vrouw begraven had willen worden zodat de komende generaties over haar beenderen zouden lopen.

Ze viel al snel in slaap. Hij herkende het ritme en het geluid van haar ademhaling. Hetzelfde als vroeger. Haar hals was gerimpeld, haar huid vertoonde vlekken die er in het verleden niet waren geweest. Toch was ze nog steeds mooi en dat zou ze altijd blijven. In tegenstelling tot hem, hij was altijd een lelijke man geweest. Niet te redden. Zwart vanbinnen.

Theo Jansen wist wat hij was. En hij wist dat hij de pest had aan dit huis. In zekere zin ook aan Suzi. Zelfs, als hij zijn best deed, aan hun dochter. Een man als hij had manieren om verraad aan te pakken. Wrede middelen om een wreed doel te bereiken. Dat was zijn aanpak. Zijn leven.

En nu lag de vrouw die met Rosie tegen hem had samengespannen naast hem te slapen. In een soort vrede. Een broos, schijnheilig pact met een gevoelloze God. Een God die haar toestond te bedriegen, te stelen en te liegen, en dat altijd door de vingers zag omdat hij was wie hij was. Een misdadiger. Een zondaar. Een blinde, makkelijk beet te nemen idioot waar het ging om de intiemst denkbare samenzwering: familie.

Hij draaide zich om en keek naar haar in het gele licht dat op het zachte donzen dekbed viel.

Zijn hand gleed langzaam naar haar hals, maar aarzelde vlak voor hij die had bereikt. Hij was gebiologeerd door haar aanblik. Een gezicht dat zo weinig veranderd leek, nog altijd mooi en nu, in haar slaap, zonder de pijn, de twijfel en het schuldgevoel die het in haar wakende uren tekenden.

Jansens grote vingers bleven boven de zachte, bleke huid onder haar kin hangen. Donkerder dan hij zich herinnerde, gerimpeld.

We zijn oud, dacht hij. De band die ons verbond vanaf onze temperamentvolle, liefdevolle jeugd tot het heden, is verbroken. En daarvoor in de plaats...

Tot de vorige dag had hij nooit een vrouw kwaad gedaan, maar dat was geen principekwestie. Het was nooit nodig geweest. Er was nooit iets mee te winnen.

Maar nu...

Twintig minuten later liep Theo, aangekleed, portefeuille bijgevuld met het geld dat hij haar die ochtend had laten halen – vijfduizend euro in kleine coupures – het huis uit. Hij liep door de donkere, natte straten van de Wallen. Kocht onderweg in een avondwinkel een scheermes, scheerschuim, zeep en wat niet te dure kleren.

In een goedkoop hotelletje op de Zeedijk nam hij een kamer voor de nacht.

Het was het type logement waar geen vragen werden gesteld. En dat was maar goed ook.

DEEL 4

Donderdag 20 april

1

Een gezicht op het kussen. De ogen dicht. Rustige, gelijkmatige ademhaling. Het blonde haar, schoner nu. Haar gezicht was zo ontspannen in de slaap dat ze eerder zestien leek dan tegen de twintig.

Vos stond vanuit de deuropening van de eenpersoonskamer in het ziekenhuis bij het Oosterpark naar haar te kijken. Hij keek ook naar Liesbeth, die naast het bed zat. Het was zeven uur, een stralende voorjaarsochtend, de zon was krachtig, zelfs achter de luxaflex. Het was een lange, drukke nacht geweest. Hij had maar twee uur geslapen, op bureau Marnixstraat. En hier vond hij... stilte.

Een vrouwelijke agent in uniform was die nacht bij hen gebleven. Ze bevestigde dat Katja geen woord had gezegd. Posttraumatische stress. Liesbeth was de hele nacht bij het bed blijven zitten, had Katja's hand vastgehouden, geprobeerd met haar te praten. Maar zonder succes. Ze lag nu al vijf uur te slapen, nadat ze een kalmerend middel toegediend had gekregen. Het was niet te zeggen wanneer ze wakker zou worden.

De zaak liep langzaam op zijn eind. Katja Prins leefde nog. Losse eindjes werden afgewerkt. Iedereen leek, zo niet gelukkig, dan toch bijna tevreden.

Iedereen behalve hij.

'Je moet even rust nemen,' zei Vos zacht, bezorgd, en dat leverde hem een nijdige blik op. Liesbeth gebaarde naar de gang. Ze liepen de kamer uit. Hij had weer met de artsen gesproken. Katja was voor zover ze konden zien lichamelijk ongedeerd. Maar wat ze had doorgemaakt had zijn tol geëist. Ze hadden haar gewassen, te eten gegeven, op haar gemak gesteld. De psychische blokkade was gebleven en kon nog dagen aanhouden. Weken zelfs.

Liesbeth trok hem mee naar buiten, naar een binnenplaats, en stak een sigaret op.

'Waarom vertrouw je me niet?' vroeg ze.

'Bedoel je nu? Of in het algemeen?'

'Waarom moet er een agent bij ons zitten?'

'Omdat Katja ontvoerd was. We weten niet wat er is gebeurd. Waar ze was.

Het zou kunnen dat ze wakker wordt en probeert weg te lopen. Of dat...'

Hij maakte zijn zin niet af. Ze wist wat hij had willen zeggen. Daarvoor hadden ze lang genoeg samengewoond.

'Of dat ik probeer te voorkomen dat ze je iets vertelt?'

'Dit is een misdaadonderzoek, Liesbeth. Verwacht geen gunsten.'

Niets.

'Denk je nog steeds dat Wim onmogelijk iets te maken kan hebben gehad met haar verdwijning?' vroeg Vos.

Ze kneep haar ogen dicht. De uitdrukking van pijn die hij zo vaak had gezien.

'Wij hebben zeventien jaar lang samengewoond en nog kende je me niet. Ik was nog geen twee jaar met Wim getrouwd. Waarom...?'

'Je kende hem langer dan twee jaar.'

Een vluchtige glimlach, niet bitter.

'Dat is waar.' Ze gooide de half opgerookte sigaret in een afvalbak vlakbij. 'Hij kwam altijd zachtaardig op me over. Ongelukkig, in zeker opzicht teleurgesteld. Ik dacht dat ik hem kon helpen. Hij dacht dat hij mij kon helpen.' Een schouderophalen. 'We hadden het dus allebei mis.'

Ze keek hem aan, haar ogen stonden treurig en ernstig.

'Dus misschien zat hij er inderdaad achter. Zijn geduld met Bea raakte op. Dat weet ik. Als Katja erachter is gekomen dat hij haar iets had aangedaan...' Ze hield rekening met de mogelijkheid, voor het eerst, leek het. 'Ik weet niet wat ze dan zou doen. Ze zou wel iets doen. Maar waarom nu?'

Dat had Vos zich ook afgevraagd. Hij had Koeman een onderzoek laten instellen naar de werkwijze van het Gele Huis. Bij regressietherapie werden 'patiënten' gedwongen traumatische ervaringen uit het verleden opnieuw te beleven en vervolgens te verwerken.

'Omdat hij haar naar therapie had gestuurd,' zei Vos. 'Teruggevonden herinneringen of zo. Of misschien had Katja eindelijk iemand gevonden die haar geloofde.'

'Wat nu?'

'We wachten af. Een agent blijft bij haar. Bij jou.'

'Voor het geval...'

'Niet "voor het geval". We kunnen haar niet onder druk zetten. Al zouden we het willen, de artsen zouden dat nooit toestaan. We moeten andere mogelijkheden verkennen.'

'Zoals?'

'Daar kan ik niks over zeggen.'

'Er is iets gebeurd, hè? Gisteravond? Ik hoorde de agente met een van de verpleegsters praten. Ze zei dat het verschrikkelijk was.'

Vos keek op zijn horloge. Tijd om te gaan.

'Het is op het nieuws,' zei hij. 'Waarschijnlijk uitgebreider dan ik je kan vertellen. Als Katja wakker is... kom ik terug.' Hij wachtte tot ze hem weer aankeek. 'Jij zult voor haar moeten zorgen. Ze heeft iemand nodig. Jij bent de enige...'

'Ze haat me,' zei Liesbeth Prins. 'Luister je dan helemaal nooit naar wat ik zeg?'

'Waarom ben je dan hier?'

'Waar zou ik anders moeten zijn? Wat is er gebeurd, Pieter?'

'Er staat vast wel ergens een tv,' zei hij.

Hij ging naar beneden, naar de spoedeisende hulp, waar Laura Bakker de vorige avond naartoe was gebracht terwijl Van der Berg en hij wachtten op een team dat zich over Katja Prins zou ontfermen. Daar was ze nog steeds.

Vos wachtte tot half acht. De tijd die hem was doorgegeven.

Toen vroeg hij naar haar aan de balie. Werd de weg gewezen naar een zaal een paar minuten verderop. Een vrouwenzaal, en het was geen bezoekuur. Een fronsende verpleegster wierp een achterdochtige blik op zijn politiepasje en zei dat hij in de wachtkamer moest wachten.

Tien minuten later kwam ze binnen. Een kleine roze pleister op haar wang. Een blauw oog. Geruit jasje. Groene broek. Glimmende zwarte schoenen.

'Hoe halen ze het in hun hoofd om me hier vast te houden?' zei Laura Bakker met haar noordelijke accent. 'Met welk recht...?'

'Ze waren bang dat je een hersenschudding had. Ze maakten zich zorgen om je. Wij allemaal.'

Ze fronste haar voorhoofd. Ze begreep er niets van.

'Koeman heeft *míj* toch niet neergeschoten?'

'Nee. Maar...' Hij wees naar het opzichtige geruite jasje. 'Zullen we onderweg even bij je huis langsgaan? Zodat je je kunt omkleden?'

Handen in de zij. Het bleke gezicht woest.

'Ik ben al die geintjes over mijn kleding spuugzat.'

'Zo was het niet bedoeld.'

Hij wees nog eens. Laura Bakker keek naar haar rechtermouw. Tilde haar arm op. Het mes had een lange scheur in de stof getrokken.

Ze streek er met haar vingers overheen en zei: 'Dat zal tante Maartje niet leuk vinden.'

Ze schudde haar lange rode haar naar achteren, haalde een elastiekje uit haar zak en deed het in een lage paardenstaart.

'Mulder is dood, hè?'

'We praten onderweg,' zei Vos.

2

Het Begijnhof was 's morgens stil. De toeristen mochten niet vroeg naar binnen. Toch had ze in geen jaren zo goed geslapen.

En ze had het hem eindelijk verteld. Er was een zware last van haar afgevallen.

Suzi Mertens begreep nog steeds niet waarom ze hem mee naar bed had genomen. Waarom hij zo makkelijk op de uitnodiging was ingegaan. Ze voelde zich niet geroepen zich te verontschuldigen. Rosie was daar stellig in. Ze hadden er recht op. Het was geen mannenwereld meer. Zij verdienden ook hun deel. Hun eigen aandeel in een zaak die zo groot was dat iedereen zorgde dat hij niets tekortkwam.

'Ik had het verdiend, Theo,' zei ze hardop, naakt, koud, alleen.

Nu was hij weg. Net als vroeger. 's Ochtends verdwenen, zonder een woord.

Ze stond op. Nam een douche. Kleedde zich aan. Ontbijten kon wachten. Ze ging naar beneden, naar de kleine kapel en liep over de goot en de oude, verborgen beenderen heen naar binnen om te bidden.

Ze bad eerder om begrip dan om vergiffenis. Wat er was gebeurd, was een zonde. Rosie had ervoor geboet, op de wreedst mogelijke manier. Die loden last zou Suzi nooit kwijtraken. Hoe vaak ze ook met haar stramme benen zou knielen op de harde vloer van de kapel, haar handen zou vouwen en zou proberen met God te praten.

Maar Theo Jansen was maar een man. Gewoon, maar ook bijzonder. Fatsoenlijk, maar ook vol gebreken. Een man van wie ze had gehouden. Van wie ze misschien nog steeds hield, al was ze geschrokken van de haat die in zijn ogen was opgeflitst toen hij haar gisteravond de waarheid had afgedwongen. Een waarheid die hij al kende.

Ze deed haar ogen open. Keek om zich heen. Op dat vroege tijdstip was ze alleen in de kapel. De geur van verse bloemen vermengd met boenwas en een zweem vocht. Rosie kwam hier nooit. Ze lachte niet als Suzi haar vroeg om mee te gaan. Het was een lieve meid. Een fijne dochter. Ze had de kracht en van tijd tot tijd het temperament van haar vader. Maar zij tweeën hadden niet vaak ruzie gehad. Zelfs niet toen er iets akeligs was gebeurd in dat huis aan de Prinsengracht.

Ze stond op en trok haar jas om zich heen in de koude kapel.

Theo zou weer de gevangenis in gaan. Dat was onontkoombaar. Door een vertoon van nederigheid en spijt zou hij misschien op een beetje clementie kunnen rekenen. Daarin zou ze hem aanmoedigen. Hem openlijk steunen. Het zou het einde betekenen van haar tijd in het Begijnhof. Ze kon er niet blijven wonen, dat stond haar geweten niet toe.

En dan... als hij weer vrijkwam...

Hij vond zichzelf nu al oud en hij was nog geen zestig. Tegen de tijd dat hij uit de gevangenis kwam zou hij een naam in de krantenarchieven zijn. Grotendeels vergeten. Misschien zou het grootste deel van zijn vermogen door een inhalige overheid in beslag genomen zijn.

Rosie en zij hadden geld weggezet op geheime rekeningen. Dat zou veilig zijn. Na al die jaren Theo uitgebuit te hebben, kon ze hem misschien een wederdienst bewijzen en in zijn pensioen voorzien. Hij was niet arrogant. Misschien zou hij het zelfs wel een leuk idee vinden.

Suzi Mertens schudde haar hoofd. Wenste dat ze helder kon denken. Gisteravond was een soort afscheid geweest en dat wisten ze allebei. Er was geen liefde meer die aangewakkerd kon worden. Alleen respect vermengd met, in haar geval, een zweem van angst.

Theo was wie hij was. Een deel van hem zou kunnen sterven, maar de rest zou nooit veranderen, hoe hard zij daar ook haar best voor zou doen.

Dat was nog een reden waarom er nooit sprake zou kunnen zijn van een blijvende verzoening tussen hen. De afstand was te groot, de geschiedenis te ranzig. Het was een onzinnige droom, een droom die uiteengespat was toen ze hem in zijn kille, teleurgestelde ogen had gekeken.

Ze liep naar buiten. Nog steeds geen toeristen. Duiven fladderden, koerden. Een man in een zwarte winterjas, te dik voor de ochtend, zat in elkaar gedoken op de bank in het voor het publiek opengestelde deel van de tuin, met zijn rug naar het hoge houten huis waar ze woonde.

Een glimp van zijn gezicht. Oud, bleek, een snor. Keurig grijs haar. Vaag bekend.

Suzi Mertens ging naast hem zitten en zei: 'Zal het ooit nog zomer worden?'

Ze bekeek hem wat beter. Ze kende hem inderdaad. Een naam kwam bij haar op. Maarten. Een loopjongen uit het verleden.

Hij had altijd opgewekt geleken. Een aardige man, net als de anderen. Hij hoorde er echt bij. Vol schuine moppen, goedlachs. Op deze kille aprilochtend was hij net zo ongelukkig en somber als zij.

'Niet voor iedereen,' zei Maarten.

Hij sloeg zijn jas open. Er zat iets onder, grijs en glimmend. Een pistool.

'Ik heb hem nooit pijn willen doen,' zei ze zacht. Ze hoorde zelf hoe armetierig het klonk.

'Maar dat deed je wel.'

'Ja. Wij allebei. Rosie en ik. We hebben hem niet bedrogen. Niet echt. We wilden alleen iets waarvan we konden zeggen dat het van ons was. Iets wat we zelf hadden verdiend. Dat hij ons niet had toegestopt.'

Ze zou niet proberen te vluchten. Niet voor een schurk van middelbare leeftijd die deze dierbare, vredige plek al had bezoedeld.

Ze keek met een lange, vaste blik naar zijn oude, ongelukkige gezicht. Hij wilde dit niet. Theo had hem gestuurd.

'En nu wil hij me dood hebben,' zei ze.

Je hoorde geen vragen te stellen. Je hoorde achteruit te deinzen, te huiveren, te smeken.

Maarten stond op en kwam voor haar staan. Jas open. Hand op het wapen.

3

Klaas Mulder woonde op één hoog in een pand in de Pijp. Die nacht had een team rechercheurs een eerste kijkje gekregen achter het masker van de dode hoofdinspecteur en een andere kant te zien gekregen van de bikkelharde man met wie Vos ruim tien jaar had samengewerkt.

Het appartement, waar Mulder klaarblijkelijk nooit een collega op bezoek had gehad, vertelde een eigen verhaal. Een huis met drie slaapkamers in een duur, modern pand. Originele schilderijen aan de muren. Luxueuze, moderne meubels. Een gigantische tv in de woonkamer. Het huis straalde welstand uit. Ze hadden bankafschriften gevonden, die ze nu doornamen. Mulder had ruim een ton ondergebracht bij offshoreholdings in het Caribisch gebied.

Van de stiletto die hij had gebruikt toen hij Bakker aanviel, was vastgesteld dat het hetzelfde wapen was als dat waarmee Anna de Vries was vermoord. De iPad van de verslaggeefster was aangetroffen in een la in Mulders woning. Zo te zien had Mulder geen tijd gehad om de bestanden te wissen. Twee teamleden zaten het filmpje van Prins en Margriet Willemsen te bekijken toen Vos en Bakker verschenen.

'Ze heeft het maar druk met Amsterdam runnen en alles,' merkte Bakker op terwijl ze naar de twee mensen op het bed keek.

Ze droeg nu een ander grijs broekpak en een vers paar glimmende, zwarte, hoge schoenen. Ze deed haar best om de indruk te wekken dat de gebeurtenis van de vorige avond haar niks deed.

Mulder had drie verschillende prepaid simkaarten op zak toen hij stierf. Een daarvan was gebruikt om De Vries de sms'jes te sturen die zogenaamd van Wim Prins en Katja afkomstig waren, om haar naar een doodlopende steeg op de Wallen te lokken. Die zaak leek tenminste rond.

Even voor negenen verscheen De Groot met een vermoeide Koeman. Bakker putte zich uit in dankbaarheid. Hij leek er verlegen van te worden. Hij was nog niet over de schrik heen. Forensisch medewerkers gingen door met het doorzoeken van de woning. Het wierp zijn vruchten af.

'Dus nu heb ik een corruptiezaak aan de hand?' vroeg De Groot toen ze aan de tafel in een weelderige keuken gingen zitten.

'Het ziet ernaar uit dat het geld uit Suriname komt,' zei de leider van het nachtteam.

'Werkte hij voor Jimmy Menzo?' vroeg de commissaris.

'Daar lijkt het wel op,' beaamde de man. Hij gaf de commissaris een paar vellen papier. 'Deze lagen hier...'

Overzichten van het telefoongebruik voor de drie simkaarten die Mulder in zijn zak had. Geen enkele ging verder dan een maand terug. Het zag ernaar uit dat hij regelmatig op andere kaarten was overgegaan.

Vos bekeek de namen op de overzichten.

'Hij heeft Rosie Jansen gebeld,' zei De Groot, die meekeek. 'Om zes uur op de avond van haar dood.'

'Hij had geen dienst,' zei Vos. 'Theo was toch nog vastgehouden. Misschien was het gewoon een vriendelijk gebaar.'

Dat vond De Groot moeilijk te geloven. 'We moeten de feiten boven water zien te krijgen, Pieter. Liefst vandaag nog.'

Vos hield zijn lachen in. 'Wat houdt dat in?'

'Dat houdt in dat ik wil dat de zaak wordt afgerond,' antwoordde De Groot. 'We zullen toch al genoeg gezeik krijgen. Menzo had een eigen man bij de politie. Een rechercheur nog wel. We weten dat Prins die flauwekul met zijn dochter in scène heeft gezet...'

'Nee, dat weten we niet,' onderbrak Bakker hem. 'We hebben haar verhaal nog niet gehoord.'

De Groot wuifde haar opmerking weg.

'Wat voor andere verklaring kan er zijn? Hoe...?'

'Dat zoeken we uit,' zei Vos. 'Zodra Katja kan praten.'

De toon van zijn antwoord beviel de commissaris niet.

'Ik wil de zaak afsluiten,' zei hij. 'Prins heeft die stunt met zijn dochter uitgehaald. Hij heeft zijn eerste vrouw vermoord en dat meisje is daarachter gekomen. Mulder was Menzo's man op bureau Marnixstraat. Hij heeft die verslaggeefster vermoord. We weten dat hij vlak voor haar dood contact heeft gehad met Rosie Jansen.'

'En hij was in de buurt,' voegde de leider van het nachtteam eraan toe. 'We hebben beelden van hem van een bewakingscamera op de Dam vroeg die avond. Ze woonde daar vlak om de hoek. Niemand weet waar hij na zijn dienst naartoe is gegaan.'

'Dan dumpt hij haar naast je boot om ons voor de gek te houden,' zei De Groot. 'Jimmy Menzo wilde Theo Jansen dood hebben. Toen dat mislukte, heeft hij Mulder eropuit gestuurd om in plaats daarvan zijn dochter te vermoorden. Ik wil dat jij de algehele leiding op je neemt. Prins. Mulder. Jansen. De hele kwestie krijgt een politiek tintje. Wees discreet. Wees direct. Nog vragen?'

Vos kon er een heleboel bedenken, maar geen enkele die hij op dat moment wilde stellen.

'Het spijt me dat we niks te weten zijn gekomen over Anneliese,' voegde de commissaris eraan toe. 'Het lijkt me dat Wim Prins een wrede grap uithaalde met jou en Liesbeth. Mulder heeft het alleen maar erger gemaakt. Als dit alles achter de rug is, kunnen we misschien nog eens...'

'Maar het draait om haar,' onderbrak Bakker hem. 'Er moet een verband zijn...'

'Wim Prins is dat verband,' zei De Groot. 'Hij wist precies wat er is gebeurd toen Anneliese verdween. Misschien...' Hij kon Vos niet in de ogen kijken. 'Misschien wist hij nog veel meer. Ga met zijn dochter praten als ze bijkomt. Dan zul je het zien.'

Een geüniformeerde agente van het nachtteam kwam vanuit de huiskamer de keuken in. Ze had haar telefoon in haar hand en keek naar De Groot.

'We hebben zojuist een telefoonspecificatie van de gemeenteraad ontvangen,' zei ze. 'Is vanochtend vroeg in de brievenbus gegooid. We weten niet door wie.'

'En?'

'Het lijkt erop dat Margriet Willemsen Mulder heeft gebeld voordat Anna de Vries werd vermoord. Niet lang na het bezoek van de verslaggeefster aan Prins daar op kantoor.' Ze pakte met haar in handschoenen gestoken handen de iPad op. 'Met haar amateurfilmpjes.'

'Ik wil niet nog meer politieke verwikkelingen,' zei De Groot.

'Jezus, man,' riep Koeman uit. 'Ze neukte met Prins en met Mulder. Prins wist van dat filmpje. Wedden dat ze Mulder heeft gebeld om het hem te vertellen en hem om een gunst te vragen?'

De Groot bromde iets wat niemand verstond.

'Bovendien,' voegde Koeman eraan toe, 'moeten we dat mannetje van de gemeenteraad, die Hendriks, inrekenen. Ik vind het erg verdacht, zoals hij elke keer weer opdook.'

'Wou je de locoburgemeester en een van haar beambten arresteren?' vroeg De Groot.

'Nee,' zei Vos op kalme toon, in een poging de gemoederen te sussen. 'We hoeven alleen maar met hen praten. Bij hen op kantoor, niet hier, nog niet. En daarbij...'

'Daarbij?' vroeg De Groot.

Vos haalde zijn schouders op en zei: 'Op Katja Prins na – en zij doet haar mond niet open – wat hebben we eigenlijk?'

4

Theo Jansen pakte de haarverf die hij de avond daarvoor had gekocht. Smeerde die op zijn stoppelige hoofd en baard. Bekeek zichzelf in de spiegel in de goedkope hotelkamer op de Zeedijk. Zag een dwaas terugkijken in het vlekkerige, gebarsten glas.

Hij had geld. Een pistool en voldoende munitie. Een niet na te trekken telefoon. Een lange, lege dag wachten voor zich. In betere tijden zou hij met zo veel vrije tijd omhanden een eind zijn gaan lopen, een paar biertjes hebben gedronken. Bij een stalletje aan de gracht een haring hebben gegeten. Zoals vroeger, toen Rosie nog klein was en hij had gedaan alsof hij een pelikaan was en de rauwe, koude vis met uitjes boven zijn open mond had laten bungelen.

In betere tijden...

Er zouden nooit meer dat soort momenten komen. Geen gezellige uurtjes met zijn dochter. Geen verzoening met Suzi. Zijn leven draaide nog maar om één ding: wraak. De dood van degene die zijn verraderlijke dochter van het leven had beroofd. Had hij dat voor hem gedaan? Of voor Rosie? Hij wist het niet. Het maakte hem niet uit. Het enige wat ertoe deed was de daad zelf.

Jansen bekeek zichzelf nog eens in de spiegel. Zo wilde hij beslist niet terug naar de gevangenis. Daar had hij tenminste nog iets van waardigheid.

Toen ging de telefoon. Twintig minuten om bij een coffeeshop bij het Rokin te komen. Een coffeeshop waarvan hij de eigenaar was. Of was geweest. Hij wist het niet meer.

Jansen pakte zijn spullen. Alles. Tot hij zijn voornemen had uitgevoerd was hij niet van plan om langer dan één nacht ergens te blijven. Hij betaalde veertig euro aan de norse Sri Lankaan achter de balie en liep naar buiten, de stralende dag in.

In zijn jeugd had hij nooit echt over Amsterdam nagedacht. Het was het enige thuis dat hij kende. De enige stad die hij tot zijn beschikking had, wat hem overigens in het geheel niet tegenstond. Een beschaafde stad, voornaam in sommige delen, gewelddadig en gevaarlijk in een paar duidelijk afgebakende wijken van de Wallen. Iemand die die buurten kende wist waar hij moest zijn en waarom. Deze donkere stegen hadden hem gemaakt tot wie hij was, een man die zijn kracht en zijn geslepenheid gebruikte om iedereen die hem in de weg stond weg te werken of aan zich te onderwerpen.

Hij slenterde over de smalle Zeedijk, ogen neergeslagen. Af en toe wierp hij een blik op de etalages. Het drong opeens tot hem door dat hij nog nooit zo timide, zo anoniem door de stad had gelopen. Hij was een trots man. Hij keek de mensen graag in het gezicht. Om ze te beoordelen. Om ze de kans te geven hem te beoordelen. Net als Pieter Vos, de treurige, scherpzinnige rechercheur van bureau Marnixstraat. Een man met wie Jansen kon praten. Die hij nooit naar zijn pijpen kon laten dansen. Dat wist hij omdat hij het had geprobeerd.

Nog meer winkeltjes. Een paar toeristen, dronken of stoned. Moeilijk te zeggen. Een steeg door met een rij peeskamertjes, rode verlichting, forse vrouwen in hun ondergoed. Jansen bleef staan voor het dichtstbijzijnde raam. De vrouw had een glanzende zwarte huid en droeg een grote roze satijnen slip, roze satijnen bh. Haar mond vormde vunzige woorden, ze maakte een gebaar met een vinger tussen haar lippen. Ze wenkte hem met een roze nagel, glimlachend, wijzend naar de intercom.

Een druk op de knop. Hoeveel? Vijftig euro? Honderd. Hij had geen flauw idee. Deze kamers waren waarschijnlijk van hem. Zo niet, dan waren ze van Menzo of zijn erfgenamen. Wat daarbinnen gebeurde ging hem niets aan. Theo Jansen had nog nooit van zijn leven betaald voor een vrouw. Nooit gewild of nodig gehad. Als het aan hem had gelegen was hij tot aan het eind van zijn leven bij Suzi gebleven. Maar die liefde was gestorven naarmate het imperium groeide. Meer peeskamertjes. Meer coffeeshops. Restaurantjes en distributielijnen tot ver in het binnenland.

Het was werk. Gewoon een baan. Zoals die van zijn vader. Maar beter betaald en, voor degenen die het goed deden, rijkere beloningen.

En er zou altijd iemand zijn die het deed. Want zo was het leven, zo was Amsterdam. Zo was elke stad die hij ooit had bezocht. Hoe graag de kerk en de fatsoensrakkers het ook anders hadden gezien. Theo Jansen gaf het volk wat het wilde. Was goed voor degenen die hem trouw waren. Strafte degenen die dat niet waren. Precies zoals de overheid deed. En die zou er ook altijd zijn.

Hij naderde de coffeeshop. Maarten stond voor de deur. Dikke, zware jas. Ongelukkig gezicht. Ze liepen naar de kleine rookruimte achterin. Zetten een paar blowers buiten die niet tegenstribbelden nadat ze één blik op hen geworpen hadden.

'En?' vroeg Jansen nadat de zwarte man achter de toonbank hun twee sterke koffie had gebracht en hen alleen had gelaten.

'Ik heb het gedaan.'

Maarten zag er anders uit. Minder bang en onderdanig dan vroeger.

'En?'

De kapper ademde een keer diep in en uit, nam een slok koffie en vertelde wat er met Mulder was gebeurd.

'Jezus,' mompelde Jansen. Hij kon niets anders bedenken.

'Ik dacht dat hij nog steeds onze man was. Maar hij bleek voor Menzo te werken,' voegde Maarten eraan toe. 'Ik heb iemand gesproken van bureau Marnixstraat. De laatste keer dat ik dat voorrecht zal krijgen. Er komt een intern onderzoek. Iedereen schijt in zijn broek. Mulder heeft die verslaggeefster vermoord. Ze houden rekening met de mogelijkheid dat hij ook Rosie heeft vermoord. In opdracht van Jimmy, die dacht... als ik de vader niet kan pakken, dan de dochter maar.'

'Geloof jij dat?'

'Ik weet niet meer wat ik moet geloven,' zei Maarten zacht.

'Jimmy wilde míj dood hebben, niet Rosie. Dat heeft hij me zelf verteld.'

'Jimmy was een smerige leugenaar.'

'Hij was niet gek!' bulderde Jansen.

Hoe meer hij erover nadacht, hoe idioter het leek.

'Waarom zou Mulder zoiets uit zichzelf doen? Waarom zou hij dat risico nemen?'

'Hij heeft die verslaggeefster toch ook vermoord?'

'Misschien had hij daar een reden voor. Voor Rosie niet. Ze had met Jimmy Menzo gepraat. Ze had zelfs zaken met hem gedaan over dat privéhuis. Waarom zou Menzo haar dood willen hebben?'

'Oké... ik geef het op.'

Een ongemakkelijke, geladen stilte tussen hen. Toen vroeg Jansen: 'Suzi. Heb je het gedaan?'

'Dat heb ik toch al gezegd?' snauwde de kapper.

Andere stad. Andere tijd. Maarten had nog nooit zo'n toon tegen hem aangeslagen.

'Ik ben bij haar gaan zitten. Heb haar het pistool laten zien. Gezegd dat ze naar de Marnixstraat moest gaan en Pieter Vos alles moest vertellen wat ze wist. Deed ze dat niet, dan zou ze onder handen genomen worden omdat jij dat wilde. Volgens mij...' Hij kneep zijn ogen tot spleetjes, alsof hij zich schaamde voor de herinnering. 'Volgens mij dacht ze dat ik het zelf zou doen. Zo voelde het in elk geval wel.'

'Mooi zo...'

'Nee, Theo! Het is niet mooi.'

Zijn stem klonk te luid in de kleine ruimte, waar de weeïge stank van wiet hing. De kapper keek hem over de gebutste, houten tafel heen woedend aan.

'Het is bekend dat ik dingen heb gedaan die ik het liefst zou vergeten,' zei hij op nijdige toon. 'Maar ik heb nooit vrouwen bedreigd. Zulke dingen deden we niet, of wel soms?'

Niet vaak, dacht Jansen. Alleen heel af en toe, als het nodig was. Zoals nu.

'Wanneer gaat ze?'

'Dat heb ik aan haar overgelaten.'

Jansen schoof zijn stoel naar achteren. Hij vroeg zich af waar hij nu naartoe zou gaan. Niet naar Maartens zaak. Hij moest er niet aan denken.

Hij stak zijn hand uit. De kapper keek er alleen maar naar.

'Ik heb eens zitten denken,' zei Maarten. 'Ik sta bij je in het krijt. Als ik je moet helpen de stad uit te komen, geld te regelen. Paspoorten. Je naar een veilige plek brengen, zodat we die deal met Robles kunnen laten werken... Ik vind het prima.'

'Bijzonder grootmoedig van je,' zei Jansen.

'Dat ben ik je verschuldigd. Maar die andere shit...' Hij deed zijn jas open, haalde het pistool tevoorschijn dat hij aan Suzi Mertens had laten zien en schoof het over de tafel naar Jansen toe. 'Dat kun je vergeten.' De kapper keek Jansen recht in het gezicht. 'Dat meen ik. Ik ben oud. Dat zijn we allebei. Ik ben oud en moe en ik wil een makkelijk leven. Ik wil niet niet zonder goede reden de gevangenis in.'

'Rosie is voor mij reden genoeg.'

'En je doet het alleen om haar? Niet omdat je hebt verloren? Omdat *wíj* hebben verloren? Of dat zij en Suzi je achter je rug om hebben belazerd?'

'We hebben niet verloren,' zei Jansen. 'Nog niet.'

'Alles valt uiteindelijk uit elkaar, Theo. Dat kun je niet tegenhouden. Ik, Robles en die gluiperd van een Lindeman hebben geprobeerd een deal in elkaar te sleutelen om je hier veilig weg te krijgen. Maar daar wil je niks van weten, hè?'

'Als ik zover ben. Als ik weet... wat er met Rosie is gebeurd.'

De kapper kreunde, stond op, keek Jansen aan en zei: 'Waar ga je nu heen?'

Jansen lachte. 'De helft van de Wallen is van mij. Moet je dat nog vragen?'

'Je hebt niet meer zo veel als je denkt. Als je de verkeerde tent binnenloopt, ben je de sigaar. Iedereen is op de hoogte. Je bent een probleem. Gevaarlijk. Gek.'

'Zo praat niemand tegen me,' zei Jansen. 'Het is niet verstandig.'

'Vroeger misschien.' De kapper gaf Jansen een nieuwe telefoon. 'Ik raad je aan om deze van nu af aan te gebruiken. Ik weet niet of het toestel dat ik je heb gegeven nog veilig is.'

'Suzi...'

'Suzi heeft het nummer. Ik ook. Verder niemand.'

Jansen pakte het pistool van tafel en stopte het in zijn jaszak. Twee wapens nu. Hij voelde zich net een onbeduidende spierbundel die zijn kans afwachtte.

'Als je van gedachten verandert en de stad uit wilt, kunnen we dat vandaag nog regelen,' zei Maarten. 'Met alle plezier. Nu meteen. Desnoods breng ik je persoonlijk met de auto naar Spanje...'

'Ik zal je niet langer ophouden,' antwoordde Jansen.

Een zure, afkeurende blik. Dat zou hem vroeger niet overkomen zijn. Toen was de kapper weg.

5

Vos en Bakker stapten op de fiets naar het Waterlooplein. Halverwege de Elandsgracht bleef hij opeens staan, enthousiast over iets wat hij had gezien.

'Kaascroissants!' riep hij uit, en hij stormde de kaaswinkel in, kwam naar buiten met een zak en liep met zijn fiets aan de hand naar de bankjes bij de standbeelden van Johnny Jordaan en zijn vrienden. Zuchtend ging ze bij hem zitten.

'Worden we niet geacht aan het werk te zijn?' vroeg Bakker.

Hij haalde de telefoonspecificatie tevoorschijn die iemand die ochtend bij bureau Marnixstraat in de brievenbus had gestopt. Ze keken die samen door.

'De lekkerste kaascroissants die je hier in de buurt kunt krijgen,' zei Vos. 'Elke ochtend om een uur of elf haal ik er een.'

'Het is altijd goed om volgens een vaste routine te leven,' merkte ze op.

Bakker keek naar de croissant die hij haar had gegeven. Nog warm. Knapperige kaas aan de onderkant. Perfect zacht bladerdeeg. Ze proefde een klein stukje en at het toen in een paar happen op. Ze bromde van genoegen.

Een paar duiven scharrelden rond hun voeten op zoek naar kruimels. Toen liep er een oude vrouw met een hond langs, die zei dat ze hoopte dat Sam het goed maakte en dat hij leerde om zich wat rustiger te gedragen. Ze kreeg een glimlach en een groet van Vos terug.

Auto's en fietsen. Op een bord op het eilandje tussen de smalle rijstroken stond DE PAREL VAN DE JORDAAN. Op het volgende bankje zaten twee vage types een joint te roken. Een moeder liep voorbij achter een kinderwagen en snauwde tegen een kind dat probeerde op de snaren van de contrabas van een van de standbeelden te tokkelen.

'Je hebt toch geen restaurant nodig,' zei hij, 'als je...'

'Ja, ja! De beste kaascroissantjes ooit. Oké?' Ze tikte op de telefoonspecificatie. 'Hoe zit het hiermee?'

Het was een lijst van gesprekken via de vaste lijn in het kantoor van Willemsen. Eén telefoontje naar Mulder. Anderhalve minuut. Verder niets.

'Hier hebben we niet veel aan. We moeten ze maar een beetje bang maken.

Misschien komen we dan meer aan de weet.' Een grijns. 'Ben je er klaar voor?'

Ze verfrommelde haar servetje, pakte dat van hem en de zak van de kaaswinkel en gooide alles in een afvalbak.

'Zeker weten,' zei ze, en ze fietsten door naar het Waterlooplein.

Hij liet Bakker voorgaan. Haar grote schoenen klosten het kantoor van de gemeenteraad in. Voordat Vos een woord had kunnen uitbrengen, had ze al naar Margriet Willemsen gevraagd. Het werd een stralende dag. De zomer wenkte in de verte. Op de vlooienmarkt buiten was het druk met toeristen en Amsterdammers. Alles leek volkomen normaal. Wat normaal ook mocht inhouden.

De receptioniste kwam terug om te zeggen dat Willemsen in vergadering zat. Ze kon om een uur of één die middag tijd voor hen vrijmaken.

Vos knikte, sprong over het beveiligingshekje en zwaaide met zijn legitimatiebewijs naar de paniekerige bewaker. Hij bekeek de afdelingslijst naast de liftdeuren. Hij was hier al eerder geweest. De leidinggevenden werkten op de bovenste verdieping. Waar anders?

Bakker volgde hem op de voet. Niemand protesteerde.

Willemsen had zich geïnstalleerd in het vroegere kantoor van Prins. Ze zat op de stoel bij het raam dat uitkeek op de Wallen, daken en kerktorens, rood en bruin, zwarte baksteen en goudglanzend in het zonlicht. Alex Hendriks zat tegenover haar toen Bakker en Vos het kantoor binnenliepen zonder zich iets aan te trekken van de luid protesterende secretaresse die hen vanaf de receptie was gevolgd.

'Is dit een vergadering?' vroeg Laura Bakker, terwijl ze twee stoelen naast die van Hendriks zette.

Vos glimlachte en zei: 'Nu wel.'

Bakker haalde haar voicerecorder en notitieboekje tevoorschijn. Hendriks stond op om de kamer uit te vluchten.

'Hier blijven,' beval Vos. De man kreunde en ging weer zitten.

Willemsen keek hen woedend aan.

'Dit is een schande.' Ze pakte de telefoon. 'Ik bel De Groot. Je kunt niet zomaar binnenlopen en...'

'Als u dat liever hebt,' onderbrak Bakker, 'dan kunnen we dit bespreken met De Groot erbij. In de Marnixstraat. Hij heeft ons gestuurd.'

Vos keek haar aan. Knikte instemmend.

'Dat klopt. Hij heeft ons gestuurd. Via de kortste weg.'

Toen hield hij de telefoonspecificatie op. Officieel stempel van de gemeenteraad bovenaan. Onmiskenbaar.

'Hoe komt u daaraan?' vroeg ze bits.

'De kaboutertjes hebben het vanochtend in de brievenbus gegooid,' zei Bakker.

Toen ging Willemsen door het lint. Ze ging tekeer over vertrouwelijke documenten. Schending van vertrouwen.

Toen ze was uitgeraasd, vroeg Vos haar naar het telefoontje met Mulder.

Een beledigde zucht en toen zei Willemsen: 'Hij was onze contactpersoon voor De Nachtwacht. Weet u dat dan niet?'

'Hebt u hem daarover gebeld?' vroeg Vos.

'Ja. Er stond een vergadering gepland. Waarover zou ik hem anders hebben gebeld?'

Hij aarzelde even en zei toen: 'Het ligt een beetje gevoelig.' Hij keek naar Hendriks. 'Maar hoe dan ook... u deelde het bed met Klaas Mulder. U deelde het bed met Wim Prins.'

Een woedend stilzwijgen.

'Waarschijnlijk rond dezelfde tijd, als we de datums op de filmpjes mogen geloven,' voegde Bakker eraan toe. 'Niet gelijktíjdig. Voor zover we weten. Gewoon... kort na elkaar.'

Margriet Willemsen knipperde met haar ogen en vroeg: 'Welke filmpjes?'

Vos glimlachte, wachtte even en zei toen: 'Weet u dat niet? Eentje op de iPad die Mulder heeft afgepakt van de verslaggeefster die hij twee avonden geleden heeft vermoord. Dat waren u en Prins. Een tweede is naar Prins gestuurd, naar zijn privé-e-mail. Dat waren u en Mulder.' Hij krabde aan zijn wang. 'Een beetje verwarrend misschien...'

Ze leek niet zenuwachtig te zijn. Alleen maar verbaasd.

'Ik heb geen flauw idee waar u het over hebt.'

Bakker fronste haar voorhoofd.

'Anna de Vries was hier afgelopen dinsdag. Ze had dat filmpje op haar iPad. Ze heeft het aan hem verteld. En hij heeft het niet...?'

'Wim heeft er tegen mij niets over gezegd,' hield Willemsen vol. 'Ik heb die vrouw nooit gesproken. Mulder ook niet, voor zover ik weet.'

'U bent met beide mannen het bed in gedoken!' riep Bakker uit.

Een hoofdschudden. Elk zwart haartje bleef keurig op zijn plaats. Willemsen zag er zelfverzekerd uit.

'Wat hebben jullie met mijn privéleven te maken? Of wie dan ook?'

'Ik hoef hier niet bij te zijn,' zei Alex Hendriks, en hij stond op. Vos liet hem vertrekken. Willemsen keek hem na. Haar ogen boorden zich in zijn rug.

'Twee mannen met wie u een verhouding had zijn dood,' zei Vos toen Hendriks weg was. 'We moeten weten waarom.'

'Ik ben single. Wat ik in mijn vrije tijd doe is mijn zaak. Het gaat u niets aan.'

'Die verslaggeefster had u kapot kunnen maken,' zei Bakker. 'Eén verhaal van haar...'

Margriet Willemsen lachte. 'Dit is Amsterdam. Niet dat boerengehucht waar jij bent opgegroeid. Niemand maakt zich druk over de vraag met wie ik naar bed ga.'

'U weet hier meer van,' hield Bakker vol. Haar stem klonk iets minder zelfverzekerd.

Willemsen dacht even na en keek toen Vos aan. 'Misschien. Ze zeggen dat Wim zijn vrouw heeft vermoord. Zijn dochter heeft ontvoerd. Ik heb een kortstondige verhouding met Mulder gehad. Meer niet. Maar ik kan u wel vertellen dat die twee hecht waren. Ze gingen samen op stap. Naar de kroeg. Feestjes.'

'Er was een privéhuis aan de Prinsengracht,' zei Vos. 'Drie jaar geleden...'

Ze schudde haar hoofd.

'Ik kom niet in bordelen. Mulder en Wim hadden een hechte band door De Nachtwacht. Zij waren er veel meer bij betrokken dan ik ooit ben geweest. Eerlijk gezegd was Wim er om de een of andere reden door geobsedeerd. Ik heb nooit begrepen waarom.'

Toen leek haar iets te binnen te schieten en ze voegde eraan toe: 'Wim zou razend zijn geworden als hij dacht dat iemand een filmpje van ons had. Hij was vreselijk driftig. Dat kan ik u wel zeggen.' Een zelfverzekerde glimlach. 'Ik niet. Dat zal iedereen bevestigen.'

Ze wierp een blik op de klok aan de muur. 'Ik heb echt besprekingen op de agenda staan. Als ik kon helpen, dan zou ik dat doen, maar...'

6

Het duurde tien minuten voor ze rustig genoeg was om hem te ontbieden. Toen liet ze Hendriks terugkomen. Ze sloeg hem gade terwijl hij ging zitten. Een klein mannetje. Bang en verloren. En toch was er iets wat ze nog steeds niet snapte.

'Wat moet ik met jou aan, Alex?' vroeg ze.

Hij knipperde met zijn ogen tegen het felle zonlicht achter het raam, zei niets.

'Serieus. Je veroorzaakt zo veel narigheid. Zo veel zinloze pijn.'

Hendriks boog het hoofd en keek haar even opstandig aan. 'Ik heb mijn excuses aangeboden voor die filmpjes. Ik had niet verwacht dat ze in de openbaarheid zouden komen. Ze zijn gestolen. Ze waren niet meer dan... een soort verzekering.'

'Bedoel je chantage?'

'Als je het zo wilt noemen. Maar ik heb ze niet...'

'Jij hebt die telefoonspecificatie naar bureau Marnixstraat gestuurd, hè?'

Hendriks kromp in elkaar op de stoel en zei niets.

'Jij hebt ze die telefoonspecificatie gegeven, omdat je denkt dat ik verantwoordelijk ben.'

'Ik heb niet gezegd...'

'Je denkt dat ik Mulder heb gebeld en hem ertoe heb aangezet die vrouw aan te pakken.'

'Aan te pakken? Ze is vermoord.'

Ze lachte. 'Als je gelooft dat ik daartoe in staat ben, ben je dan niet een beetje... nou ja, dom?'

'Deze stad is niet van jou, Margriet! Net zomin als de stad van Wim was.' Hij wees met zijn vinger naar zijn eigen borst. 'De stad is van ons.' Hij zwaaide naar het raam. 'Van iedereen. Jij kunt hier niet binnenkomen en ons vertellen hoe we moeten leven. Wat we moeten denken. Wat we moeten voelen.'

Het liefst was ze tegen hem uitgevallen. In plaats daarvan zei ze, heel kalm: 'Je gelooft toch niet dat Wim echt iets zou hebben bereikt met De Nachtwacht? Het was zijn troetelproject. Om de een of andere reden een obsessie. We zijn erin meegegaan om een zetel in de raad te krijgen. Alleen daarvoor. Jezus, Alex. Je had ons niet hoeven bespioneren. Het zou nooit zijn gebeurd. Daar had ik wel voor gezorgd.'

'Dat blijkt,' antwoordde Hendriks zonder erbij na te denken. Toen drong het tot hem door. Hij schoof zenuwachtig heen en weer op de stoel.

Een lange stilte tussen hen. Ten slotte zei Margriet Willemsen op gespannen toon: 'Je hebt de laatste tijd onder grote druk gestaan. Ik vind dat je daar niet tegen opgewassen bent. Het zou voor iedereen het beste zijn als je ontslag nam. Nu meteen. Gewoon je bureau leegmaken en vertrekken.'

'Vind je dat echt?'

'Ja. Ik regel de ontslaguitkering. Wees maar niet bang, die zal royaal zijn.' Ze keek even naar het raam, toen weer naar hem. 'Ga naar huis. Wacht daar. Ik stuur iemand van personeelszaken bij je langs. Vanmiddag nog. We kunnen het subtiel afhandelen.' Een vrijmoedige blik. 'Geen belastende aantekeningen in je dossier. Je krijgt een gouden handdruk. Ik regel een andere baan voor je. Als je me maar blijft steunen. Geen camera's meer. Geen lekken. Geen blunders meer...'

'Ik laat me niet b-b-bedreigen,' stotterde Hendriks. 'Niet door types als jij.'

'En wat voor type ben ik dan, Alex? Vooruit. Zeg het maar.'

Hij antwoordde niet. Stond op. Onvast. Wankelde de deur uit.

7

Toen Vos en Bakker terugkwamen op bureau Marnixstraat zat Suzi Mertens op hen te wachten. Een ernstige, mooie vrouw met een treurig, afgetobd gezicht. Vaalbruine jas en jurk, als een uitgetreden non. Ze had bij de receptie naar Vos gevraagd. Had verder niets gezegd, alleen dat ze zou wachten.

Ze namen haar mee naar een verhoorkamer. Toen ze vijf minuten naar haar hadden zitten luisteren, brak Vos het gesprek af en liet een derde agent komen. Hij wees Suzi Mertens op haar rechten en schakelde de voicerecorder in voor de rest van haar verhaal.

Het klonk ergens wel aannemelijk. Het privéhuis was van haar en Rosie geweest. Theo Jansen had er niets van geweten, zelfs niet toen ze het sloten en het pand via de Thaise vrouw aan Jimmy Menzo verkochten.

'Waarom deed je dat?' vroeg Laura Bakker.

'Omdat Rosie dat wilde.'

'Waarom?'

Geen antwoord.

Vos zette de voicerecorder af, knikte naar de derde agent, een vrouw, en vroeg haar weg te gaan. Toen ze weg was, vroeg Vos: 'Wat was de reden dat je bij Theo wegging?'

'Ik vond het vreselijk om te zien hoe hij veranderde en nooit iets in de gaten had.'

Ze wrong voortdurend haar handen en haar blik ging steeds naar het matglazen raam waarachter de felle zon scheen.

'Ik wilde een normaal leven. Een gezin. Iemand... met wie je aan tafel kon praten. Met je kind naar het strand gaan. Ophalen van school.' Het handenwringen werd intenser. 'Dat was niet veel gevraagd, toch? Maar Theo... Elke dag was een strijd. Oorlog. Hij kocht voor ons alles wat we wilden hebben. Alles waar we om vroegen. Maar hem kregen we niet. Niet na de geboorte van Rosie. We waren geen gezin. We waren niet meer dan zijn zoveelste bezit.'

'Je had met haar kunnen weggaan,' zei Bakker.

Een kort, kil lachje. 'Denk je dat?'

Ze legde haar handen op tafel, zich er opeens van bewust dat ze ermee zat te friemelen. Ze werd wat rustiger.

'Wat gebeurde er in het privéhuis?' vroeg Vos.

Ze schudde haar hoofd.

'Dat weet ik echt niet. Rosie hield zich daarmee bezig. Ze zei dat het beter was als ik me erbuiten hield. Op een dag heeft ze het huis gesloten. Ze zei dat we het konden verkopen en dat het dan hun zorg was. Rosie was niet iemand die tegenspraak duldde. Op dat punt was ze precies haar vader. Het was zinloos.'

'Het waren jonge meisjes,' zei Bakker opeens fel. 'Weinig meer dan kinderen. Die seks hadden met oudere mannen.'

'Dat wist ik niet,' antwoordde Suzi Mertens.

'Maar Rosie wel,' zei Vos.

Ze antwoordde niet.

'Je woont in het Begijnhof,' zei Bakker. 'Bid je daar in de kerk? Vraag je om vergiffenis...?'

'Ik heb mijn best gedaan!'

Haar scherpe stem galmde door de kamer. Ze wachtten af.

'Ik heb mijn best gedaan,' zei ze nog eens, zachter nu. 'Er is iets fout gegaan. Rosie was trots op dat huis. Ze zei dat ze interessante klanten hadden. Zakenlui. Politici. Soms filmsterren. Mensen met geld. Stijlvol.'

'Het waren pedofielen,' zei Bakker. 'Ze misbruikten jonge meisjes die zichzelf niet konden beschermen. En jullie verdienden daaraan...'

'Ik heb de regels niet bepaald,' onderbrak Suzi Mertens haar. 'Ik ben er nooit geweest.'

'Maar je wist ervan, of niet?' zei Bakker grimmig. 'Je had het idee dat daar iets gebeurde wat niet in de haak was.'

Suzi Mertens keek Vos aan. 'Rosie zei dat er ook politiemensen onder de vaste klanten waren. Ik ging er dus van uit dat ik niet de enige was die een oogje toekneep.'

'Weet je namen?' vroeg Vos.

'Hij heeft haar vermoord, hè?'

'Mulder...' fluisterde Laura Bakker.

'Heeft hij het daarom gedaan?' vroeg Suzi Mertens. 'Om haar de mond te snoeren? Ik heb het recht het te weten. Theo ook. Waarom denk je dat hij me hiernaartoe heeft gestuurd?'

'Waar is Theo?' vroeg Vos.

'Als ik het wist, zou ik het je vertellen.' Ze wachtte even. 'Heeft Mulder daarom mijn dochter vermoord?'

Vos stond op. Hij waarschuwde haar dat ze gestraft zou worden voor het verbergen van Theo Jansen terwijl hij voortvluchtig was. Dat ze in staat van

beschuldiging zou worden gesteld zodra het bureau daaraan toekwam.
'Je hebt geen antwoord gegeven op mijn vraag,' zei ze.
'Nee, dat klopt,' beaamde hij.

8

Alex Hendriks nam niet de tijd om zijn jas te halen. Na zijn vertrek uit het kantoor van Margriet Willemsen nam hij de lift naar beneden, liep de koude Amsterdamse ochtend in en bleef daar een hele tijd staan, tussen de ambtenaren en de toeristen, en hij keek naar de boten in de gracht en de kooplui op de markt.

Een wandeling van tien minuten naar zijn vrijgezellenwoning. Langs de Amstel, over de Magere Brug de Kerkstraat in.

Daar zou hij wachten op de onthutste pennenlikker van personeelszaken. De raad ontsloeg zelden ambtenaren en al nooit mensen met zo veel dienstjaren, naar zijn weten. Maar de gepaste procedure moest gevolgd worden. Hij had die zelf geschreven.

Hij had deze afstand negentien jaar lang elke dag gelopen terwijl hij zich omhoogwerkte in de hiërarchie van de raad. Deed wat hem werd gezegd. Als een brave ambtenaar. Langs het water naar de mooie voetgangersbrug, waar kunstenaars zaten te schilderen en hun doeken probeerden te verkopen aan voorbijgaande toeristen. Een rustige, eenzame wandeling. Als hij tijd had, bleef hij wel eens bij de schilders staan om hun werk te bewonderen. Dan zei hij dat hij zou willen dat hij ook kon tekenen, wat waar was, al had hij het eigenlijk nooit echt geprobeerd. Er was altijd werk te doen. Documenten die afgehandeld moesten worden. Beslissingen die genomen moesten worden. Raadsleden die gehoorzaamd moesten worden. Hendels en schakelaars die overgehaald moesten worden om de stad goed te laten functioneren.

Soms dacht hij na over die keuzes terwijl hij aan de Amstel zat, blij dat hij het raadsgebouw en de Wallen achter zich kon laten. Toeristen vroegen hem soms om een foto van hen te maken onder de witte, houten armen aan de steunbogen, die omhooggingen om de schepen te laten passeren die op en neer voeren over de brede, drukke rivier. Hij deed het altijd. Ondanks alle onvolkomenheden hield hij van Amsterdam, was hij trots op zijn geboortestad.

Zijn kleine, bescheiden ingerichte woning in de Kerkstraat lag aan de overkant, op de hoek van de met bomen omzoomde straat die de naam van de rivier droeg.

Op deze vreemde dag liep hij de schilders voorbij zonder zelfs een blik op hen te werpen. Toen bleef hij staan. De witte armen van de brug gingen omhoog. Een groot binnenschip naderde langzaam de Magere Brug. Toeristen hadden hun camera's tevoorschijn gehaald. Kreten van verrukking.

Een brug. Een schip. Een onderbreking van de dag waarop zijn oude vertrouwde leven eindigde.

Hendriks staarde naar de omhooggaande armen. Hij kon aan de overkant zijn huis zien, op de hoek van de Amstel en de Kerkstraat.

Voor de deur stond een zilvergrijze Mercedes geparkeerd. Vier duistere types in pak stapten uit. Ze leken gehaast, gespannen. Een van de mannen liep naar de deur en drukte op de bel. De andere drie keken om zich heen.

Alex Hendriks keek als aan de grond genageld naar hen. Hij was in een andere wereld beland sinds Wim Prins en Margriet Willemsen in de raad het roer hadden overgenomen. Misschien verklaarde dat zijn daden. Dat was een excuus dat hij graag wilde geloven.

De brug ging langzaam omhoog. Een van de mannen in pak keek naar de overkant en ving zijn blik.

Herkenning. Hij voelde het. Het bloed stolde hem in de aderen.

Een kreet. Nu keken drie van de mannen naar hem. De vierde bij de deur gaf het op en keek ook.

De twee brugdelen bewogen langzaam in de richting van de stralende voorjaarshemel. Een van de mannen rende naar de brug. Hendriks bleef als verlamd naar hen staan staren. Het voelde aan als een droom. Een trage nachtmerrie die opsteeg uit het koude water van de Amstel en langzaam zijn benen bevroor.

De lichten op de brug knipperden. Er klonk een signaal. De dichtstbijzijnde man in pak bereikte de omhooggaande rand en probeerde zich eraan vast te klampen.

Een uitgestoken hand. In die hand iets zo onverwachts dat Hendriks zijn hoofd schuin hield, als een nieuwsgierige vogel.

Een pistool. Het moest wel.

Ze waren inmiddels met z'n tweeën, en op dat moment kreeg Alex Hendriks weer controle over zijn benen. Hij draaide zich om en vluchtte weg, langs de Amstel. Hij rende voor zijn leven.

Hij zag een Volvo stationcar. Wit, rood en blauw. POLITIE op de zijkant.

Hij keek om. De witte armen hadden het hoogste punt bereikt. De mannen in pak stonden aan de overkant, woedend. Aan de verkeerde kant van de rivier, te ver weg om hem achterna te komen.

Hendriks trok het achterportier van de politieauto open en liet zich op de achterbank vallen. Twee agenten in uniform draaiden hun hoofd om en keken hem aan.

'Bureau Marnixstraat,' zei hij.

'We zijn geen taxidienst...' zei de agent achter het stuur.

'Jullie willen toch weten wat er met Klaas Mulder is gebeurd?'

Dat legde hun het zwijgen op.

'Breng me naar Vos,' beval Hendriks, en hij liet zich achterover op de achterbank zakken.

9

Vierde verdieping van bureau Marnixstraat. Een forensisch medewerker bekeek gearchiveerde opnamen van bewakingscamera's op het grote beeldscherm van een van de computers. Vos, Bakker en Koeman keken mee. In de hoek van het scherm stond een plattegrond van het gebied rondom de woning van Rosie Jansen, vlak bij de Dam. Van der Berg zat aan een ander bureau over nog meer telefoonspecificaties gebogen.

Vos had herhaaldelijk het ziekenhuis gebeld en geïnformeerd naar de toestand van Katja Prins. Ze was wakker. Liesbeth was nog steeds bij haar. Katja had nog altijd geen woord gezegd.

'Daar.' Laura Bakker wees naar een lange gestalte in de hoek van de opname. 'Dat is 'm.'

'Mulder,' beaamde Koeman. 'De woning van Rosie Jansen ligt net om de hoek. Smalle voetgangersstraat. Geen bewakingscamera's. Dit bewijst dat hij in de buurt was, maar niet dat hij bij haar binnen is geweest. Bij hem thuis hebben we ook niks gevonden waaruit dat blijkt.'

De rechercheur zag er moe uit, slecht op zijn gemak. Behalve het gebruikelijke gerechtelijk onderzoek zou er ook een intern onderzoek komen naar de dood van Mulder, zoals altijd na incidenten met vuurwapens.

'We hebben hem voor de moord op die verslaggeefster, De Vries,' voegde Koeman eraan toe. 'Dat staat buiten kijf. Rosie...' Hij fronste zijn voorhoofd. 'Dat weet ik zo net nog niet. Gaan we die vrouw van de gemeenteraad, Willemsen, en dat mannetje Hendriks nou inrekenen of niet?'

De Groot had Vos' verslag van die ontmoeting aangehoord met een uitdrukking op zijn gezicht van: Ik zei het toch?

'De commissaris vindt dat we niet genoeg bewijs hebben,' zei Bakker.

'De dochter van Prins moet haar verhaal vertellen,' mopperde Koeman. 'Dit staat me niks aan.'

Vos keek nog eens naar de plattegrond van het gebied rondom de woning van Rosie Jansen. Het was makkelijk om de woning te bereiken zonder de drukke Dam over te steken. Mulder had naar haar toe kunnen gaan. Hij had overal naartoe kunnen gaan.

De beelden draaiden door.

'We zitten muurvast,' mompelde Koeman.

Bakker zette een lange wijsvinger op het scherm. Haar nagels waren kortgeknipt, als die van een schoolmeisje.

'Daar,' zei ze.

Vos keek. Verrast. Sloeg geen acht op Koemans gemopper. Vroeg iemand om Suzi Mertens te halen, die nog steeds beneden zat te wachten tot ze in staat van beschuldiging werd gesteld.

Toen de vrouw naast hem stond, wees hij naar de gestalte op het scherm en vroeg: 'Weet jij wie dat is?'

Ze zette een bril op en tuurde naar het beeldscherm.

'Ik geloof het niet. Zou ik dat moeten weten?'

Bakker tikte een naam in op een tweede computer, in de databank van personen.

'Was die vrouw bij Rosie?' vroeg Mertens.

'Ze was in de buurt,' zei Vos. 'Misschien betekent het niks. Weet je zeker dat je haar niet kent?'

Suzi Mertens zette haar bril af en keek nog eens naar het scherm, boog zich ernaartoe.

'Dat heb ik al gezegd. Wie is het?'

'Ga maar weer naar beneden,' zei Vos. 'Het is misschien verstandig om een advocaat te bellen.'

'Wie...?'

Vos knikte naar de deur. Toen ze naar buiten liep, ging de telefoon op het bureau. Koeman nam op.

'Nooit informatie oproepen als er getuigen in de buurt zijn,' zei Vos tegen Bakker.

'Het was een legitimatiebewijs! Ze kon niet zien...'

'Mag ik even tussenbeide komen?' vroeg Koeman met zijn hand over de hoorn.

Hij glimlachte. Straalde. Was weer tevreden.

'Weet je nog dat ik zei dat we dat mannetje van de gemeenteraad hadden moeten inrekenen?' zei hij vrolijk. Hij grinnikte. 'Niet meer nodig. Hij is hier. En hij wil praten.'

10

Het Leidseplein was niet veel veranderd. Veertig jaar geleden had Theo Jansen daar klusjes opgeknapt voor de grote jongens. Er viel makkelijk geld te verdienen aan drank, drugs en seks in de donkere stegen achter het drukke plein.

Hij had besloten de waarschuwing van de kapper ter harte te nemen. Uit de buurt van de Wallen te blijven. Hij hield zich op in cafés en dronk ontelbare koppen koffie. Wachtte op een telefoontje.

Terwijl hij doelloos rondslenterde achter het lelijke casinogebouw stond hij opeens voor een doodlopende steeg. Donker, met klinkers bestraat. Hij keek ernaar, zijn gedachten dwaalden af, hij probeerde zich te concentreren.

Een herinnering. Ergens in deze donkere steeg had hij gewerkt voor een beginnend privéhuis. Een van de eerste die drugs en vrouwen combineerden, niet lang voordat de bendeoorlogen begonnen. Jansen had de verantwoording gekregen om het privéhuis geheim te houden. Hij had enkele politiemensen en een paar raadsleden omgekocht. Had de zaak draaiende gehouden en geprobeerd niet al te opmerkzaam naar de klanten te kijken.

Op een avond was er een beroemde Hollywoodster verschenen, een man die iedereen kende, zwaaiend met guldenbiljetten. Hij vond het niet erg om gezien te worden in een clandestien Amsterdams bordeel. Daar was de stad toch voor? Dus nam Jansen zijn geld aan en zorgde ervoor dat niemand foto's nam of om een handtekening vroeg. Toen had hij hem achtergelaten met drie Thaise tienerhoertjes en een zak wiet.

Die idioot was kennelijk zo blij als een kind.

Jansen liep een klein stukje de steeg in en herinnerde zich dat hij kort daarna de filmster in een familiefilm had gezien. Hij speelde de ideale vader, een rol die hij volgens de kranten ook in het echte leven speelde. Rosie was destijds een jaar of zes geweest en had het een prachtige film gevonden. Jansen had samen met haar gekeken en zich vrijwel de hele film kotsmisselijk gevoeld.

De zwarte bakstenen in deze doodlopende steeg zagen er nog precies hetzelfde uit. Er hing nog altijd een rioollucht.

Was die toko nog van hem? Of maakte die deel uit van de nalatenschap van Menzo waarover Robles en zijn schurken nu de baas speelden?

Hij wist het niet en het interesseerde hem ook niet. Hij werd alleen maar overspoeld door herinneringen. Maarten had gelijk. Mensen werden oud, zwak en dom. En de stad leefde voort in hetzelfde trage tempo. Van waar hij stond was het maar een klein stukje lopen naar het Museumkwartier met zijn Rembrandts en Van Goghs, het Concertgebouw, waar hij en Rosie af en toe naartoe waren gegaan als de muziek niet te zwaar was naar de smaak van een Amsterdammer uit de arbeidersklasse. Maar dat was een andere wereld. Licht, elegant en beschaafd. Zij tweeën waren daar indringers geweest en dat wisten ze. Dit was thuis, omringd door donkere bakstenen en het dagelijkse gegraai van mensen die zich met louche praktijken bezighielden. Zo was het leven hier al geweest lang voordat hij werd geboren en het zou altijd zo blijven, lang nadat hij tot stof was vergaan. Het was een plek waar mensen van tijd tot tijd naartoe moesten. De duistere kant van de stad. Een plek waar ze de mantel van eerbiedwaardigheid van zich af konden schudden en het beest in zichzelf een poosje de vrije teugel konden laten.

En dan weer naar huis, naar het vrouwtje en hun kleinburgerlijke leventje, en dromen over de volgende keer dat ze even vrij konden zijn.

Hij niet. Hij was hun bediende. Hun slaaf. Goed betaald, maar toch een slaaf.

Alleen, met zijn ziel onder zijn arm, terwijl hij niet wist waar hij naartoe moest gaan, wat hij moest doen, werd Jansen opeens overmand door de behoefte om de tent te zien waar hij zijn criminele loopbaan was begonnen. Hij liep verder de nauwe steeg in. Een paarse deur. Een naam: De Luie Olifant. Het kwam allemaal weer terug.

Hij bereikte het einde van de donkere steeg. De deur was nu glimmend zwart, pas geverfd. Een rijtje bellen voor de bovenverdiepingen. Hij keek ernaar. Een accountant. Een pr-firma. Een Chinees im- en exportbedrijf.

Hij had zich vergist. De buurt was wel degelijk veranderd. Misschien ten kwade. Hij was nooit een dief geweest. De mannen die in De Luie Olifant kwamen hadden waar voor hun geld gekregen. Hij betwijfelde of deze lui hetzelfde konden zeggen.

Iemand had vlakbij een zelfklevend bordje op de muur bevestigd. Een waarschuwing voor zakkenrollers en straatrovers.

Die dingen gebeurden, dacht Jansen.

Het was een ongure, uitgestorven steeg. Hij was alleen. Een oude en nu anonieme man. Geen verstandige plek om rond te lopen.

Ze stonden er toen hij zich omdraaide. Drie jonge criminelen, de ene was een Aziaat, van de andere twee wist hij het niet. Lelijk en mager, met een honende uitdrukking op hun gemene gezicht. De kleinste stond vooraan, de beide anderen achter hem. De werkwijze van lafaards.

De voorste zwaaide met een dun mes. Hij zei: 'Geef me je portefeuille, opa.'

Theo Jansen vroeg zich af hoe lang geleden het was dat hij met dit soort tuig te maken had gehad. Dat was niet ver hiervandaan geweest.

Hij boog zich naar hen toe, hield een hand achter zijn oor en vroeg met een krassende stem: 'Wat zeg je, jochie? Ik ben een beetje doof.'

Een stortvloed van scheldwoorden. Het mes flitste voor Jansen langs. De kleine idioot legde zijn hand op Jansens jas.

'Geef me verdomme je geld, man.' Nog een zwaai met het mes. 'Of je krijgt dit.'

Jansen knikte en zei: 'Aha.'

Hij deed langzaam zijn jas open, stak zijn hand naar binnen, bewoog hem heen en weer. Het gescheld van de jongen werd luider en grover. Ze keken schichtig om zich heen, bang dat iemand hen zou horen of zien.

De jongen had lang, zwart, vet haar. Dit was een makkie. Jansen sloot zijn hand om het pistool en haalde het tevoorschijn. Terwijl de jongen ernaar staarde, met grote ogen en met open mond, verstrengelde Jansens linkerhand zich in het haar van de jongen, rukte zijn hoofd naar achteren en ramde het tegen de muur.

Het mes kletterde op de klinkers. De twee anderen namen onmiddellijk de benen. Nu waren ze nog maar met z'n tweeën, vlak bij een rij bellen. Een man van bijna zestig. Een jongen van hooguit twintig.

Theo Jansen drukte de loop van het pistool hard in de bleke wang. Luisterde naar de stroom jammerende smeekbeden, drukte harder. Zei tegen de jongen dat hij zijn kop moest houden.

'Wat heb je vandaag geleerd?' vroeg hij rustig.

'Ik heb het niet zo bedoeld, meneer,' kermde de jongen. 'Ik...'

'Wat heb je vandaag geleerd?'

Hij brulde het met zijn meest woedende stem, en dat voelde goed.

Stilte.

'Soms kies je de verkeerde,' zei Jansen na een poosje. 'Dat is de les. Leer ervan.'

De loop van het pistool bewoog niet. De ogen van de jongen bleven groot.

'Zeg mij na...' begon Jansen.

'Soms kies je de verkeerde,' zei de jongen vlug.

Door het leven gehard, dacht Jansen. Net als hij vroeger. Maar geen ruggengraat. Waarschijnlijk ook geen fatsoenlijke ouders. In zekere zin had deze jongen een excuus dat hijzelf nooit had gehad.

'Zoek een baan, jochie. Je bent hier niet geschikt voor. Neem het maar van mij aan. Ik weet waar ik over praat.'

De jongen lachte, een flits van woede in zijn ogen.

Honend zei hij: 'Een baan. Waar heb jij gezeten?'

'In de bajes. En binnenkort zit ik daar weer of ben ik ergens anders.'

Hij haalde het pistool bij de magere jongen vandaan. De jongen keek naar de grond, naar het mes dat daar lag.

'Dat kun je vergeten,' zei Jansen.

De deur ging open. Een vrouw van middelbare leeftijd in een keurig mantelpakje keek naar buiten en vroeg voorzichtig: 'Is er iets aan de hand?'

'We zochten een nachtclub, De Luie Olifant,' zei Jansen. 'Maar ik geloof dat we te laat zijn.'

Toen duwde hij de jongen de steeg uit. Jansen keek hem na toen hij wegrende. Hij vervloekte zichzelf om die opmerking over een baan. Dat was wat een oude man zou zeggen. Hij zou zich vroeger ook beledigd gevoeld hebben.

Eenmaal terug op het plein zocht hij een haringstal op. Keek naar de vis. Oud, niet nieuw. De man in de stal bromde iets. Jansen bestelde een broodje en keek toe hoe de man de schoongemaakte haring, uitjes en plakjes zure bom op het broodje legde.

Al etend liep hij het Leidseplein over. Hij had eerst een biertje moeten drinken. Of een jonge jenever. Dan zou het hem niet zijn opgevallen dat de haring weinig smaak had. Dit was zijn stad, en nu leek die zich van hem terug te trekken. Niemand keek naar hem. Ze gingen alleen maar voor hem uit de weg.

Een gekke oude man die een broodje haring at. Die dacht aan een stervende gangster, brandend in een veld met bloemen. En aan zijn dochter, die was gedumpt naast de woonboot van de enige smeris die een man als Theo Jansen ooit zou vertrouwen.

Misschien had Mulder haar vermoord. En wat dan nog? Het was moeilijk om wraak te nemen op een dode. Hij had niets van Maarten gehoord. Niets van Robles of Suzi. Drie, vier uur, langer zou hij niet wachten. Daarna zou hij ergens in de Jordaan in een kroeg gaan zitten, zich laveloos zuipen, het telefoontje plegen en wachten op Vos.

Een paar minuten later ging de telefoon. Het was Suzi. Hij liep een straat in om op te nemen.

'Je had die man niet op me af hoeven sturen,' zei ze. 'En me niet hoeven bedreigen. Je had het gewoon kunnen vragen.'

'Biechten gaat je natuurlijk makkelijk af.'

'Je bent een verbitterde, oude dwaas. Weet je dat?'

'Ja. Niemand is volmaakt. Maar ik heb nooit tegen je gelogen. Of wel soms?'

Stilte. Hij dacht dat hij te ver was gegaan.

'Ze zeggen dat ze me in staat van beschuldiging gaan stellen omdat ik jou heb verborgen. Zodra ze tijd hebben. Ik moet misschien de gevangenis in.'

'Zo erg is dat niet. Ze hebben daar priesters en zo.'

'Theo!' gilde ze. 'Geef mij nou niet overal de schuld van! Het was Rosies idee. Niet het mijne. Ze was kwaad omdat jij me niet wilde kennen. Ik had geen rooie cent...'

'Je had erom kunnen vragen!' brulde Jansen.

'Smeken, bedoel je. Op mijn knieën.'

Misschien was dat wel waar, dacht hij. Hij had in de loop der jaren een muur om zichzelf heen opgetrokken. Niemand kwam in zijn buurt. Zelfs Rosie niet, leek het wel.

'Als Mulder het heeft gedaan, dan kan ik me net zo goed aangeven,' zei hij, zachter nu. 'Ja toch?'

Ze antwoordde niet.

'Hallo, ben je er nog?'

'Vos gelooft niet dat het Mulder was,' zei ze. 'Dat zei hij niet, maar ik kon het aan hem merken.'

Zelfs na dertig jaar hoorde hij nog steeds een scherpe klank in haar stem.

'Achter wie zit hij dan aan?' vroeg hij.

'Een vrouw. Ik mocht het eigenlijk niet zien, maar haar naam stond op het scherm.'

'Iemand die ik ken?'

'Een Amerikaanse. Barbara Jewell. Runt iets wat het Gele Huis heet. Ik heb het adres opgezocht. Het is achter de bloemenmarkt. Ze hebben haar op beelden van een bewakingscamera vlak bij Rosies huis.'

'Het Gele Huis? Wat is dat in godsnaam?'

'Weet ik veel! Vos heeft me zo snel mogelijk de deur uit gewerkt. De dochter van Prins is terecht. Vos wil met haar praten over dat huis aan de Prinsengracht. Maar ze is ziek of zoiets. Kan niet praten. Ze vroegen me steeds wat er daar is gebeurd...'

'En wat is er daar gebeurd?'

'Dat weet ik niet,' riep ze uit. 'Echt niet. Maar die meid weet het. Daar lijken ze zeker van te zijn.'

'Bedankt,' zei hij.

Tien minuten lopen naar de bloemenmarkt. Daar kon hij vragen waar het precies was.

'Dat was het? Bedankt?'

'Sorry dat ik Maarten op je af heb gestuurd. Ik wilde niet zelf komen. Dat kon ik niet aan.'

'Maak ik je bang, Theo? Is dat het?'
'Misschien,' beaamde hij. 'Bijna alles maakt me bang, nu ik erover nadenk.'

11

Vos stuurde twee agenten in uniform om Margriet Willemsen naar bureau Marnixstraat te brengen en wachtte haar op bij de balie. Ze haalden drie bekertjes koffie uit de slechtste automaat en liepen de gang door. Vos had de route nauwkeurig uitgestippeld. Onderweg kwamen ze langs een kamer waar Alex Hendriks zat, met Koeman en een jonge rechercheur. Voor de deur bleef Vos staan en keek door het raampje naar binnen. Het hoofd van de kleine ambtenaar kwam van de tafel omhoog. Hij was doodsbang toen hij Margriet Willemsen zag.

'Ben ik hier vanwege die idioot?' vroeg Willemsen. 'Weten jullie dat ik hem net ontslagen heb? Heeft hij dat verteld?'

'Hij heeft ons verteld dat u hem naar huis hebt gestuurd en dat hij daar werd opgewacht door een stel criminelen,' zei Bakker.

Willemsen lachte. Schudde haar hoofd.

'Waar slaat dit op? Alex Hendriks is gek geworden. Hij heeft een camera in mijn slaapkamer gezet. Hij heeft geprobeerd Prins te chanteren. Toen heeft een uitzendkracht zijn geheime zelfgemaakte pornoverzameling geplunderd en is deze flauwekul begonnen. Hij is hier de misdadiger, niet ik.'

Bakker stond klaar om toe te happen. Vos snoerde haar de mond. Ze gingen de naastgelegen kamer binnen.

Hendriks stond te trillen op zijn benen van angst toen de agenten hem afleverden bij bureau Marnixstraat. Hij had zijn iPad bij zich. De telefoonspecificatie die ze al hadden gezien. De twee filmpjes. Een paar nietszeggende mailtjes over en weer tussen Willemsen en Mulder van de week daarvoor.

En één ding waar ze iets aan hadden: afschriften van een privébankrekening over vier maanden op naam van Willemsens politieke partij. Vos had ze laten printen. Toen ze zaten, schoof hij de uitdraai over de tafel heen naar Margriet Willemsen toe. Toen legde hij er een tweede setje bankafschriften naast, van Mulders buitenlandse rekeningen, die het nachtteam had gevonden.

'Dit moet u even bekijken,' zei hij, terwijl hij op de eerste uitdraai tikte.

Willemsen gaf geen krimp.

'Elke maand werd er achtduizend euro gestort op een buitenlandse rekening van Mulder,' zei Bakker. 'We hebben de bron getraceerd. Menzo.'

'Een corrupte smeris is jullie zaak, niet de mijne.'

'Hier.' Vos wees naar het tweede afschrift. 'Elke maand maakt hij vierduizend euro aan u over.'

Willemsen pakte kalm het vel papier op en bekeek het nauwkeurig.

'Niet aan mij. Dat is een partijrekening. Die beheer ik niet. Ik weet niet eens hoeveel geld erop staat.' Ze fronste haar voorhoofd, alsof ze diep nadacht. 'Als ik het me goed herinner wordt deze rekening gebruikt voor bedrijfskosten. We ontvangen veel particuliere donaties. Net als elke andere politieke partij. U moet met onze financiële man praten. Hij kan uitleggen...'

'Godallemachtig!' riep Bakker. 'De grootste schurk in Amsterdam stort maandelijks een groot bedrag op uw rekening. Alsof u... de telefoonmaatschappij bent of zo. Wat kreeg hij daarvoor terug?'

'Mulders financiën zijn toch niet mijn zaak?' antwoordde Willemsen. Ze hield haar hoofd schuin alsof ze er niets van begreep en leek in het geheel niet van de wijs gebracht. 'Ik ben van tijd tot tijd met hem het bed ingedoken. Het ging om de seks, we waren niet close. Er werd niet veel gepraat.'

'Drie dagen nadat Menzo hem betaalde, kreeg u uw provisie,' zei Vos.

'Een heleboel mensen doen maandelijks een donatie. Dat doe ik zelf ook, van mijn eigen salaris.' Ze glimlachte en vroeg: 'Was dat alles?'

'Bij lange na niet,' zei Vos. 'Hendriks heeft ons verteld dat u de deal met Prins hebt gesloten zodat u van binnenuit De Nachtwacht om zeep kon helpen. Dat dat de hele opzet was.'

'Die kerel is een fantast. Hij lijdt aan waandenkbeelden.'

Bakker mengde zich erin. 'Hij gelooft dat u die criminelen op hem af hebt gestuurd om hem te vermoorden.'

Ze lachte naar hen allebei.

'Bedoelt u dat ik ook een moordenaar ben? Hebt u die denkbeeldige mensen gevonden die ik zogenaamd op hem af zou hebben gestuurd? Hebt u iets wat zijn verhaal ondersteunt?'

Vos had een team naar de Amstel gestuurd, maar de agenten hadden bot gevangen.

'Luister,' zei Willemsen. 'Ik zal langzaam praten, misschien begrijpen jullie dan wat ik zeg. Alex Hendriks is krankzinnig. Hij heeft waanideeën. Hij is kwaad omdat ik hem heb ontslagen. Ik vat het op als een belediging dat jullie hem zelfs maar aanhoren. En hier is het laatste woord nog niet over gesproken. Dat geef ik jullie op een briefje.'

Ze leunde achterover op haar stoel en keek hen strak aan.

'Jullie hebben me mijn kantoor uit gesleurd vanwege de onzinnige kletspraat van een misnoegde werknemer? Omdat een van jullie eigen mensen donaties deed aan een politieke partij? Wat trouwens zijn goed recht was.'

Ze pakte haar aktetas, keek op haar horloge en stond op.

'Wordt Hendriks aangeklaagd voor het maken van die filmpjes? Dat mag ik hopen. En ik ga ook met een advocaat praten. Over smaad. Over onrechtmatige arrestatie...'

'We hebben u niet gearresteerd,' zei Vos. Hij keek naar de drie onaangeroerde plastic bekertjes die voor hen stonden. 'We hebben u gewoon uitgenodigd voor een kop koffie.'

Daar moest ze om glimlachen.

'Grapjas. Ik hoop dat u morgen nog steeds kunt lachen.'

'Je kunt hier niet voor weglopen, Margriet,' zei Vos.

'Er is niks om voor weg te lopen. En sinds wanneer noemen we elkaar bij de voornaam?'

'Er stroomt vuil geld je campagnekas in. We kunnen misschien niet bewijzen dat het naar jou ging, maar wel naar je partij. En die filmpjes...'

Ze ging weer zitten.

'Vergeet dat geld, Vos. Dat kun je niet hard maken.'

'De filmpjes,' zei Bakker. 'Het probleem is dat die tegenwoordig zo... "voorhanden" zijn.'

'Ze zijn nog niet uitgelekt,' voegde Vos eraan toe. 'Wat een wonder mag heten, gezien het feit dat minstens een ervan in handen was van een verslaggever.' Hij zuchtte diep. 'Het probleem is... ik kan niet garanderen dat ze niet in de openbaarheid komen. Van hieruit of vanuit waar ze toevallig nog meer zijn.'

Laura Bakker knikte instemmend.

'Zelfs als het geld je niet noodlottig wordt,' zei ze. 'Ik denk niet dat Amsterdam het leuk zal vinden om op YouTube de locoburgemeester te zien neuken met twee mannen die inmiddels dood zijn.'

'Je bedreigt me,' zei Willemsen tegen Vos, niet tegen Bakker. 'Ik had je slimmer ingeschat.'

'Ik moet meer te weten komen over Mulder en het privéhuis aan de Prinsengracht. Volgens mij ben jij daar geweest. Volgens mij...'

'Eén keer,' snauwde ze. 'Eén keer maar, en dat was met Wim. Niet met Mulder. Die was er al toen wij daar aankwamen. Het was een paar jaar geleden, toen ik net in de politiek zat. Het was bedoeld als een soort... weet ik veel. Een inwijding. Een ontmoetingsplaats voor gelijkgestemden. Oké?'

'Met Prins?' vroeg Bakker.

'Dat zei ik toch? Volgens mij was het voor hem ook nieuw. Mulder had het geregeld.' Ze haalde haar schouders op en er flitste een meewarige uitdrukking over haar gezicht. 'Mannen van middelbare leeftijd in pak. Jonge meisjes in feestjurkjes. Die bij de mannen op schoot gingen zitten. En God weet wat er boven allemaal gebeurde. Ik ben niet gebleven om dat uit te zoeken, en Wim ook niet. Als jullie...'

Margriet Willemsen leek bij hoge uitzondering met haar mond vol tanden te staan.

'Als jullie je werk hadden gedaan... als jullie geen smeergeld hadden aangenomen... zou er niks van dat alles zijn gebeurd.'

'Het heeft je er niet van weerhouden Jimmy Menzo's geld aan te nemen,' zei Laura Bakker met een glimlach.

'Je huidige situatie is je startpunt!' riep Willemsen. 'Niet het punt waar je al zou willen zijn.' Toen, zachter: 'Wim begreep dat niet. Hij geloofde echt dat hij de stad kon zuiveren en opnieuw kon beginnen. Maar zo zit het leven niet in elkaar. Alles draait om compromissen. Onderhandelingen. Iedereen kan vrede sluiten met zijn vrienden. Waar het om gaat is een deal sluiten met je vijanden. Dat verandert de zaak. Met Mulder in de buurt hadden we tot een vergelijk kunnen komen. Geen zichtbare bordelen meer. Geen drugs in de buurt van scholen. De rode verlichting een beetje dimmen.'

Ze zweeg. Ze had te veel gezegd en dat besefte ze.

'Ik probeerde de situatie te verbeteren op een manier die had kunnen werken, of jullie dat nu geloven of niet. Nu zijn we weer terug bij af. Nu Menzo dood is en Jansen Joost mag weten waar uithangt... weet ik niet wie de baas is. Ik ga hierover met je meerderen praten, Vos. Die zijn niet naïef. Die leven in de echte wereld, niet de sprookjeswereld waarin jullie lijken te wonen.'

Hij maakte geen bezwaar toen ze naar de deur liep. Bakker werd kwaad, wilde weten waarom niet.

Vos zei niets en streek met zijn vingers door zijn lange, warrige haar. Toen excuseerde hij zich, liep de gang door, de toiletten in. In het eerste lege hokje voerde hij een lang telefoongesprek en dacht na over de antwoorden die hij kreeg. Gaf een instructie.

Bakker stond hem op de gang op te wachten.

'Hallo?' zei ze. 'Is daar iemand?'

'Ik moest naar de wc.'

'Je voert iets in je schild. Waar is je maatje Van der Berg?'

'Naar Til Stamm. Waarom zou een toevallige huisgenote van Katja Prins, iemand die zei dat ze niet eens bevriend waren, proberen informatie over Katja's vader te stelen?'

'Ze heeft niemand vermoord,' zei Bakker. 'Waarom maak je je druk om haar terwijl dat rotwijf...'

'Ik heb hier nu geen tijd voor,' zei Vos. Hij liep naar het naastgelegen vertrek en riep Koeman de verhoorkamer uit. Hij had niets nieuws van Alex Hendriks te horen gekregen. De telefoonspecificatie en de rekeningafschriften die hij had meegebracht bewezen dat Willemsen contact had gehad met Mulder en dat Mulder had bijgedragen aan de partijkas. Dat was alles.

Vos leunde tegen de muur bij het raam en keek naar buiten, luisterend naar het geratel van de pneumatische boren.

'Hij wil bescherming,' zei Koeman. 'Krijgt hij die?'

Een verbaasde frons.

'Natuurlijk niet. Ik heb behoefte aan een fatsoenlijke kop koffie. Niet uit de automaat. De forensische afdeling heeft een nieuw apparaat...' Hij keek Bakker aan. 'En koekjes. Wat voor soort hebben ze tegenwoordig? Kun je een lijst halen?'

Ze ademde diep in en uit van woede.

'Dat deed je goed,' voegde hij er snel aan toe. 'Dat met die filmpjes. Ze heeft natuurlijk meteen de telefoon gepakt om de mensen boven Frank te bellen. Maar verdomme...' Hij trok weer aan zijn lange haar. 'Ik moet echt weten waarom Til Stamm zoiets zou doen. Goede koffie zou misschien helpen...'

'Ik ben je serveerster niet, Pieter Vos,' zei Bakker verontwaardigd.

Koeman wierp zijn handen in de lucht. 'Jezus nog an toe, ik haal wel koffie. Je krijgt geen koekjeslijst. Nog nieuws uit het ziekenhuis?'

Vos checkte zijn telefoon. Een sms van de agente ter plaatse. Katja zou op korte termijn naar huis mogen. Ze had nog steeds geen woord gezegd. Ze zou onder medisch toezicht bij Liesbeth logeren.

'Twee koekjes,' zei hij. 'Geen chocola. Ik heb een hekel aan chocoladekoekjes.'

Koeman beende weg. Bakker begon weer te snateren.

'Stil,' zei Vos. 'Ik probeer na te denken.'

'Het zou leuk zijn als ik mocht weten waarover.'

'Het hangt ervan af waarover ik nadenk.'

'Het zal me worst wezen als ze me er volgende week uit trappen. Graag zelfs. Dan zoek ik een baan waar ik met normale mensen kan werken...'

'Je zou je dood vervelen, Laura. Dat heb je met normale mensen.'

Verderop in de gang ging een deur open. Frank de Groot, rood aangelopen gezicht, woest.

'Hier komen!' brulde hij. 'Allebei.'

'Ik wacht op mijn koffie en koekjes, Frank,' protesteerde Vos.

'Hier komen!' brulde de commissaris.

12

Het was niet moeilijk te vinden. Gele zonnebloemen op de muur. Een straat achter de drukke, geurige markt waar toeristen diep in de buidel moesten tasten voor bloembollen die ze nooit zouden planten. Jansen stond zich buiten in de kou af te vragen wat hij moest doen.

Een naam. Dat was alles wat hij had, niets wat de Amerikaanse met Rosie in verband bracht. Hij wist niet eens wat het Gele Huis eigenlijk was.

Een witte Volvo stationcar parkeerde slordig langs de stoeprand, een bekende gestalte stapte uit en sjokte in de richting van het gebouw.

Hij keek niet naar de forse man met de geverfde stoppels die de schaduwen in dook.

Jansen zocht zijn geheugen af naar de naam van de man. Vroeger was hij heel goed geweest in namen onthouden. Hij vergat nooit een gezicht. Nu duurde het even.

Van der Berg. Een forse, drankzuchtige, vriendelijke rechercheur. Iemand van wie Jansen vroeger had gedacht dat je er alle kanten mee op kon. Maar dat was vies tegengevallen. In werkelijkheid was hij net zo onverzettelijk eerlijk als zijn baas Pieter Vos. Die hem beslist met een reden hiernaartoe had gestuurd.

13

De Groot deed de deur achter hen dicht en zei dat ze moesten gaan zitten. Ze kregen de wind van voren. Over alles wat ze verkeerd hadden gedaan. Hij zei dat Margriet Willemsen de toorn van verre goden over hen afriep.

Vos luisterde geduldig. Laura Bakker schoof ongemakkelijk heen en weer op haar stoel.

'Hier,' zei De Groot, 'houdt het op. Ik weet dat het niet waterdicht is. Ik wil net zo graag horen wat de dochter van Prins te zeggen heeft als jij. Maar dat zal niks veranderen. We hebben twee namen om in te vullen. Mulder en Wim Prins. Allebei dood. Ik wil dat zij worden ingevuld op de formulieren. Wat Margriet Willemsen betreft...'

'Ze liegt dat ze barst,' onderbrak Vos hem. 'Dat weet jij ook.'

'Misschien wel! Maar zij heeft Katja Prins niet ontvoerd. Zij heeft die verslaggeefster of Rosie Jansen niet vermoord. Bovendien kunnen we niks bewijzen. Je kunt niet...'

Hendriks' auto met de mannen in pak bij de Magere Brug was op bewakingscamera's gezien. Valse kentekenplaten, de identiteit van de mannen in de auto was niet vastgesteld. Het zag er verdacht uit, maar er was geen spoor dat naar het stadhuis terugvoerde.

'Als we foto's van die gasten hebben...' begon Bakker.

'Wat kunnen we dan?' vroeg De Groot. 'Dagenlang naar hen zoeken. En dan, als we ze vinden? Ze hebben niks gedaan. We hebben geen enkel bewijs dat Willemsen betrokken was bij Mulders praktijken. Of bij corruptie.'

Hij wendde zich tot Vos en vroeg: 'Vergis ik me?'

'Waarschijnlijk niet. Je zou het dossier kunnen doorspelen aan de anticorruptiemensen.'

'Dat maak ik zelf wel uit,' antwoordde de commissaris. 'Niet jij. Ik wil dat jullie het papierwerk met betrekking tot Prins en Mulder in orde maken. Ik wil een officiële verklaring kunnen uitgeven dat de zaak rond is.'

Vos en Bakker zeiden niets.

'Dat is echt niet te veel gevraagd,' voegde De Groot eraan toe. 'Ik zie het nut er niet van in om op doden te jagen. Laat Margriet Willemsen aan mij over. En zorg dat je Theo Jansen vindt. Als we hem weer kunnen opsluiten, kan ik 's nachts tenminste weer slapen.'

'Bofkont,' zei Bakker. 'We weten nog steeds niet wat er met Anneliese is gebeurd. Waarom Mulder Rosie bij de boot van Vos zou hebben gedumpt...'

'Om ons te stangen!' riep De Groot. 'Hij vond het maar niks dat Vos terug was. Misschien... weet ik veel... misschien leek het hem leuk om hem nog meer pijn te bezorgen. Verwacht je dat we overal een antwoord op vinden? Zo zit het leven hier niet in elkaar. Dit is niet...'

'Dokkum?' vroeg ze. 'Begrepen, dank je.'

De Groot sloeg zijn armen over elkaar. Deed er het zwijgen toe.

'Kan ik eerst Katja Prins naar huis brengen?' vroeg Vos. 'Ze praat nog steeds niet, maar ze mag weg uit het ziekenhuis. Liesbeth gaat voor haar zorgen. Ze kunnen allebei wel een beetje steun gebruiken.'

'Kun je niet beter Jansen gaan zoeken?' vroeg De Groot.

'We hebben geen flauw idee waar hij is,' zei Vos. 'Dat weet niemand. Waarschijnlijk zijn eigen mensen niet eens. Misschien...' Een idee. 'Misschien vindt Theo ons als hij daaraan toe is. Hij is op zoek naar de moordenaar van Rosie. Als we een verklaring laten uitgaan dat Mulder haar heeft doodgeschoten...'

'Hou het kort,' beval De Groot. 'Ik wil die verklaring vanavond in het nieuws.'

Terug op de gang zei Laura Bakker: 'De Groot mag me niet.'

'Hoe kom je daarbij?'

'Het is gewoon zo.'

'Frank zit klem,' zei Vos. 'Margriet Willemsen brengt hem in de problemen.' Hij trok zijn oude blauwe jasje aan. 'Weet jij wat Barbara Jewell en het Gele Huis doen?'

'Mensen beter maken? Dat beweerde ze.'

'Regressietherapie,' zei hij. 'Wel eens van gehoord?'

Ze knikte. 'Die laat je traumatische ervaringen uit het verleden opnieuw beleven en verwerken. En op het eind ben je... helder en clean.'

'Werkt het?'

'Ik word niet gekweld door psychische trauma's,' zei Bakker onmiddellijk. 'Daar hebben alleen complexe stadsmensen zoals jij last van...'

Vos lachte.

'Wat is er zo grappig?' vroeg ze.

'Jij.'

'Ongelooflijk dat die Willemsen hiermee wegkomt. Je hebt haar gezien. Wij denken allebei...'

'Politiek, Laura. Mensen met een beetje verstand laten zich er niet mee in.

Frank heeft ook gelijk. We kunnen haar niks maken. Het enige wat we hebben zijn twee slaapkamerfilmpjes en een paar verdachte bankafschriften. Zullen we maar proberen om de wereld stukje voor stukje te fiksen? Als eerste de makkelijkste kwesties.'

Ze knikte en glimlachte vluchtig.

'Gaan we nu eerst naar het ziekenhuis? Ik zal een auto regelen.'

Hij keek naar buiten. 'Te mooi weer voor een auto. Ik heb behoefte aan frisse lucht.'

Een geërgerde zucht. 'We kunnen niet op de fiets naar het Oosterpark. Als we Katja moeten ophalen...'

Hij liet zijn fietssleuteltje voor haar neus bungelen. Ze keek om naar het kantoor van De Groot. De deur was dicht.

'Waar gaan we dan echt naartoe?'

'Een verrassing.'

14

Even voor het middaguur kwam Van der Berg het Gele Huis uit. Hij had zijn telefoon in zijn hand en voerde een gesprek dat hem niet leek te bevallen. De zon was bijna warm. Er liepen een paar toeristen door de straat, met bloemen en stomme souvenirs: klompen en witte klederdrachtpuntmutsen.

De rechercheur was samen met een vrouw. Een jaar of veertig, stevig gebouwd, geverfd haar. Ze droeg een lang, mannelijk ogend zwart jasje en had een verbijsterde uitdrukking op haar gezicht. Ze wilde niet met Van der Berg mee. Ze had geen keus. Dat was duidelijk.

Terwijl ze voor het huis met de zonnebloemen stonden en Van der Berg over de telefoon een discussie voerde, met zijn blik op de Volvo gericht, schoot Jansen het zonlicht in en keek de straat door. Een taxi kwam langzaam aanrijden, op zoek naar een klant. Jansen stak zijn hand op en hield de taxi aan. Tegen de tijd dat die voor hem stopte, stond Van der Berg weer bij de Volvo en hield hij het portier open voor de vrouw van wie Jansen aannam dat het Barbara Jewell was.

Jansen wees naar de witte politieauto en zei: 'Waar zij naartoe gaan.'

De chauffeur aarzelde.

'Vrienden van me,' loog Jansen terwijl hij instapte.

'Waarom geven ze je dan geen lift?' vroeg de chauffeur.

Jansen gooide een paar briefjes van vijftig op de voorbank. 'Daarom.'

De Volvo reed langzaam naar het einde van de straat en wachtte op een opening in het drukke verkeer. De taxichauffeur fronste zijn voorhoofd, maar pakte de briefjes wel op.

Met twee auto's tussen de politieauto en de taxi volgden ze Van der Berg.

Toen ze de Prinsengracht bereikten, sloeg de politieauto links af.

Eenrichtingsverkeer langs de zuidzijde van de gracht, niet in de richting van de Marnixstraat. Een lange, rustige rit. Na een tijdje kwam de witte Amstelkerk in zicht, rechttoe rechtaan, als een schuur, met daarachter de groene, open ruimte van het plein. Kinderen op de schommels. Rosie had hier gespeeld toen ze nog klein was en Jansen een alleenstaande vader, die zijn best deed om een goede ouder te zijn.

Een tweede politieauto kwam aanrijden en parkeerde voor het uitgebrande pand ertegenover. Jansen keek naar de overkant van de gracht. Hij wist nu waar hij naartoe ging. Naar het huis dat hij lang geleden had moeten bezoeken.

15

Twee vrouwelijke agenten in uniform brachten Katja en Liesbeth van het ziekenhuis naar het zwartgeblakerde geraamte van wat vroeger het Poppenhuis was geweest. Ze bleven met hun passagiers in de auto zitten, zoals Vos hun had opgedragen. Ze keken toe hoe hij en Bakker hun fietsen tegen de beroete voorgevel zetten, de sleutelbos tevoorschijn haalden die Vos van bureau Marnixstraat had meegenomen, het hangslot en de ketting verwijderden en de nieuwe metalen veiligheidsdeur openduwden.

Bakker liep achter Vos aan naar binnen, keek om zich heen en zei: 'De Groot vermoordt je.'

'Ik doe dit niet voor Frank. Had je dat nog niet door?'

'En ik word ontslagen.'

'Als je liever teruggaat naar de Marnixstraat...'

Een wrang lachje. Meer niet.

Er kwam nog een politieauto aanrijden. Van der Berg met Barbara Jewell.

'Stuur iedereen terug naar het bureau,' zei Vos. 'Ik wil alleen Katja en de twee vrouwen hierbinnen hebben. En jou.'

Binnen was het koud en stonk het naar rook. Verschroeid behang, nauwelijks meer roze, hing aan flarden, als bladderende schors. De vloerplanken kraakten onder hun voeten. Vos liep langzaam de trap op. Toen de kamer aan de voorkant op de eerste verdieping in. Voor zijn geestesoog verscheen het beeld van de blauwe tl-buizen en de vlekken die als bij toverslag tevoorschijn kwamen.

Even was hij in gedachten verzonken. Er kuchte iemand. Toen hij zich omdraaide, stonden ze daar. Bakker leunde tegen de muur en bekeek alles van een afstand, zoals ze zo graag deed. Liesbeth had een verwilderde blik in haar ogen, verbaasd. Barbara Jewell leek onzeker, achterdochtig. En het meisje...

Katja droeg een eenvoudig blauw jasje en spijkerbroek en maakte een magere, gespannen indruk. Haar haar was nu schoon en gekamd. Ze leek eerder zestien dan negentien. De blik in haar ogen was die van een opstandige puber, de starre uitdrukking van een nukkige tiener die wachtte op de onvermijdelijke uitbrander.

Liesbeth ontweek haar blik. Barbara Jewell niet, en ze leek verontrust, bezorgd.

Vos stelde de Amerikaanse aan Liesbeth voor, liep toen naar de muur en streek met zijn vingers over de kringen die de forensische dienst had aangebracht. Keek naar soortgelijke tekens op de vloer. Wees ernaar en zei: 'Hier.' Toen: 'Hier.'

'Wat is dit, Pieter?' vroeg Liesbeth. 'We zijn doodop. We willen naar huis.'

Hij liep naar hen terug. Bakker hield voor de verandering haar mond.

'Anneliese is in deze kamer geweest,' zei hij. 'Dat was haar bloed. Ze is aangevallen. Volgens mij heeft ze zich verzet. Ze zag er jonger uit dan ze was. Voor mij tenminste. En ze zal zich niet makkelijk gewonnen gegeven hebben. Dat weet ik zeker.'

Hij keek weer naar de muur. Het was geen standaard patroon van bloedspetters. Het kon geen heftig gevecht zijn geweest.

'Dat was drie jaar geleden en wij wisten van niks. We zouden het ook nooit te weten zijn gekomen als een crimineel dit pand niet had geërfd omdat de dochter van Theo Jansen zich ervoor schaamde en ervan af wilde. Toen heeft die crimineel twee jonge boeven hiernaartoe gestuurd omdat hij ze dood wilde hebben en zijn ellendige privéhuis wilde lozen.'

Hij had er goed over nagedacht. Er kon geen andere verklaring zijn. Menzo en Jansen leefden in een klein wereldje. Dat de verschillende partijen onderling dealtjes sloten was geen verrassing.

Vos probeerde Liesbeths blik te vangen. Dat was niet makkelijk.

'Hoorde je wat ik zei? Anneliese is hier geweest. Een bordeel. Wil je niet weten...?'

'Natuurlijk wel!' riep ze schril. 'Maar niet nu. Katja is ziek. Gun haar in godsnaam wat rust. Je hebt nooit erg veel belangstelling getoond voor je eigen dochter. Probeer je dat nu goed te maken door de dochter van een ander door een hel te laten gaan?'

Katja drukte haar handen tegen haar oren, liep naar het bed, ging op de vlekkerige matras zitten en staarde naar de hoogpolige, groezelige vloerbedekking.

Zo had ze er de avond daarvoor ook uitgezien. Verloren in zichzelf. Zwijgzaam en niet reagerend op alles daarbuiten. Bijna simpel, en hij was ervan overtuigd dat het gespeeld was.

Vos ging naast haar zitten en keek naar haar gezicht, bleef kijken tot ze terugkeek.

'Waarom wil je niet praten?' vroeg hij vriendelijk.

'Hou op,' snauwde Liesbeth. 'Moet ik de artsen erbij halen? Ze is ziek. Laat haar met rust.'

'Vroeger was ze ziek,' zei hij, en toen keek hij Barbara Jewell aan. 'Maar jij hebt haar beter gemaakt. Je hebt iets in haar losgemaakt en haar...'

De woorden wilden hem niet te binnen schieten.

'Helder en clean,' zei Bakker.

'Helder en clean gemaakt,' zei Vos. 'Doordat iets wat in het verleden verborgen was, naar de oppervlakte is gekomen. En toen...'

'Dit kun je niet maken,' zei de Amerikaanse. 'Ik sta het niet toe.'

'Vertel jij het me dan,' zei hij. 'Wat heb je gevonden?'

'Dat weet je al!' antwoordde Jewell. 'Daar hebben we het al over gehad. Haar vader. Wat ze dacht. Dit is niet de juiste plek om in herhaling te vervallen...'

Vos wees naar de spookachtige vlekken.

'Dit is de enige juiste plek. Het is hier begonnen.' Hij keek weer naar Katja. 'Waar of niet?'

Niets.

Laura Bakker ging aan de andere kant naast Katja op het bed zitten.

'Het is doodeenvoudig,' zei ze. 'We hoeven niet te weten wat er is gebeurd.' Een lange, vastberaden blik. 'Waar. Heb. Je. Gezeten?'

Katja Prins sloeg haar armen stevig om haar magere middel en bleef naar de vloer staren.

'Ik bel De Groot,' zei Liesbeth, en ze haalde haar telefoon tevoorschijn. 'Ik geloof echt niet dat hij weet dat je dit arme kind zo kwelt...'

Bakker sprong overeind en griste de telefoon uit haar hand.

'Waar was je?' vroeg Vos, dwingender nu.

Het meisje mompelde iets. Hij boog zich dichter naar haar toe en zei: 'Ik versta je niet, Katja. Ik kan niet horen wat je zegt.'

Wat ze ook had gezegd was verloren.

'We gaan,' zei Liesbeth tegen Vos. 'Ik zal je hiervoor aan het kruis nagelen, Pieter. Hoe durf je?'

'Anneliese is hier geweest,' zei Vos nog eens terwijl hij opstond. 'Er is drie jaar geleden iets gebeurd. Daarmee is het allemaal begonnen. Van de dood van Bea Prins tot aan de moord op Rosie Jansen. Katja weet waardoor het op gang is gebracht...'

Hij wendde zich weer tot het meisje en zei: 'Je bent niet achterlijk, Katja. Je bent niet gek. Dat geloof ik niet. Je weet...'

'Niet doen,' fluisterde het meisje op harde toon.

Twee woorden, en het voelde niet echt als een doorbraak.

'Waar heb je gezeten, Katja?' vroeg Bakker nog eens. 'Vertel ons dat ten minste. Dit heeft mensen het leven gekost. Liese...'

Langzaam, met de verontwaardiging van een tiener die geen kant op kon, gooide ze eruit: 'Ik. Weet. Het. Niet.'

Haar gezicht was vertrokken van pijn en woede. Haar stem jong en gebroken.

Vos haalde zijn schouders op. Haalde iets uit zijn zak. Legde het voor haar neer.

Een sok. Zwart. Klein.

'Die vond ik gisteravond op de vloer van mijn boot. Nadat jij was opgedoken in een groezelig nachthemd.'

Haar gezichtsuitdrukking veranderde. Van woede in angst.

'Die is niet van mij...' fluisterde het meisje.

'Maar zo is het niet gegaan,' vervolgde Vos. 'Je kwam aan in een taxi. Iemand in de kroeg heeft je gezien. Normale kleren. Die heb je zeker in de gracht gegooid. Toen heb je jezelf op het dek of zo vies gemaakt.'

Hij pakte de sok op.

'En deze ben je vergeten. Het spel is uit. Waar heb je gezeten?'

Ze trilde, keek strak voor zich uit, wezenloos. Net als de avond daarvoor.

'Je kunt het me hier vertellen,' voegde hij eraan toe. 'Of op bureau Marnixstraat. Zeg het maar...'

'Ze was bij mij!' riep Barbara Jewell uit.

De Amerikaanse liep naar het bed toe en ging naast Katja zitten. Sloeg een arm om haar hangende schouders.

'Ze was bij mij,' zei ze nog eens. 'Dat leek me voor haar de veiligste plek.'

16

Theo Jansen zag Van der Berg en de twee geüniformeerde vrouwelijke agenten wegrijden. Keek naar het raam op de eerste verdieping. Zag Vos staan. De jonge vrouw die samen met Vos bij hem was geweest in het gerechtsgebouw. Ze waren niet alleen.

Hij ging gebukt onder het gewicht van twee pistolen. En door iets anders, iets wat hij niet kon benoemen. Hij liep naar de dichtstbijzijnde afvalbak, dumpte Maartens wapen en de patronen erin. Dat ene pistool. Meer had hij niet nodig. De Beretta 9000. Hij had nog een vol magazijn over van de twee die de kapper hem had gegeven.

De deur van het privéhuis dat eens van hem was geweest maar waar hij nooit was geweest stond op een kier. Jansen haalde de Beretta tevoorschijn, keek ernaar, stopte het wapen in de rechterzak van zijn jasje, liep naar binnen en sloop de trap op.

Hoorde stemmen. Luisterde. Keek om zich heen naar het vieze, smakeloze behang, de opzichtige schilderijen aan de muren. Hij haatte dit huis. Haatte zichzelf.

Hij haalde het kleine pistool tevoorschijn. Het vizier bleef niet in zijn zak haken.

17

'Dat wat ons kwelt, breekt ons,' zei Barbara Jewell op ingestudeerde, hypnotische toon.

Naast haar op het bed, het jonge hoofd gebogen alsof ze zat te bidden, luisterde Katja Prins met haar ogen halfdicht. De lage, hypnotiserende stem had op zich al een drug kunnen zijn.

'We zijn niet echt geïnteresseerd in je voordrachten, dank je wel,' onderbrak Laura Bakker haar. 'Vertel ons nou maar gewoon wat er is gebeurd.'

'Voordrachten?' zei de Amerikaanse. 'We maken mensen beter. We oordelen niet over hen. Goed of slecht. We gooien ze niet de gevangenis in. We helpen...'

'Jij hebt deze geest uit de fles gelaten,' zei Vos zo vriendelijk mogelijk. 'Met de beste bedoelingen, dat wil ik best geloven. Maar het heeft niet zo goed uitgepakt, hè?'

Ze keek naar Katja. Terneergeslagen, verloren op het bed. Ze begon te vertellen. Vos luisterde. Hij wist op de een of andere manier al wat hij te horen zou krijgen.

De sessie in het Gele Huis waarover ze had verteld. Een cruciale, zuiverende doorbraak. Katja's bekentenis dat ze dacht dat haar vader Bea had vermoord. En nog een geheim, langzaam verteld in Barbara Jewells rustige, hypnotiserende woorden.

Kort en duidelijk. Toen ze was uitverteld zei Vos: 'Het was dus allemaal schijn? Een spelletje? Je probeert ons wijs te maken dat Katja is ontvoerd. Je bootst de verdwijning van Anneliese na. En dan denk je dat dat ons gaat vertellen waar ze is gebleven?'

'Ik weet waar ze is gebleven! Hij heeft haar meegenomen!' gilde Katja Prins. Ze keek nu Vos aan. 'Mijn vader. Snap je dat niet?'

Bij de muur deed Liesbeth Prins haar ogen dicht en vloekte binnensmonds.

'Waarnaartoe?' vroeg Vos.

'Dat weet ik niet!' Een bittere toon vol zelfverwijt. 'Dat weet...' Ze deed haar ogen dicht. Herinnerde zich iets. 'Mijn moeder nam ons hier mee naartoe. Ik weet niet waarom. Ze zei dat mijn vader hier ook af en toe kwam. Ze kwamen hier allemaal. De politici. Het was... hun geheim.'

Ze keek naar hem en naar Barbara Jewell.

'Mijn moeder... deed soms dingen. Stomme dingen. Slechte dingen. Maar Liese...' Ze keek nu naar Liesbeth. 'Ze wilde het je betaald zetten. Ze mocht van jou niet met ons mee naar het strand. Ze mocht niet laat thuiskomen. Nooit doen wat ze wilde...'

'Dat is niet waar,' zei Liesbeth. 'Niet...'

'Dat zei ze,' hield het meisje vol. Haar gezicht was uitdrukkingsloos, haar stem mat en triest. 'Mijn moeder vroeg haar als eerste. Ze wist dat ik niet mee zou willen. Maar ik liet Liese echt niet alleen meegaan. Eén keer. Meer niet. Er is niks gebeurd. Naderhand hebben we erom gelachen.'

Ze keek op naar Vos.

'Ze had niet terug moeten gaan. Niet zonder mij. Maar Liese liet zich niks voorschrijven...'

Haar vinger wees naar het dikke tapijt.

'Die keer dat ik er was, zijn we beneden gebleven. Thee met cake, en vieze oude mannen die wilden dat je bij ze op schoot kwam zitten en dat je ze liet zeggen dat je mooi was. Ik moest daar niks van hebben, en ik was de domste van ons twee. Waarom zij...'

Ze maakte zich los uit Barbara Jewells arm.

'Toen Liese vermist raakte, wilde mijn moeder er niet over praten. Maar ze wist het. Dat kon ik aan haar merken. Toen kwam ik de Thaise vrouw tegen die het huis runde. Ze was bang. Ze zei dat iemand naar Liese had gevraagd. Groot en belangrijk. Een advocaat. Een man die niemand aandurfde.'

'Dat was niet Wim,' mompelde Liesbeth. 'Dat bestaat niet...'

'Wel waar!' Grote ogen, schrille stem. 'Na de dood van mijn moeder zag ik het aan zijn gezicht. Geef mij niet de schuld. Ik heb het niet geweten. Ik heb dit niet gewild...'

'Nee,' zei Barbara Jewell. 'Het is niet jouw schuld.'

'Jij hebt makkelijk praten...'

Een schuldbewuste stilte. Tranen van woede.

Barbara Jewell stond op, ging naast Vos staan.

'Dit was mijn idee, vanaf het begin,' zei ze. 'Niet dat van Katja. Ze wilde het niet doen. Ik heb haar gedwongen.'

'Lieg niet tegen hen, Barbara,' mompelde Katja. 'Lieg niet...'

'Katja moet Bea begraven. En ook je dochter.' Ze haalde vluchtig, verontschuldigend haar schouders op. 'De details waren algemeen bekend. Stonden in de krant. De poppen. Wat er naderhand is gebeurd. Je was gemeengoed, Vos. We wilden het hetzelfde laten lijken. Zodat je nog eens naar de zaak zou kijken. Alleen deze keer aandachtiger dan ze toen hebben gedaan. Zodat jullie hem vragen zouden stellen die hem vroeger niet zijn gesteld. Als we het niet hadden gedaan...' Een blik naar het meisje op het bed. 'Jullie zouden haar niet hebben geloofd. Het woord van een junkie tegen dat van een man als hij. Ze verdiende beter. Ze is onschuldig. Het is overduidelijk dat ze genoeg heeft geleden...'

Ze legde een hand op Katja's hoofd. Het meisje staarde naar de smerige vloerbedekking, mistroostig, stil.

'Ik heb haar gedwongen bij mij te logeren. Wij hebben die poppen gestuurd, die berichtjes. We hebben voor een vriendin een tijdelijk baantje geregeld op het kantoor van de gemeenteraad, om voor problemen te zorgen voor die man. Ik wilde het leven van die smeerlap tot een hel maken. Op welke manier dan ook. Totdat hij onder de druk bezweek. Of iemand zijn mond opendeed. Totdat de politie eindelijk iets zou doen. We...'

Haar kalmte, haar zelfbeheersing leken haar even in de steek te laten.

'Het is nooit onze bedoeling geweest iemand kwaad te doen. We wilden alleen maar gerechtigheid. Voor Bea. Voor je dochter. En ook voor Katja. Maar...' Haar stem was nu slechts een fluistering. 'Ik wilde helpen. Ik heb dit niet gewild...'

Iets legde haar het zwijgen op.

'En Rosie Jansen?' vroeg Vos.

'We wilden alleen maar met haar praten. Het was echt nooit de bedoeling...'

Barbara Jewell keek strak langs hem heen.

'Pieter...' zei Laura Bakker zacht, en ze kwam in beweging.

Te laat. Het pistool kwam hard op het hoofd van Vos neer. Hij viel languit op de vloer, zich van niets anders bewust dan Katja's doodsbange gegil.

18

Seconden, minuten. Hij wist het niet. Toen hij bijkwam, zag hij Jansen staan. Zijn elleboog pinde Barbara Jewell tegen de muur, de loop van het pistool tegen haar hals gedrukt.

'Theo...' zei Vos terwijl hij overeind krabbelde.

Katja ging tekeer als een woedend kind dat net een standje had gekregen.

'Wil je praten?' riep Jansen tegen de Amerikaanse. 'Praat dan. Ik heb mijn dochter verloren. Voor mij staat ook een lijkkist klaar die ik moet begraven.'

Jewell, met haar hoofd tegen het geschroeide behang, keek kwaad naar hem op, zonder angst.

'Deze tent was toch van jou? Jij liet die vuiligheid toe.'

'Ik wist het niet...'

'De zaak was van jou!' riep ze. 'Je overspoelt de stad met drugs en hoeren en al die shit waarin dit meisje zich heeft geprobeerd te verzuipen. En dan ontken je schuld...'

Het pistool ging omhoog. Een schot in het plafond. Kalk en roze verfdeeltjes dwarrelden naar beneden.

'Ik wist het niet!' riep Jansen. 'Rosie was mijn dochter.'

Het bleef even stil. Toen klonk Barbara Jewells kalme, trage stem.

'Zij runde het Poppenhuis. Ze wist wat daar gebeurde. Daarom zijn we naar haar toe gegaan. Om te smeken. Haar om hulp te vragen. Ze wist...'

'Dat heet zakendoen! Mensen geven wat ze willen.'

'Het waren kinderen,' zei ze tamelijk rustig. 'Onschuldige kinderen die door mannen in pak van middelbare leeftijd werden misbruikt. Kerels die hun lusten botvierden en dan teruggingen naar hun kantoor en hun vrouw...'

Jansen zwaaide met het pistool voor haar gezicht.

'Zo gaat het hier nou eenmaal. Zo is het altijd geweest. Als het je niet bevalt...'

Vos kwam dichterbij. Bakker ook. Ze had haar telefoon in de hand. Vingers bewogen over de toetsen.

'Maar jij vindt het ook niks, Theo,' zei Vos. 'Dat weten we allebei.'

De oude crimineel keek hem kwaad aan. 'Mijn dochter is dood en jij hebt niks gedaan. Net als voor je eigen kind...'

'Er is versterking onderweg,' onderbrak Laura Bakker hen, en ze liet Jansen de telefoon zien. 'Over twee minuten zijn ze er.'

De Amerikaanse hoorde haar nauwelijks, staarde Jansen alleen maar strak aan.

'We wilden met haar praten,' zei ze. 'Meer niet. Haar om hulp vragen. We wisten niets van die schietpartij bij het gerechtsgebouw. We gingen gewoon bij haar langs. Ze ging door het lint. Begon tegen ons te schreeuwen. Haalde een pistool tevoorschijn. Ik was bang dat ze het zou gebruiken...'

'En toen heb je haar doodgeschoten?' vroeg Jansen.

Een lang moment. Barbara Jewell aarzelde, deed haar mond open om iets te zeggen. Het tengere meisje sprong van het bed en vloog op hen af, greep Jansens arm en probeerde het pistool uit zijn hand te trekken.

Haar vingers sloten zich om het wapen. Jansen was zo verrast door haar wanhopig klauwende nagels dat het haar bijna lukte.

Handen vrij, wild zwaaiende armen, Jewell ontsnapte.

De dikke crimineel en het tengere meisje stonden nu midden in de kamer. Haar handen omklemden die van hem, het zwarte pistool zwaaide heen en weer.

'Ik heb haar doodgeschoten...' beet ze hem toe. 'Ik. Niet Barbara. Ik heb het gedaan...'

'Katja,' zei de Amerikaanse.

Sirenes buiten. Het geluid van gierende banden.

Tranen en woede op een jong, hard gezicht.

'Ik heb haar doodgeschoten,' zei Katja nog eens. 'Ze schreeuwde tegen ons. Zwaaide met een pistool. Als je iemand wilt vermoorden, vermoord dan mij.'

Jansen deed een stap achteruit, bracht het wapen omhoog en richtte de loop op haar.

Vinger op de trekker. Blik gericht op een jong, beschadigd gezicht.

Hij schoot niet.

Voetstappen op de trap. Van der Berg en Koeman voorop, wapen getrokken, schietklaar.

'Wat zou je hebben gezegd, Theo?' vroeg Vos, zijn hand uitgestoken voor het pistool. 'Als je had geweten wat hier gebeurde?'

'Als ik het niet was geweest, had iemand anders wel...' zei Jansen met een zucht.

'Maar jij was het niet. Het was Rosie. Ze wist dat jij het grondig zou hebben verafschuwd. Daarom heeft ze het huis gesloten. Ze was niet bang voor ons. Mulder zorgde ervoor dat wij er niks van afwisten. We hadden de speurtocht naar Liese opgegeven. Rosie was doodsbang voor jou, en voor niemand anders. Voor wat er zou gebeuren als je erachter kwam.'

'Je klinkt wanhopig, Vos,' mompelde Jansen.

'Je hebt dus toch je grenzen. Net als wij. En desondanks...'

Zijn hand, uitgestoken om het wapen aan te pakken, trilde niet. Hij ving Jansens blik, knikte.

'Jammer dat we nooit dat biertje hebben gedronken. Misschien, op een dag... We hebben veel om over te praten. Veel ervaringen uit te wisselen.'

Jansen keek van hem naar het gebroken, bange meisje.

'Geef me dat vervloekte pistool nou maar, Theo,' zei Vos. 'Het is afgelopen.'

'Je praat te veel,' mopperde Theo Jansen, en toen gaf hij Vos de Beretta.

'Dat is waar,' beaamde Vos. Hij beval de anderen hun wapen op te bergen. Zei dat ze iedereen naar de Marnixstraat moesten brengen en daar op hem moesten wachten.

Hij bleef met Bakker achter en keek hen na.

'Ik kan maar één advocaat bedenken,' zei ze toen iedereen weg was.

Ze hield haar telefoon omhoog, het adres stond al op het scherm. Het was niet ver weg.

'Je had het me wel kunnen vertellen, van die sok.'

Hij fronste zijn voorhoofd. 'Welke sok?'

Ze sloeg haar armen over elkaar. 'Katja's sok?'

'O, die? Dat heb ik verzonnen. Hij is van mij.'

Het bleef even stil en toen zei ze: 'En je hebt Jansens pistool nog.'

'Dat weet ik.' Hij stopte het wapen in de binnenzak van zijn jasje. 'We pakken de fiets.'

19

Het was bijna twee uur en de zon sprak van zomer. Amsterdammers fietsten doelbewust over het pad tussen het trottoir en de straat. Vos en Bakker waren op weg naar een achterafstraat in de grachtengordel. Vlak bij het Leidseplein. Hij trapte stevig door, gestaag. Ze wist hem de hele weg bij te houden.

Toen ze de hoek om reden, het Leidseplein op, zei ze: 'Het zal wel geen kwestie van vergeetachtigheid zijn, Vos, maar moeten we niet om versterking vragen?'

'Dat zou je wel denken.'

Hij hoorde duidelijk dat ze afkeurend mompelde.

'Ja, dat denk ik inderdaad. Ik bedoel...'

Vos remde abrupt, plantte beide voeten op de grond en slaagde er maar net in twee toeristen die voor hen langs slenterden te ontwijken. Bakker remde ook en zette haar lompe, zwarte schoenen stevig neer. Wachtte op een antwoord.

'Heb jij vroeger een pop gehad? Toen je klein was?'

Ze kromp in elkaar. Kreeg bijna een kleur.

'Eentje maar. Ik had niks met poppen.'

'Dat meen je niet.'

'Eerlijk gezegd had ik de pest aan dat stomme ding. Maar ik had hem van mijn oom gekregen. Waaruit maar weer blijkt hoe goed hij me kende. Ik wilde hem niet...'

'Heb je die pop nog steeds?' onderbrak hij haar.

Bakker lachte. Zo hard dat een paar toeristen bleven staan kijken.

'Als ik in Dokkum geen pop wilde, waarom hier dan wel?'

Ze zette haar voet weer op de trapper, klaar om door te fietsen. Hij was nog niet zover.

'Maar heb je hem weggegooid?'

Ze dacht even na. 'Nou... nee. Dat geloof ik niet. Hij ligt...'

'Bij tante Maartje?'

'Pienter, hoor. Waarom zou ik hem hebben weggegooid? Je gooit poppen niet weg. Je...'

Haar hand vloog naar haar mond. Ze zette grote ogen op.
'Je hebt dit al eens gezegd en ik luisterde niet echt. Je houdt ze.'
'Je houdt ze,' beaamde Vos.
Toen fietste hij verder.

20

Het huis van een advocaat, in een stille straat die uitkeek op een rustig stuk gracht. Lichte bakstenen, hoge ramen, vier verdiepingen, een hijshaak aan het zadeldak. Rode geraniums naast de glanzend zwarte voordeur.

Op een lage brug vlakbij stond een haringkar. Eén klant, die stond te praten met de man in een witte jas achter de toonbank. Een rustige, lome plek in de grachtengordel. Een herenhuis, waarschijnlijk driehonderd jaar oud, met dikke, ondoordringbare muren.

Naast het stoepje voor de deur lagen een paar zakken cement, een strijkbord, afgesmeerde grijze metselspecie.

Vos was er als eerste. Hij gooide zijn fiets op het trottoir, liep het stoepje op, zette zijn vinger op de bel. Hield die daar.

Bakker kwam vlak achter hem aan. Ze keek om zich heen. Bekeek het huis. Groot voor een man alleen.

Er hing een lucht. Verse verf en pleisterkalk.

Vos hield nog steeds zijn vinger op de bel. Een nijdige stem van achter het zwart geverfde hout. Middenklasse, middelbare leeftijd.

De deur ging langzaam open, niet verder dan een kier.

Michiel Lindeman zag er anders uit dan tijdens zijn werk. Geen grijs pak. Geen glad achterovergekamd haar. Hij droeg een vieze overal, witte en grijze vlekken op zijn schouders. De bouwgeur hing om hem heen.

'Wat heeft dit te betekenen?' vroeg de advocaat.

Vos keek hem alleen maar aan. Bakker leunde tegen de glanzende deurstijl. Glimlachte.

Eén moment, dat was genoeg. Het gezicht van de man vertrok, zijn uitdrukking veranderde van woedend en verontwaardigd naar doodsbang. Hij probeerde de deur dicht te gooien, maar Vos had zijn elleboog in de kier geduwd. Lindeman riep iets over een huiszoekingsbevel toen Vos zijn schouder tegen het hout zette. Bakker sloot zich bij hem aan en samen dwongen ze de advocaat terug naar binnen.

Een lichte hal, een kroonluchter, schilderijen, hoogpolig tapijt op de vloer.

Zakken zand en cement tegen de rechtermuur. Lindeman was gestruikeld door de kracht van hun geforceerde binnenkomst. Hij zat in elkaar gedoken op de vloer, uitte dreigementen, begon te vleien en te jammeren.

'Doe de deur dicht,' beval Vos. Bakker gehoorzaamde.

Toen haalde Vos Theo Jansens pistool tevoorschijn.

21

Ze zit in het donker, met de handen op schoot, haar vingers spelen met de stof, bedrukt met roze en witte vierkantjes.

Meer bewegingsvrijheid heeft ze niet, heeft hij haar niet gelaten.

Mijn poppetje...

Hoe vaak had hij dat niet gezegd? Hoe vaak had ze zich daar niet tegen verzet?

Roze gingang schortjurk. Pofmouwen van zacht katoen. Haltersluiting.

De zwarte lakschoentjes zijn weg. De jurk is gerafeld, haar te klein.

Niet langer het verwachtingsvolle, onschuldige schoolmeisje. Nu weet ze het. Nu ziet ze het, zelfs met de blinddoek voor haar ogen, de dikke zwarte tape over haar mond.

De kamer is stoffig en donker.

Vaarwel, mijn poppetje.

Geen licht, alleen kou. Het walgelijke plastic zit half over haar neusgaten, bedekt haar mond. De ruwe stof prikt in haar oogleden.

Vriendelijkheid, zei hij.

Hij deed zijn best.

Een bijzonder soort liefde.

En toen was ze alleen. Voor het eerst, zo voelde het, sinds ze in haar eentje dat huis aan de Prinsengracht was binnengegaan, op een zonnige dag in wat wel een ander leven leek. Met het idee dat het niets meer was dan een experiment: dom, uit verveling en wrok ontstaan. Dat ze een dezer dagen haar moeder zou weten over te halen om haar naar Bloemendaal te laten gaan, om te feesten aan het strand. Met mensen van haar eigen leeftijd. Niet die trieste, wanhopige oude mannen in dure pakken.

Herinneringen.

Thee met iets erdoorheen. Karige maaltijden op een plastic dienblad terwijl ze luisterde naar zijn verhalen, zijn smeekbeden, zijn verontschuldigingen. Ze probeerde de herinnering aan de plotselinge onstuimige aanval, de vertwijfelde behoefte, te blokkeren. Handen die aan haar kleren rukten, aan zijn eigen kleren.

Naderhand huilde hij altijd. Sprak hij over liefde. Maar niet voor haar. Voor het kostuum. De mooie roze stof. De geplooide jurk. De herinneringen aan dat wat al verloren was gegaan voordat hij het had kunnen opeisen. Zij bestond niet. Alleen de pop bestond. En dat was geen mens.

Opgesloten in de cel in de kelder die hij had gebouwd dagdroomde ze. Dan dacht ze aan de makkelijke, rustgevende sleur van thuis. Een tv-programma, muziek. Een verloren speeltje. Dat stomme poppenhuis dat haar vader voor haar had laten maken en had opgeborgen toen ze erom had gelachen. Om hem.

Deze herinneringen, zowel fijn als pijnlijk, vulden haar vermoeide, warrige hoofd. Hij had haar die ochtend iets gegeven. Iets anders. Geen thee met een vreemd smaakje. Sinaasappelsap. Metaalachtig zoet. Ze had een slokje genomen, hem aangekeken. Had het schuldgevoel en het verdriet gezien op het enige gezicht dat ze in lange tijd te zien had gekregen.

Roze bed. Roze lakens. Roze kussens.

Hoe lang was ze hier al?

Ze wist het niet. Ze had hoofdpijn, kon zich niet concentreren.

Dromen.

De droom die haar nu overrompelde was zo levensecht dat hij werkelijkheid leek.

Ze zweefde vlak onder het plafond, als een wezentje dat zich in een hoog, veilig hoekje verschool. Onder zich zag ze een jong meisje, vastgebonden op een stoel, bedwelmd en geblinddoekt, met tape over de mond, opgesloten in een luchtdicht afgesloten kamertje, ingericht in één kleur. Ze voelde geen angst toen het gif zich door haar tere aderen verspreidde. Geen zorgen meer. Alleen maar dankbaar dat deze eindeloze nacht ten einde liep.

Ze was zich ook bewust van een storm die ergens kwam opzetten, boven haar, niet dichtbij, niet ver weg.

Geluiden die ze nooit eerder had gehoord in dit nieuwe, begrensde leven. Andere stemmen, boos en vertwijfeld.

Geschreeuw. Gegil.

Toen het korte, cataclysmische gebulder van iets als een donderslag.

22

Michiel Lindeman zat in zijn vieze overal in elkaar gedoken op de vloer en keek bang en nijdig naar hen op.

'Waar is je huiszoekingsbevel?' riep hij. 'Dit kun je niet...'

'Hier heb je je huiszoekingsbevel,' zei Vos. Hij deed een stap naar voren, richtte de loop van het zwarte pistool op het gezicht van de advocaat, bracht het wapen omhoog en vuurde een schot af in het luchtledige. 'Waar is ze?'

Bakker stond naast hem om zich heen te kijken en deed wat hij had moeten doen: logisch nadenken.

Lindeman was niet gek. Hij ging verzitten, sloeg zijn handen om zijn knieën, zette een niet-begrijpende uitdrukking op zijn gluiperige gezicht en zei: 'Hè?'

'Mijn dochter. Je hebt haar meegenomen uit dat privéhuis. Waar is ze?'

'Je bent weer gek geworden, Vos,' mompelde de advocaat hoofdschuddend. 'Deze keer zal het je duur komen te staan.'

Het pistool was weer op hem gericht, dichterbij nu.

'Pieter,' zei Laura Bakker zacht. Ze pakte zijn hand vast en trok die weg. 'Misschien kunnen we beter...'

'Waar is ze?' bulderde Vos. 'Jij was het in het Poppenhuis. Rosie Jansen heeft dat gezegd...'

'Rosie Jansen is dood,' riep Lindeman. 'Ben je zo gek dat je tegenwoordig met lijken praat?'

Toen flipte Vos bijna. Hij zou door het lint gegaan zijn als Bakker Lindeman niet overeind had getrokken. Ze zei op kille, besliste toon: 'We gaan hier rondkijken, vriend. Overal.'

Toen duwde ze hem de gang door.

Woonkamer. Keuken. Wc.

Op de eerste verdieping een kantoor, een kleine thuisbioscoop. Slaapkamers, logeerkamers. Lege vertrekken vol rommel.

Nog drie verdiepingen. Twintig minuten.

Geen spoor van iets verdachts. Geen vrouwenkleren. Geen schilderij van een pop. Helemaal niets jongs. Alleen de ene na de andere weelderige kamer in het herenhuis aan de grachtengordel van een alleenwonende advocaat van middelbare leeftijd.

Lindeman werd met elke niets opleverende stap zelfverzekerder.

Uiteindelijk stonden ze weer beneden in de gang. De advocaat uitte steeds zwaardere dreigementen, eiste dat ze vertrokken, zei dat hij De Groot zou bellen. Het pistool bungelde losjes in Vos' hand. De opties waren op. Geen ingevingen meer. Er restte hem nog één gedachte: ze was weg, verdwenen, dood, en hij zou nooit weten waar ze was.

Laura Bakker liep achter de twee mannen aan en bekeek het kale, verse pleisterwerk. Raakte het aan.

'Het is nog vochtig,' zei ze. 'Het werk van een amateur. Mijn oom is bouwvakker. Je bakt er niks van, Lindeman.'

'Als ik je mening had willen horen...' begon de advocaat.

'Die krijg je toch. Waarom doet een man als jij dit zelf?'

'Voor het geld,' zei hij weinig overtuigend.

Vos kwam erbij en keek ook. Hij wist niets van verbouwingen. Kon niet eens zijn eigen boot opknappen.

'De rest van de muur is prima,' zei Bakker, terwijl ze langs de muur liep en op het pleisterwerk klopte. 'Waarom pak je alleen dit stuk aan?' Ze keek naar het gereedschap en de lege zakken op de vloer. 'En al die spullen? Die zijn voor meer dan alleen dit.'

'Ik wil dat jullie vertrekken,' zei Lindeman. 'Als ik De Groot spreek...'

'O nee, niet de grote, gemene Frank. Je maakt me bang,' zei Bakker, en toen haalde ze een pikhouweel achter een kruiwagen vol cementbrokken vandaan, die tegen de muur stond.

'Wat haal je je verdomme nou weer in je hoofd?' vroeg de advocaat.

Ze zwaaide glimlachend met het pikhouweel. De scherpe punt drong in het verse pleisterwerk. Nog eens. En nog eens.

Ze keek Vos aan en zei: 'Er zit een deur achter. Ik denk dat er beneden een kelder is en dat hij die afdicht.'

Lindeman spurtte naar de voorkant van het huis. Vos liet hem struikelen, greep hem bij de kraag, nam het pikhouweel van Laura Bakker over, gaf haar het pistool en zei dat ze Lindeman onder schot moest houden.

Het pleisterwerk was nat en zacht. Na een paar slagen kon hij het met zijn handen losrukken, in lange banen en krullen die op de vloer belandden.

De deur erachter was zwart, pas geverfd. Bronzen klink. Op slot.

Hij keek Lindeman aan, vroeg om de sleutels.

'Je belandt in de gevangenis,' zei de advocaat. 'Geweldpleging. Geforceerde toegang. Dit is mijn huis...'

Bakker stopte het pistool in haar zak, vond een moker tussen het gereedschap, ramde er drie keer mee tegen het slot, verbrijzelde het en trapte de deur open.

Achter de deur een lichtknopje. Vos pakte Lindeman beet. Sleurde hem mee, drukte op het knopje.

Een tl-buis beneden startte knipperend op. Lange trap. Kale steen. Laura Bakker rende de steile treden af.

'Het was een wijnkelder,' zei Lindeman mat. 'Ik had hem niet meer nodig. Al dat vocht...'

'Vos!' riep Bakker van beneden. 'Er is hier nog een muur die hij heeft dichtgesmeerd. Waarschijnlijk vanochtend pas, zo te zien.' Ze keek om zich heen. 'En er ligt hier ook wijn.'

Ze verscheen weer onder aan de trap. De hamer hing losjes langs haar zij.

'Je had zeker erg veel haast. De boel dichtmetselen zonder je drank eerst naar boven te brengen.'

Met het pikhouweel in zijn ene hand, de advocaat met de andere bij zijn kraag, duwde hij Lindeman voor zich uit de trap af. Een lange muur. Pleisterwerk in het midden, een hoge rechthoek, zo vers dat er nog vochtige plekken te zien waren. Hij drukte zijn oor er tegenaan, hoorde niets.

'Dit is een ernstige vergissing,' zei Lindeman. 'Je weet niet...'

'Kop dicht,' zei Bakker, en ze ramde met de moker op de muur.

De moker stuiterde terug. Vos liet de man los en zwaaide met het pikhouweel. Klap na klap. Zag dat Laura de hamer had laten vallen en dat ze aan de dikke, bruine flarden rukte. Hij zag ook vanuit zijn ooghoek dat Lindeman wegsloop.

'Pak hem,' beval Vos, en hij ging weer aan het werk.

Er zat ritme in. Een gestaag tempo dat zijn gedachten onderdrukte.

Een geluid van boven. Een kreet. Een gil. Vos keek om, zag Bakker en Lindeman op de trap. Ze verkocht hem met haar hoge rechterschoen een schop tegen zijn scheen. De advocaat viel van de trap, rolde, tuimelde, en smakte gillend op de koude, harde vloer.

'Oeps,' zei Bakker toen ze beneden aankwam. Ze had een stuk kabeldraad in haar hand. Dat bond ze om de polsen van de advocaat, het uiteinde aan de trapleuning. Toen ging ze Vos helpen. Ze ramde met de moker op de muur.

Werk waarbij je je verstand kon uitschakelen. Repeterend. Het enige wat Vos op dat moment wilde.

Laura was er als eerste doorheen, ze viel bijna voorover toen de hamer door een houten deur achter het verse pleisterwerk heen brak. Nog een slot dat verbrijzeld moest worden. Een laatste obstakel.

Ze bleven even staan, buiten adem, terwijl Lindeman ergens achter hen jammerde, verontschuldigingen, excuses. Onzin over liefde en toewijding en dat niemand het echt begreep.

Laura Bakker legde de hamer neer.

'Het probleem is, vriend... dat ze het heel goed begrijpen.'

Vos trapte door het zwarte hout, stak zijn hand naar binnen en vond links van de deur een lichtschakelaar.

Roze, zag hij. Roze muren. Roze vloerbedekking. Roze stoel. Roze bed. En iets anders.

Een gedaante op een stoel, vastgebonden met touw. Het hoofd hing voorover. Blond haar. Tenger figuur. Kinderlijke roze-met-witte gingang jurk.

'Anneliese,' fluisterde hij, en hij liep naar binnen.

DEEL 5

Negen dagen later

1

De zomer kwam vroeg. De ochtendfietsers op de Prinsengracht reden onder de groene lindebomen door, gekleed in T-shirts, korte broeken en rokken, zonnebril op het hoofd.

De boot van Vos was nog steeds een puinhoop. Hij had andere dingen aan zijn hoofd gehad. De nasleep van de inval in het herenhuis van Michiel Lindeman en de daaruit voortvloeiende arrestatie. Zowel de advocaat als Jansen voor de rechter brengen en de gevangenis in, waar ze zouden blijven. Eenzelfde proces voor Katja Prins en Barbara Jewell. Ze werden vervolgd voor doodslag en afpersing. Ze waren op borgtocht vrijgelaten en konden waarschijnlijk rekenen op een voorwaardelijke veroordeling door een gerechtelijk apparaat dat nu al tekenen van begrip toonde. Waarschijnlijk gold hetzelfde voor Suzi Mertens, die bij Jansen was geweest toen Vos hem in de gevangenis ging verhoren. Ze had voor hem gepleit. Misschien sterker dan de man zelf wilde. Maar Vos was blij haar daar te zien.

De kranten hadden bol gestaan van het nieuws. Een corrupte rechercheur. Strijdende bendes. Een dode politicus en zijn echtgenote, een gewetenloze advocaat die de dochter van een rechercheur die de georganiseerde misdaad aanpakte gevangen had genomen en seksueel had misbruikt. En bovenal de ontdekking dat Anneliese nog leefde. Een soort wonder. Goed voor vette krantenkoppen.

Margriet Willemsen bleef aan als locoburgemeester, ongemoeid, vrijwel zonder smet op haar reputatie. Alex Hendriks was gevlucht, had een gouden handdruk gekregen en was naar Londen vertrokken om een andere baan te zoeken, een ander leven.

Toen stortten de media zich weer op andere verhalen. Amsterdam had wel even genoeg schandaal gezien. En dat kwam de criminelen, of dat nu advocaten of dode politiemannen waren, en een taaie vrouwelijke politicus die overal een antwoord op leek te hebben, bijzonder goed van pas.

De Groot had het onderzoek naar Mulders – en Menzo's – illegale betalingen gestaakt. Dat was de prijs voor een oogje dichtknijpen voor het onrechtmatig binnendringen van Lindemans huis.

Vos ging er niet tegenin. Anneliese was vrij, kwam langzaam haar gevangenschap en het verdovende middel dat Lindeman haar had gegeven te boven. Onder de pijn en de tijdelijke verbijstering was ze nog altijd de dochter die hij kende: levenslustig, nieuwsgierig, vastberaden. Maar ook anders, iets waarvoor Vos begrip voor probeerde te tonen. Er was een kloof tussen vader en dochter. Haar relatie met Liesbeth was hechter, intenser, soms complex en moeilijk.

Er waren natuurlijk gedachten die ze samen deelden en die hij nooit te horen zou krijgen. Hij maakte zich daar geen zorgen over, vond het ook niet erg. De artsen hadden hem verzekerd dat zijn dochter op een dag zou herstellen. Het kon jaren duren voor de littekens van Lindemans adorerende opsluiting geheeld waren. Zelfs met hulp en therapie zouden enkele van die littekens misschien nooit helemaal verdwijnen, maar daar wilde hij nu niet aan denken. Ze leefde nog, en de juridische kant van de zaak kon zonder haar afgewikkeld worden. Lindeman zou schuld bekennen op grond van ontoerekeningsvatbaarheid, bepleiten dat hijzelf het slachtoffer was van een obsessieve, onzelfzuchtige vorm van liefde. Ze zou niet hoeven getuigen of aan een kruisverhoor worden onderworpen. Dat zou haar tenminste bespaard blijven.

Hij zat op een gammele oude kruk op het dek, tussen de wegkwijnende rozen en een paar potten met kruiden. Sam lag aan zijn voeten. Het hondje, opgewonden door de aanwezigheid van een jong iemand, luisterde naar de galmende voetstappen in de leefruimte. Liesbeth was bij haar, ze spraken zacht met elkaar. Rondsnuffelend in de boot had ze het oude poppenhuis gevonden, en tot zijn opluchting had ze erom kunnen lachen. Ze had hem de oude beschuldiging voor de voeten geworpen: Hoe kón je? Kende je me dan zo slecht?

Toen had hij haar met haar moeder alleen gelaten. Was buiten gaan zitten kijken naar het verkeer op de gracht, wandelende mensen op weg naar de wankele tafeltjes op de stoep voor De Drie Vaten.

'Pap?' zei ze toen ze op het dek verscheen en de zonnebril opzette die ze buiten altijd droeg. Haar ogen waren zwak geworden door de gevangenschap in Lindemans kelder. Ze deed haar eerste aarzelende stapjes terug de wereld in. Alles had tijd nodig.

Ook haar stem was veranderd. Enkele tonen lager dan in zijn herinnering. Volwassen en wijs.

Bij de loopplank stonden twee koffers. Dit was een afscheid, tijdelijk, maar toch nog pijnlijk.

'Waarom woon je hier?' vroeg ze, terwijl ze een krakkemikkige stoel naast hem neerzette en ging zitten. 'Wat is er mis met een flatje?'

'Ik hou van mijn boot. Ik ben haar aan het opknappen. Tegen de tijd dat je terugkomt, is ze klaar. Je zult haar geweldig vinden. Als je gaat slapen, hoor je het water klotsen. Als je wakker wordt, hoor je de eenden. Het is heerlijk. Ik heb nog nooit zo lekker geslapen.' Een schouderophalen. 'De afgelopen paar nachten tenminste.'

Liesbeth was na haar aan dek gekomen. Ze was niets veranderd. Nog steeds treurig. Ze rouwde zeker nog om Prins.

'Je gaat die boot helemaal niet opknappen,' zei ze terwijl ze de lange straat door keek, aan beide zijden van de brug. 'Daar krijg je de tijd niet voor. Daar zal De Groot wel voor zorgen.'

'Je zou best eens gelijk kunnen hebben,' beaamde Vos.

Twee tickets, geboekt op dezelfde vlucht die Wim Prins had willen nemen, een rechtstreekse vlucht naar Aruba. Ze zouden daar in zijn villa logeren, de villa die ze stiekem had bezocht toen ze nog met Vos samenwoonde. Anneliese wist daar niets van. Ze besefte ook niet dat Prins haar echte vader was. Vos had van Liesbeth geëist dat ze daarover haar mond zou houden. Ze had hem niet tegengesproken.

'Denk je dat je wel tijd kunt vrijmaken om bij ons op bezoek te komen?' vroeg Anneliese. 'Mama zegt...' Ze leek onzeker. 'We blijven daar een half jaar of zo. Ik moet mijn hoofd op orde brengen. Er even tussenuit...'

'Als de artsen zeggen dat dat goed voor je is... als jij dat ook vindt...' Hij legde een hand op haar arm. 'Kom terug als je er klaar voor bent. Laat je niet opjagen. Ik wacht hier op je.'

'Het zou fijn zijn als je ook kwam,' zei ze op die kalme, besliste toon die hij zo goed van haar kende, al van toen ze klein was. 'Zo te zien kun je best een beetje zon gebruiken.'

'Maak je over mij maar geen zorgen. Als ik tijd heb...'

Het was gelogen. Dat wisten ze allebei. Hij keek op zijn horloge. De taxi kon elk moment komen. Vos stond op, glimlachte toen zij ook overeind kwam.

Hij sloeg zijn armen om zijn dochter heen, kuste haar op haar zachte wang. Ze was lang en mooi, zomerbloesje en nieuwe spijkerbroek. Haar haar nu kortgeknipt, niet de kinderlijke lokken die Lindeman had geëist.

'Je kunt me altijd hier vinden,' zei Vos. 'Ik zal altijd van je houden. Als je me nodig hebt, hoef je het maar te zeggen.'

Ze zette de zonnebril af. Knipperde de tranen weg. Misschien dacht het kind in haar dat Liesbeth en hij speelden met het idee van een verzoening. Terwijl de volwassene wel beter wist en altijd voor de somberder kijk koos.

'Ik moet even met je moeder praten,' zei hij. 'Ga maar aan de overkant een kop koffie drinken. Die is veel beter dan dat bocht dat ik zet.'

'Ik heb je nooit bedankt, hè?'

'Dat hoeft niet. Het spijt me dat ik er zo lang over heb gedaan. Ik had het opgegeven. Ik dacht dat ik je kwijt was. Dat ik niets kon doen.'

'Wat was er dan veranderd?'

'Niet "wat" maar "door wie". Katja Prins, denk ik. En een bijzonder eigenwijze jongedame uit Dokkum.'

'Wat...?'

'Een andere keer,' zei hij. 'Niet nu.'

Ze sloeg haar armen om zijn hals en kuste hem nog eens. Op beide wangen. Liefde tussen hen. De rustgevende en tegelijk heftige toewijding van familie. Iets waarvan Pieter Vos had gedacht dat hij het voor altijd kwijt was.

Toen liep ze naar De Drie Vaten, ging tussen de toeristen aan een tafeltje zitten en bestelde een kop koffie. Een paar jongemannen keken naar haar. Ze was niet alleen in zijn ogen mooi. Ze had een aandoenlijke, misschien wel bedrieglijke onschuld over zich. Dat maakte haar aantrekkelijk. Ook voor de obsessieve, eenzame Michiel Lindeman, die drie jaar geleden op zoek was geweest naar zijn eigen marionet, om te bezitten, te aanbidden, naar zijn wensen te vormen. Vroeg of laat zou er een man in haar leven komen. Een goede, hoopte hij. En liever laat dan vroeg.

'Je bent welkom als je op bezoek wilt komen, Pieter,' zei Liesbeth. Armen over elkaar geslagen. Emotieloos gezicht, onpeilbaar. 'Het is even wat anders dan deze puinhoop.'

De hond ging rechtop zitten, staarde haar aan. Vos wist zeker dat hij hem zachtjes hoorde grommen.

'Ik voel me prettig in deze puinhoop. De Jordaan is mijn thuis.'

Dat hoorde ze niet graag.

'En nu wordt Aruba jouw thuis,' voegde hij eraan toe.

'Ik wil ergens naartoe waar het warm en zonnig is. Ergens waar we gelukkig kunnen zijn. Liese heeft dat net zo hard nodig als ik.'

'Jij kunt daar maar beter blijven.'

Ze hield haar hoofd schuin, verbaasd.

'Als ik dat zou willen. Wims nalatenschap moet afgewikkeld worden...'

'Dat kan de bank doen. Dat kun je het beste aan hen overlaten.'

'En die kwestie van Bea's dood...' zei Liesbeth. 'Wordt dat ook op Wims conto geschreven?'

'Wat kan jou dat schelen?'

'Ik was met hem getrouwd, weet je nog?'

Ze had zo weinig vragen gesteld. Ergens zou hij willen dat het zo kon blijven.

'Dat laat ik voorlopig open.'

De hond stond op, liep naar de boeg, ging met zijn rug naar hen toe zitten en poseerde voor de klikkende camera's van een rondvaartboot die langsvoer.

'Waarom?'

'Omdat hij Bea niet heeft vermoord. Dat heb jij gedaan.'

Dezelfde emotieloze uitdrukking. Haar gezicht verraadde niets van haar gedachten.

'En ik maar denken dat het beter met je ging,' zei ze luchtig.

'Met mij gaat het prima, hartelijk dank. Iemand had de stoelen van haar auto met een schoonmaakmiddel afgenomen.' Vos' aandacht dwaalde af naar zijn dochter. Sofia was bij haar gaan zitten, waarschijnlijk om ervoor te zorgen dat geen van de mannen dat deed. Ze dronken samen koffie. Praatten wat. 'De forensische dienst dacht dat dat in de garage was gedaan tijdens de servicebeurt een paar weken daarvoor. Ik heb het door Van der Berg laten natrekken. De garage gebruikt voor dat type auto geen schoonmaakmiddel. De stoelen waren van leer. Ze werden in de was gezet.'

'Verwacht je nou echt dat ik...'

'Die schoonmaakdoekjes waren van een specifiek soort. Groter dan de doekjes die je in de winkel koopt. Hetzelfde formaat als de doekjes die de forensische dienst gebruikt. Waar jij in die tijd werkte.'

'En dat is alles?' vroeg ze. 'De beste rechercheur van Amsterdam. Meer heb je niet?'

'Het is een begin. Tenminste als je terugkomt van Aruba. Ik wil ook niet dat Anneliese langer dan een half jaar wegblijft. Tenzij ze me recht in mijn gezicht zegt dat ze dat zelf wil.'

'Wat ben je toch een arrogante lul...'

'Wim heeft het al die tijd geweten, hè?' Vos had er goed over nagedacht. Had het voor zich gehouden. 'De Nachtwacht kwam volgens mij voor een deel voort uit schuldgevoel. Het idee dat hij de stad kon zuiveren en iets kon goedmaken wat jij op je geweten had. Ik denk dat het voor hem helemaal niet zo moeilijk was om uit dat vliegtuig te springen...'

'Hij was een lafaard. Zwak. Hij was maar een man. Dat secreet had mijn dochter van me afgenomen. Terwijl jij rondlummelde op bureau Marnixstraat en niks bereikte. Ze heeft Liese meegenomen naar dat privéhuis. Het was haar schuld...'

'Nee. Lindeman heeft haar ontvoerd. Niemand anders.'

'Bea is hiermee begonnen! Hoor je wel wat ik zeg? Slaap je nog?'

Ze praatte nu te hard. Een jong, bezorgd gezicht keek naar hen vanaf een tafeltje voor De Drie Vaten.

'Ik wilde het alleen maar weten,' zei Liesbeth, zachter nu. 'Wim was ten einde raad met die vrouw. Ik ben niet naar haar toe gegaan met de bedoeling haar te vermoorden. Ze lachte me in mijn gezicht uit. Zei dat ze het al die tijd had geweten van Wim en mij. Wat ze met Liese deed was haar wraak. Niet op mij. Op mijn dochter.'

Dat was niet bij hem opgekomen. Stom van me, dacht Vos.

'En je had toevallig een pistool bij je. Schoonmaakdoekjes van de forensische dienst om naderhand je sporen uit te wissen.'

'Ik was erachter gekomen hoe het zat, Pieter.' Ze priemde met een vinger in zijn borst. 'Terwijl jij geen stap verder kwam. Ik wist het.'

Een witte taxi kwam langzaam aanrijden, de chauffeur zocht iemand.

'Als je terugkomt, laat ik de zaak heropenen,' verzekerde Vos haar. 'Dan zet ik alle rechercheurs in die ik tot mijn beschikking heb tot je voor de rechter staat. Neem dat maar van me aan.'

Ze glimlachte, wuifde naar Anneliese voor het café. Riep op kalme, vriendelijke toon: 'Klaar?'

Ze keek hem aan, nog steeds stralend, en vroeg: 'En het hart van je dochter nog eens breken? Dat geloof ik niet. Als je het echt deed, dan zou je het nu doen. Mij kun je niks wijsmaken. Dat heb je nooit gekund.'

Ze spreidde haar armen. De belofte van een laatste omhelzing.

'Doe alsof. Voor haar. Niet voor mij. Bea is dood en begraven. Wim ook. Liese leeft nog, en ik zal ervoor zorgen dat niets ter wereld haar kwetst. Dat geef ik je op een briefje.'

Een snelle omarming, een vluchtig kusje op de wang. Toen sjouwde hij hun koffers naar de weg. Nam zijn dochter voor de laatste keer in zijn armen, fluisterde lieve woordjes in haar oor, kuste haar en keek toe terwijl ze instapten en de taxi wegreed.

Hij stond daar nog steeds, verloren in gedachten, zijn twijfels, toen er een fietsbel rinkelde.

2

Sam kwam enthousiast keffend de loopplank af gerend. Hij rende naar de fiets en zette zijn voorpoten tegen haar benen.

'Je bent het vergeten, Vos. Niet te geloven.'

Hij voelde zich traag van begrip en dom. Een lange jonge vrouw op een moderne fiets met een mand voorop. Haar rode haar hing om haar schouders, zorgvuldig geborsteld. Ze droeg een ouderwetse katoenen jurk, wit met groen, tot net boven de knie. Lichtbruine leren sandalen, geen lompe zwarte schoenen. En een moderne zonnebril die ze van haar neus op haar hoofd schoof.

'Laura?'

'Ik had het kunnen weten, hè? We hadden het afgesproken. Weet je nog?'

'Je ziet er... anders uit. Je kleren. Tante Maartje?'

'Ze maakt niet alles wat ik draag. Het is buiten diensttijd.' Ze herhaalde langzaam de laatste twee woorden. 'Weet je eigenlijk wel wat dat betekent?'

Hij herinnerde zich een belofte: ze mocht Sam meenemen voor een ritje en een wandeling. Op het moment dat hij dat had beloofd, was hij bezig geweest met het afwimpelen van Van der Bergs aanbod voor een biertje. Het was niet echt tot hem doorgedrongen.

'Het Vondelpark,' zei ze. Ze zette haar fiets tegen de reling en aaide de hond over zijn kop. 'Als dat goed is...'

Het staartje van de terriër kwispelde als een overspannen metronoom. Ze pakte hem op, kuste zijn kopje, kreeg een lik terug en zette hem in de mand voor op de fiets.

'Die is nieuw,' zei hij, en hij wees naar de mand.

'De Groot heeft me een vaste aanstelling gegeven. Ik kreeg de brief gisteren. Een cadeautje aan mezelf.'

'Goed nieuws,' zei hij ernstig knikkend.

'Alsof je dat niet wist. Niet dat hij veel keus had. Ik zou behoorlijk herrie geschopt hebben als ze me de laan uit hadden gestuurd. Na al dat gedoe met Katja en Mulder. O... je kunt je niet voorstellen...'

'Nou, toch wel, hoor.'

Ze aaide de hond. 'Gaat het wel goed met je? Je ziet er afwezig uit.'

'Uitstekend,' zei hij, zich bewust van haar blik op zijn versleten blauwe overhemd, de afgedragen spijkerbroek, oude sportschoenen. Een idee. Hij trok zijn broekspijpen op en wees. Twee dezelfde sokken. Felrood.

'Gefeliciteerd,' zei ze. 'Nog even en je loopt in een smoking.'

'Het is een begin.'

'Heb je misschien zin om mee te gaan naar het park?' vroeg ze aarzelend, als een volwassene die tegen een kind sprak.

Vos wees naar de boot. 'Werk aan de winkel. Een heleboel werk.'

'Zal het ooit klaar zijn?'

'Waarschijnlijk niet.'

'En jij?'

Hij aarzelde even en zei toen: 'Is iemand dat ooit?' Een knikje naar De Drie Vaten. 'Bovendien... er staat daar wasgoed voor me klaar.'

'Dat is echt schandalig.'

Een schaapachtige grijns. 'Ik weet het. Laat hem geen chips eten.' Hij haalde een plastic tasje uit zijn zak. 'En ruim zijn drollen op...'

Ze stak haar hand achter de hond in de mand en liet hem een nieuw pakje hondenpoepzakjes zien.

'Ik geef je nog één kans, Pieter Vos,' zei Laura Bakker, terwijl ze haar zonnebril van haar hoofd trok. 'Ik vraag het nooit meer.'

Hij haalde zijn schouders op, glimlachte mat. Ze mompelde iets en hij keek haar na toen ze wegfietste langs de gracht.

Sam deed iets wat Vos hem nooit eerder had zien doen. In plaats van naar voren te kijken en te genieten van de wind in zijn vacht, draaide hij zich om en keek naar de vrouw die met hem naar het park fietste. Ze kletste tegen hem terwijl ze langzaam over de Prinsengracht reed, haar rode haar wapperend over haar schouders. Ze ging helemaal op in de hond.

Vos wierp een blik op de verwaarloosde boot.

Toen keek hij naar De Drie Vaten, waar de eerste koude biertjes van de dag werden ingeschonken.

Trok aan zijn te lange haar.

Krabde aan zijn wang. Heel even was hij in tweestrijd.